Claude et François Emmell,

Une remontée dans le temps que
vous propose un sculpteur plein d'humour.

Odette Lependu

LES ARTISTES
DE MON TEMPS

Alfred Laliberté

LES ARTISTES DE MON TEMPS

**Texte établi, présenté et annoté
par Odette Legendre**

Le Boréal

Données de catalogage avant publication (Canada)

Laliberté, Alfred, 1878-1953.
    Les artistes de mon temps
    Bibliogr.:
    2-89052-148-6

    1. Artistes — Canada. 2. Arts canadiens. 3. Art moderne —
20ᵉ siècle — Histoire. I. Legendre, Odette. II. Titre.

N6548.L34 1986   709.71   C86-096060-9

Photocomposition: Les Éditions Marquis Ltée

Photo de la couverture: Gilles Savoie

Diffusion pour le Québec:
Dimedia: 539, boul. Lebeau
Saint-Laurent (Québec) H4N 1S2

Distribution pour la France:
Distique: 17, rue Hoche
92240 Malakoff

© Les Éditions du Boréal Express
5450, ch. de la Côte-des-Neiges
Bureau 212, Montréal H3T 1Y6

ISBN 2-89052-148-6

Dépôt légal: 1ᵉʳ trimestre 1986
Bibliothèque nationale du Québec

Avant-propos

La lecture des *Artistes de mon temps* d'Alfred Laliberté réservera bien des surprises. Moi-même, je fus étonnée quand je pris connaissance du manuscrit. Je me trouvais en face d'un document très personnel d'un intérêt incontestable, mais d'une écriture déconcertante.

Pour le sculpteur Alfred Laliberté, écrire fut un apprentissage ardu mais *Les artistes de mon temps* reflète le plaisir qu'il y prend au cours des années. Il raconte, sans se lasser, des moments de vie des uns et des autres et se révèle tout à la fois. On voudrait au fil du récit poser des questions et obtenir des explications. Peine perdue. Il faut accepter que *Les artistes de mon temps* reste un document énigmatique et inachevé. J'ai tenté d'apporter quelques éclaircissements, mais j'étais loin de soupçonner au départ les difficultés inhérentes à ce genre d'entreprise.

Partir à la recherche des artistes de cette époque relève de l'enquête policière: déchiffrer des indices, suivre des traces, procéder à des fouilles, poursuivre sans jamais être sûr du résultat. Car le temps brouille les pistes et emporte les témoins à jamais. Reste l'essentiel: les textes d'Alfred Laliberté et la part de réalité et de rêve qu'ils renferment.

Je suis infiniment reconnaissante à monsieur Laurier Lacroix de m'avoir soutenue et guidée fidèlement tout au long de mon travail sur *Les artistes de mon temps*. Mes remerciements les plus sincères s'adressent aussi aux familles des artistes et à leurs descendants qui ont fait appel à leurs souvenirs pour me venir en aide; au personnel du Musée du Québec, dont messieurs Michel Champagne, Mario Béland et Pierre L'Allier; au personnel du Musée des beaux-arts du Canada, à monsieur Pierre Landry tout particulièrement; à monsieur Yves Lacasse, du Musée des beaux-arts de Montréal, pour sa collaboration dévouée; à madame Jacqueline Legault qui a eu la tâche ingrate de dactylographier et d'informatiser *Les artistes de mon temps*.

Un grand merci à madame Thérèse Desjardins, non seulement pour avoir tenu à faire la révision finale du texte, mais pour m'avoir témoigné une fois de plus sa fidèle amitié. Je sais gré à l'équipe du Boréal d'avoir accédé au désir d'Alfred Laliberté en éditant son manuscrit.

Présentation

Les artistes de mon temps du sculpteur Alfred Laliberté est pour le moins un document étonnant. On y chercherait en vain des révélations sur les artistes contemporains du sculpteur ou des analyses profondes de leurs œuvres. Ce n'est d'ailleurs pas le but de l'auteur. À cet égard, l'introduction des *Artistes de mon temps* est explicite: «Bien sûr, je n'entreprendrai pas en écrivant cet article au sujet des artistes de mon temps, et surtout de ceux que j'ai connus, de faire l'histoire de l'art au Canada, ni même l'historique de chacun de ces artistes. Je veux seulement parler un peu de chacun en passant.» Alfred Laliberté n'a pas la prétention d'écrire «un ouvrage important», mais toujours soucieux de faire œuvre utile, il ajoute: «C'est seulement un peu de matériel qui sera propre à servir à l'écrivain de l'histoire de l'art au Canada» ou encore, «un rapaillage fait dans un but historique.»

Curieux projet qui nous vaut aujourd'hui un panorama pittoresque d'artistes dont l'activité artistique se situe à peu près entre 1880 et 1940. *Les artistes de mon temps* traite de cent vingt-neuf artistes. Toutefois, si on en croit les listes de noms qui accompagnent le manuscrit, quelque cent soixante-quinze artistes auraient fait partie du projet, encore que ces listes soient restées ouvertes. À vrai dire, Alfred Laliberté n'aura pas le temps de parler des jeunes: la mort du sculpteur en 1953 laissera le manuscrit inachevé.

Alfred Laliberté est resté fidèle à son objectif initial. On trouve dans ses textes des «notes en passant», des portraits tracés en quelques lignes, des commentaires souvent humoristiques sur la personnalité des artistes, des jugements brefs, parfois judicieux, sur les œuvres et bon nombre d'anecdotes dont Laliberté, le conteur, est si friand.

«Le jugement que je vais porter sur la valeur de chaque artiste sera sans parti pris. Je me dépouille de mon moi, de mes préférences, de toute rivalité, de toute rancune qui n'existent pas d'ailleurs.» Dès les premiers articles, il ne tient plus parole. Compte tenu de sa nature, comment une telle objectivité aurait-elle pu être possible? Il confie d'ailleurs dans *Réflexions sur l'art et les artistes* que «Il est difficile de dire beaucoup de bien d'un artiste qu'on connaît trop et d'en dire autant de celui que l'on ne connaît pas assez, de même que de dire du bien d'un rival, sans aller contre notre pensée.» *Les artistes de mon temps* sont des textes subjectifs, souvent partiaux, remplis d'humeur et d'humour; certains artistes y sont appelés «mon ami», d'autres pas. C'est peut-être ce qui leur confère cette impression de vie et une savoureuse spontanéité.

Au juste, de qui parle Laliberté? «J'ai voulu parler de tous ceux qui ont voulu essayer de faire de l'art.» Défile alors une succession d'hommes et de femmes qui, à un moment ou à un autre, ont peint, sculpté, dessiné, gravé. Dans cette galerie, le pauvre raté a droit à sa place tout aussi bien que l'artiste célèbre. Certains noms sont complètement oubliés aujourd'hui, non sans raison, mais d'autres mériteraient d'être redécouverts. Pour le moment, ce ne sont que des silhouettes qui s'animent l'espace d'un instant sous la plume de Laliberté pour disparaître aussitôt.

Montréal avec ses institutions, ses journaux, ses associations, son élite bourgeoise, ses «deux solitudes», sert de toile de fond à ce panorama. Si les artistes viennent des quatre coins de la province, c'est à Montréal qu'ils étudient et exposent. Quelques artistes de Québec ou d'Ottawa font l'objet d'articles, mais Laliberté ne va pas au-delà de ces frontières. Très majoritairement, les artistes retenus par l'auteur sont francophones. Quant à ceux qui ont choisi de vivre à Paris, il en parle, mais à son avis, ils sont déracinés.

À peu d'exceptions près, Alfred Laliberté parle d'artistes qu'il a connus. «Je parle plutôt de ceux de mon temps parce que je crois les connaître davantage et que j'en ai connu plusieurs intimement; les autres, je les ai approchés ou j'en ai entendu parler.» On peut imaginer ce qu'aurait été *Les artistes de mon temps* si Alfred Laliberté avait interrogé ses contemporains, mais il a laissé ce procédé aux journalistes Jean Chauvin et Albert Laberge. C'est donc seul, assis à sa table de travail dans l'atelier de la rue Sainte-Famille, qu'il rédige ses commentaires, raye des phrases, en ajoute d'autres et couvre au fil des années trois cent trente-cinq pages de son écriture ample et ferme. Il ne fait appel qu'à sa mémoire. Il dresse des listes car il a peur d'oublier des noms, et il en oublie. Il respecte un certain ordre chronologique du moins au début; après, l'ordre est plus aléatoire.

Les dates sont souvent approximatives et il ne songe pas à vérifier certaines assertions. Ce qui lui fait parfois conclure à la mort prématurée d'un artiste, comme c'est le cas pour Henri Angers, alors que celui-ci est décédé dix ans après Laliberté, soit en 1963, à l'âge de quatre-vingt-treize ans! Mais dans la logique de l'auteur, un artiste qui n'expose plus doit être mort.

Dans quelles circonstances Alfred Laliberté a-t-il rencontré les artistes dont il parle? Il y a d'abord ceux qui ont partagé sa vie d'étudiant au Conseil des arts et manufactures, de 1896 à son départ pour Paris en 1902. Il y a aussi ceux qui ont été les professeurs de cette époque, Alexandre Carli, Edmond Dyonnet, Joseph Saint-Charles, William Brymner, Joseph-Charles Franchère pour n'en nommer que quelques-uns. Par la suite, au cours de son premier séjour parisien, il en a rencontré d'autres, son ami Suzor-Côté, Théodore Dubé, Émile Vézina... Au retour, en 1907, et surtout après son deuxième séjour en France en 1911, Laliberté a fait partie de la vie artistique montréalaise et sa renommée s'accroît. Ce qui signifie la participation aux Salons de l'Art Association et de l'Académie royale du Canada principalement. En effet, si être accepté aux Salons des artistes français consacrait presque le jeune Canadien à Paris, à son retour, il se devait d'exposer, ne serait-ce que «pour se mesurer aux autres». À l'occasion de ces manifestations, Laliberté a sans doute rencontré bon nombre de peintres et de sculpteurs ou a vu leurs œuvres. Alfred Laliberté, par ailleurs, a enseigné très tôt au Conseil des arts et manufactures, au Monument national, et à l'École des Beaux-Arts de Montréal, de sa création en 1922 à la fin des années quarante. Il a eu d'innombrables élèves; il en a retenu quelques-uns dans son document dans la mesure où il les «sentait artistes». De plus, les participations aux concours et aux jurys l'ont sûrement mis en contact avec plusieurs artistes, sans parler de ceux qu'il avait regroupés dans son phalanstère de la rue Sainte-Famille.

Impossible de comprendre les opinions d'Alfred Laliberté sur les artistes de son temps sans connaître ses paramètres. Même s'il est parfois injuste et souvent très sévère, il juge d'abord en fonction de ce qu'il est profondément, de son tempérament et de ses convictions. Les valeurs et les critères esthétiques de son époque et l'idéologie de son milieu lui servent ensuite de balises. Dans un cas comme dans l'autre, il est essentiel de se reporter à *Mes souvenirs*, *Réflexions sur l'art et les artistes* et *Les hommes et les choses* d'Alfred Laliberté, publiés en un volume, où l'on trouve des pages qui éclairent *Les artistes de mon temps*. Il faut revenir aux rubriques intitulées «Rivalité d'artistes», «L'art», «L'artiste», «Le travail», «La postérité» et à l'émouvant «Les artistes qui disparaissent» qui clôt le livre.

Le portrait d'Alfred Laliberté, que son autobiographie *Mes souvenirs* révèle, permet d'affirmer qu'il valorise le travail par-dessus tout. Il aimerait retrouver chez les autres les mêmes exigences et la même volonté qui ont gouverné sa vie. «Celui qui a vraiment la vocation de l'art, il doit sentir le besoin de produire, de faire beaucoup de belles choses, car c'est son cœur, son âme qui le pousse; c'est une fièvre qui le consume et qui ne peut se guérir que par le travail.» Il pardonne mal à ceux qui avaient du talent, de l'avoir laissé en friche par paresse. Il «les méprise», écrit-il, «car ils n'ont pas mérité de vivre.» On voit à quel excès Laliberté peut aller. Par contre, il a souvent plus de sympathie pour le raté qui est allé au bout de ses possibilités. Toutefois, fidèle à son idéal artistique, il le rejettera de son panthéon. C'est que l'auteur peut esquinter l'artiste mais rendre hommage au courage de l'homme.

Avec ce mélange d'humilité et d'orgueil qui le caractérise, Laliberté juge aussi en homme qui a réussi, a connu le succès, a «fait de l'art» et même du grand. Il jauge selon une mesure qui lui est personnelle. Ainsi, les sculpteurs sur bois, comme Louis Jobin ou Olindo Gratton, ne sont à ses yeux que de «braves artisans». Il faut dire qu'à l'époque, il n'était pas le seul de cet avis. Quant aux dessinateurs, illustrateurs, caricaturistes, Laliberté regrette que plusieurs d'entre eux n'aient pas «fait de l'art» malgré leur immense talent, comme il le pense pour Albéric Bourgeois et Henri Julien. Autre façon de distinguer les grands et les autres: pour les uns, l'art a été l'affaire de toute une vie, le grand amour, l'unique passion à quoi ils ont tout sacrifié, tandis que les autres se sont laissé détourner. Il ne blâme pas les choix personnels, mais se désole de voir tant d'artistes assumer trop tôt des obligations familiales. Mieux vaut, selon lui, attendre que l'œuvre soit faite, avis partagé d'ailleurs par des amis tels Suzor-Côté et Saint-Charles qui, comme lui, se sont mariés tardivement.

Sans avoir une image romantique de l'artiste, il le voit pourtant différent du commun des mortels. C'est un homme qui est capable de grandes «envolées créatrices», qui privilégie «l'intellectuel», en somme qui a une «mentalité d'artiste». Il lui faut aussi «avoir une personnalité» et «être fort». Avec un peu de talent et beaucoup de travail, l'artiste peut alors espérer de grandes choses. Le véritable artiste, selon Laliberté, accorde peu d'importance aux valeurs matérielles pourtant... «les commandes payantes» et «l'argent» reviennent fréquemment sous sa plume! Le sculpteur voudrait bien ignorer cette réalité et célébrer «la misère qui forge le tempérament» en se disant que «le bien-être chez l'artiste est quelquefois redoutable». Les artistes de son temps ont connu la guerre, la Crise, et à cette époque bourses et subventions étaient rarissimes. De plus, le mécénat de l'Église tirait à sa fin et la photographie menaçait les portraitistes. «De quoi vivent nos artistes?» se demande Jean Chauvin dans *Ateliers*. Le marchand de tableaux W. Watson y répondra dans *Retrospective*: «Few Canadian artists were able to make more than a tolerable living, and most of them did this by teaching, through commercial illustration, or by making etchings which could be sold for a few dollars.» Il est vrai que «la mode n'est pas au canadien», ajoute Chauvin. Le défi pour les artistes du début du siècle fut de prendre la place qui leur revenait dans les collections privées et publiques envahies jusqu'alors par la peinture anglaise, hollandaise et allemande. Ils y réussirent d'ailleurs progressivement.

Le sculpteur Laliberté, comme la plupart de ses confrères, est un héritier de l'académisme européen. C'est à travers ce prisme qu'il faut lire *Les artistes de mon temps*. Cette conception du Beau, de l'œuvre d'art, cet idéal esthétique lui feront rejeter «l'école ultra-moderne de la déformation». Transmis par nos écoles d'art, l'académisme a été le modèle de formation proposé jusqu'au raz de marée des années quarante. Rappelons que la mise en place de chacune de nos institutions artistiques a été précédée du voyage européen d'émissaires chargés d'importer un modèle de formation. Il ne faut pas s'étonner que les premiers directeurs de l'École des Beaux-Arts de Montréal aient été Français.

Les textes d'Alfred Laliberté et mes notices biographiques rappellent de nombreuses fois que tel ou tel artiste avait étudié à Montréal chez Chabert, au Conseil des arts et manufactures, à l'Art Association, au Monument national, et qu'à Paris, on le retrouvait à l'École des Beaux-Arts et souvent aux académies Julian ou Colarossi. Quels étaient donc ces jalons dans l'apprentissage de nos artistes d'hier?

Alfred Laliberté mentionne dans *Les artistes de mon temps* ces vieux artistes qui l'ont précédé, dont l'apprentissage se faisait auprès de maîtres dans la tradition du compagnonnage médiéval. En revanche, ses aînés immédiats avaient le plus souvent étudié avec l'abbé Joseph

Chabert. «Cet abbé Chabert — étrange ecclésiastique français qui ne fut jamais prêtre et fonda parmi nous l'éphémère Institut national des Beaux-Arts — initia au dessin et à la peinture plusieurs autres peintres canadiens, notamment Suzor-Côté et Franchère, Gill et M. Saint-Charles (...)», écrivait Olivier Maurault.

Arrivé à Montréal en 1865, l'abbé Chabert aurait enseigné de 1870 à 1888. Il mourut en 1894, mais eut le temps de contribuer à la formation d'un bon nombre de jeunes artistes de l'époque. En cette fin du XIXe siècle où l'industrialisation exigeait de nouvelles compétences, l'abbé Chabert se donna pour mission de favoriser les moins bien nantis de la société pour qui la connaissance et la pratique du dessin allaient constituer un atout majeur pour leur promotion. Chabert dispensa d'abord son enseignement à Ottawa, puis à Montréal. Formé lui-même à l'École des Beaux-Arts de Paris, il structura son enseignement selon la tradition européenne. Dessin et peinture, modelage et sculpture, architecture, regroupés en autant de sections auxquelles s'ajoutaient la mécanique et les sciences appliquées.

Céline Larivière, à qui on doit d'avoir fait un peu de lumière sur ce personnage, écrit: «L'histoire de l'Institut national fut intimement liée à la vie personnelle de Chabert.» C'est dire que l'Institut connut une vie mouvementée avec l'alternance d'années fastes et d'années creuses. En butte à bien des difficultés, l'homme pourtant ne s'avouait jamais vaincu. Il se révéla un animateur énergique, un communicateur infatigable multipliant cours et conférences, et un directeur qui eut l'art de se gagner des collaborateurs aussi prestigieux que le graveur Rodolphe Bresdin qui séjourna deux ans à Montréal.

Étudier au Conseil des arts et manufactures, au Conseil des arts et métiers ou au Monument national, c'était à vrai dire étudier à une même institution. Cependant des précisions s'imposent, car la longue histoire de cette «institution nomade» commence avec la création des Boards of Arts and Manufactures, créés en 1857 pour le Haut et le Bas-Canada, et se termine en 1927. André Comeau démêle avec minutie cet écheveau complexe dans *Institutions artistiques du Québec de l'entre-deux-guerres (1919-1939)*. L'appellation Conseil des arts et manufactures de la Province de Québec qui apparaît dans le *Livre des délibérations* n'est pas autre chose qu'une traduction littérale du «manufactures» anglais rendu plus justement par «métiers». Le calque a longtemps été utilisé.

14

Quant au Monument national, c'est aux étages supérieurs de cet édifice, qui appartenait à la Société Saint-Jean-Baptiste, que le Conseil des arts a élu domicile jusqu'à la fin de son existence. Ce même édifice fut aussi le siège de l'École des arts et métiers, ce qui peut expliquer la confusion entre les deux institutions. Conçu à l'origine comme une école de formation technique et artisanale au service de la classe ouvrière, le Conseil des arts et manufactures dispensait aussi bien des cours de plomberie que des cours de modelage. L'enseignement s'y donnait le soir gratuitement. Le Conseil a eu jusqu'à dix-huit écoles disséminées à travers le Québec, dont une à Québec, particulièrement florissante à une certaine époque. Sorte d'éducation permanente avant la lettre, le Conseil se proposait, par des conférences, de sensibiliser aussi le public à des domaines moins scolaires.

Non sans difficultés, et tiraillé entre diverses méthodes pédagogiques, l'enseignement des arts réussit à se tailler une réputation fort convenable. Les peintres qui y enseignèrent comme Henri Julien, Aldéric Rapin, Ludger Larose, Joseph Saint-Charles, Jobson Paradis, Charles Gill, Edmond Meloche, Joseph-Charles Franchère, et Edmond Dyonnet pendant trente ans, transmirent aux jeunes artistes les leçons reçues à l'École nationale des Beaux-Arts de Paris ou dans les académies. De leur côté, les sculpteurs sur bois communiquaient leur savoir-faire, mais les autres restaient fidèles à leurs maîtres parisiens, Gabriel-Jules Thomas et Antoine Injalbert en l'occurrence pour Laliberté.

L'Art Association et le Conseil des arts et manufactures ont mené leurs activités parallèlement pendant plusieurs années. Fondée en 1860, l'Art Association ouvrait ses premières classes dans sa galerie du square Philip en 1880. Le nom de William Brymner est immédiatement associé à l'histoire de cette institution. Il y a enseigné de 1886 à 1920 et en a été le directeur à compter de 1906. Dyonnet prendra la relève pour les cours de dessin de 1924 à 1940. Maurice Cullen y a eu des ateliers d'aquarelle de 1901 à 1910, et de peinture de 1911 à 1923. Dans les années trente, Edwin Holgate a fait partie du corps professoral, et Arthur Lismer de 1940 à 1963, mais nous voici au-delà de la période des *Artistes de mon temps*.

À l'époque, selon Laliberté, «c'était la seule école sérieuse ici, à Montréal.» Et il ajoute que Brymner «avait la réputation d'être sévère, juste et sincère.» Brymner souhaitait que l'enseignement dispensé à l'Art Association se distinguât des enseignements techniques destinés à former des illustrateurs. Fidèle à la tradition, il préconisait la pratique du dessin comme fondement de toute expression picturale. On reconnaît aujourd'hui à Brymner le mérite d'être resté ouvert aux nouvelles esthétiques, faisant taire parfois ses réticences personnelles pour respecter la liberté de ses élèves.

C'est avec la création de l'École des Beaux-Arts de Montréal, en 1922, que l'Art Association connut une certaine désaffection, les jeunes artistes anglophones comme francophones se dirigeant vers la nouvelle école. Dès l'ouverture, Alfred Laliberté fut au nombre des professeurs, non qu'il se sentait une âme de pédagogue, mais il y trouvait des revenus assurés. «Mon traitement était le triple de celui que je recevais au Conseil des arts au Monument national. Ma nomination de professeur au cours supérieur de modelage à l'École des Beaux-Arts, rue Saint-Urbain, fut une chose inespérée et peut-être une des seules qui me soit venue aussi facilement.» Il apprécia surtout de ne donner des cours que le soir, ce qui lui laissait tout son temps pour peindre ou sculpter à la lumière du jour. En 1933, à propos du Salon du printemps de l'Art Association, il se réjouit de constater la participation élevée des artistes: plus de mille œuvres avaient été soumises. Il y vit enfin la retombée des écoles d'art locales. «Dans la sculpture, on peut compter une quarantaine d'artistes de Montréal, dont les trois quarts ont été mes élèves; quelques-uns d'entre eux le sont encore. Une trentaine de noms de ceux qui figurent dans le Salon actuel exposent des choses assez bien réussies.»

Après la formation montréalaise venait le séjour obligé en Europe, en France surtout. «S'il avait étudié en Europe», écrit Alfred Laliberté à propos d'Alexandre Carli, «il aurait pu faire un grand sculpteur.» Dans ses *Carnets intimes*, en date du 18 juin 1922, à Paris, Rodolphe Duguay écrit: «Je commence à croire que je passerai cinq ans à Paris, encore trois ans. M. Laliberté me le conseille.» Quatre-vingts des cent vingt-neuf *Artistes de mon temps* ont étudié en Europe. L'historien de l'art Laurier Lacroix a, par ailleurs, dénombré soixante-quinze artistes canadiens ayant séjourné à Paris entre 1875 et 1905.

Les aînés, comme Napoléon Bourassa, s'étaient dirigés vers l'Italie, quelques-uns vers la Belgique, à l'Académie royale d'Anvers ou à l'Académie Saint-Gilles à Bruxelles. Par la suite, la très grande majorité s'inscrivit soit à l'École des Beaux-Arts de Paris, soit dans les célèbres académies privées de l'époque: Julian, Colarossi, Delecluse, Ranson. Faut-il s'en étonner quand on songe à l'attrait qu'exerçait alors Paris? «Foyer qui force l'attention du monde», écrit Élie Faure. On y vient de partout et les Canadiens n'échappent pas à ce pouvoir de séduction. Pour envoyer le jeune artiste à Paris, on a recours à la souscription publique, comme ce fut le cas pour Laliberté, on fait appel au mécénat, celui de Wilfrid Laurier, du curé Labelle ou de James Morgan ou encore, on fait du séjour à Paris la condition d'une commande. Qu'on se rappelle les contrats des peintres de la chapelle du Sacré-Cœur ou encore celui du sculpteur Laliberté pour les sculptures des Pères Brébeuf et Marquette: les œuvres devaient être exécutées à Paris. C'est là que s'apposait le sceau de la qualité.

Plus tard, d'autres artistes se tourneront vers la New York Arts Student League ou le Chicago Art Institute, mais Paris restera encore longtemps le lieu d'élection des artistes canadiens. Pellan, Borduas, Dallaire, Riopelle, Ferron, Leduc et des dizaines d'autres prendront par la suite la même direction.

Dans ce Paris en effervescence du début du siècle où toutes les écoles et les tendances artistiques co-existaient, on peut regretter que les jeunes artistes canadiens de la génération de Laliberté n'aient pas été dans le réseau de la modernité. «L'esprit de soumission» que reconnaît Laliberté en serait-il la cause? Il est vrai qu'ils se comptaient déjà chanceux d'avoir accès aux prestigieuses institutions françaises et, de plus, ils ne voulaient pas décevoir ceux qui, au pays, leur avaient fait confiance. Les lettres du jeune sculpteur à J.P.L. Bérubé, du Conseil des arts et manufactures, se veulent rassurantes et reconnaissantes. Ce serait aussi méconnaître la mentalité de la société québécoise d'alors que d'imaginer ses jeunes peintres et sculpteurs s'aventurant hors des sentiers battus. Ils habitaient les mêmes quartiers, descendaient aux mêmes hôtels, s'inscrivaient aux mêmes ateliers et se plaçaient sous la protection du Commissaire canadien à Paris, Hector Fabre d'abord, et Philippe Roy plus tard. Seul quelques privilégiés ont pu frayer avec les grands noms de la peinture française, comme Morrice, qui a fréquenté Matisse. Mais contrairement à ce qu'on a déjà prétendu, le timide Alfred Laliberté n'a jamais rencontré Rodin!

L'été, à l'occasion des vacances, les inégalités sociales réapparaissaient. Ceux dont les parents étaient plus fortunés allaient en Italie, en Belgique, en Allemagne, en Espagne et même en Afrique du Nord. D'autres faisaient «le pèlerinage à Barbizon» ou prenaient les routes de Bretagne. Mais c'est dans son atelier de l'Impasse

Ronsin désertée en juillet, qu'un journaliste canadien trouve le jeune Laliberté au travail. «Vous pouvez être sûr que votre humble serviteur débuta peut-être le plus pauvre dans sa carrière artistique», écrit-il dans *Mes souvenirs*. Le premier séjour d'Alfred Laliberté à Paris restera toujours associé à un certain mal de vivre.

La correspondance, les carnets intimes ou les souvenirs des artistes nous révèlent que tous heureusement savaient bien profiter de ce que Paris pouvait offrir en dehors des écoles. Les collections du Louvre, du Trocadéro, du Luxembourg, ce musée de «l'autre XIXᵉ siècle», les jardins publics peuplés de statues, les Salons, les galeries, les théâtres, les bibliothèques... Ils avaient fait de Montparnasse leur port d'attache et du Café Fleurus leur point de rencontre.

Qu'ils aient fréquenté l'École nationale des Beaux-Arts ou les académies privées, les aînés, parmi les *Artistes de mon temps* avaient reçu une formation académique qui s'inscrivait dans une longue tradition héritée de la Renaissance. La primauté était accordée à la forme, et la maîtrise de la technique devait être au service de l'expression de la beauté idéale du corps humain et de la nature. Seul le travail patient et laborieux permettait d'atteindre cet idéal. Pour y arriver: le dessin d'après l'antique, «l'académie» ou dessin d'après modèle vivant, l'étude de l'anatomie et de la composition. «Apprenez à dessiner d'abord» résumerait les conseils de tous les professeurs. À l'artiste d'exprimer sa personnalité malgré les contraintes. Nos artistes réagirent différemment à cet enseignement.Quelques-uns de nos grands paysagistes suivirent avec un peu de retard les leçons de l'Impressionnisme, du Symbolisme, du Fauvisme alors que ces écoles ne faisaient plus scandale.

L'Académie Julian offrait une alternative intéressante aux étudiants étrangers qui attendaient de passer le concours d'admission à l'École des Beaux-Arts ou à ceux qui étaient attirés par un cadre moins rigide que celui des Beaux-Arts. Fondée par Rodolphe Julian en 1868, l'Académie Julian a joui d'une réputation qui a largement dépassé ses frontières. C'est par centaines que les Américains ont travaillé chez Julian aux côtés de Français et d'Européens venus de partout. Le premier atelier, Passage des Panoramas, près des Grands Boulevards, s'est rapidement multiplié pour répondre à la demande et l'Académie Julian a essaimé dans tout Paris. Le dernier atelier, rue du Dragon, a fermé ses portes en 1959. Certains professeurs étaient célèbres, certains étudiants le sont devenus. Académiciens, anciens Prix de Rome, médaillés et décorés, habitués des Salons, les professeurs les plus recherchés à l'époque étaient Jules Lefebvre, Tony Robert-Fleury, Jean-Paul Laurens, Bouguereau, Benjamin Constant. Parmi les sculpteurs, Raoul-Charles Verlet, Paul Landowski, Louis-Henri Bouchard.

Les témoignages de nos compatriotes sur cette Académie sont à la fois riches d'information et particulièrement savoureux. À cet égard, les *Carnets intimes* de Rodolphe Duguay nous donnent une bonne idée de l'esprit et de l'organisation des ateliers. «Paris, 14 octobre (1920) — Ce matin vers 8h30, Poirier et moi nous nous rendions à l'Académie Julian, 31, rue du Dragon. Superbe atelier dans lequel il y a deux classes de peinture et une de modelage. Je fais partie de la classe du professeur A. Déchenaud. Comme nouveaux, on nous a un peu blagué, mais ce ne fut rien de méchant (...) Payé 160 francs pour trois mois de cours, l'avant-midi seulement 20 francs, pour le massier, fixatif, huile, essence et 10 francs pour chevalet et chaise.» Parallèlement à l'Académie Julian, Duguay décide de fréquenter une autre académie. «Paris, 18 janvier (1921) (...) Cet après-midi, je suis parti pour aller à l'Académie de la Grande-Chaumière dans le but de prendre des cours de croquis, de deux heures de l'après-midi à sept heures. M'étant trompé, je me suis adressé au bureau de l'Académie Colarossi, 10, rue de la Grande-Chaumière et acheté un carnet de croquis contenant 24 petits billets que j'ai payés 24 francs. Les cours de l'Académie me plaisent beaucoup.» Dix ans auparavant, dans une lettre à son père, Edmond Lemoine faisait une comparaison pour le moins personnelle entre les deux académies: «Je rentre à l'atelier Colarossi. J'ai vu un atelier et c'est très bien tenu. Il y a des gens de tous les âges. Je suis allé voir à l'Académie Julian, c'est très sérieux, il y passe des gens de beaucoup de talent; mais ils me semblent bien canailles pour la plupart ces étudiants. Chez Colarossi, on paye un peu plus cher, mais on y rencontre des gens plus distingués. Je m'y plairai davantage et c'est très sérieux aussi.»

Partie intégrante de la formation française ou complément souhaitable: la copie au Louvre ou au Luxembourg. Pour en savoir plus long sur cette quesion, l'historien de l'art Laurier Lacroix a dépouillé dans les Archives du Musée du Louvre, le registre des artistes-copistes de 1838 à 1918. «Il est possible de cerner deux types d'artistes qui travaillent au Louvre: les jeunes peintres dans la vingtaine qui, suivant les conseils de leur maître d'atelier à l'Académie, se rendent au Louvre pour tirer d'autres leçons dans ces galeries héritières des collections royales, religieuses ou celles de riches amateurs. Les artistes plus âgés, dont le goût et le style est déjà arrêté, reproduisent les tableaux qui les intéressent, mais dont ils espèrent tirer une source directe de revenu.»

Les étrangers ne pouvaient pas entrer dans la course au prestigieux Prix de Rome, mais ils convoitaient la participation au Salon des artistes français. À la fois populaire et mondain, le Salon, à la fin du XIXe siècle et au début du XXe, constituait un événement très couru. C'est là que se faisaient les réputations. Plus tard, il ne sera plus de bon ton d'y exposer; d'autres Salons accueilleront la nouvelle peinture.

L'historien de l'art, Sylvain Allaire, a dénombré le nom de soixante-quatre peintres canadiens qui exposaient au Salon de 1870 à 1910, dans les sections peinture et dessin. C'est dire l'importance de cette participation. Recevoir une médaille, une mention ou un mot de la critique avait aux yeux de nos compatriotes valeur d'auréole. La mention honorable qu'a remportée Alfred Laliberté au Salon de 1905, avec *Jeunes indiens chassant*, fit les gros titres de nos journaux. Quant à la critique de Péladan dans la *Revue hebdomadaire* du 11 mai 1907, le sculpteur y faisait encore allusion quarante ans plus tard.

Certains artistes canadiens restèrent quelques mois à Paris, plusieurs cinq ou dix ans, et d'autres y passèrent leur vie. Ils envoyaient leurs œuvres au Canada ou venaient les présenter. Sans avoir le panache des Salons français, les expositions de l'Art Association et de la Royal Canadian Academy avaient leur importance. On venait y chercher l'espoir d'un mécénat, d'une vente, d'une commande ou encore la reconnaissance locale, comme le prix Jessie Dow ou l'entrée à l'Académie. Trente des *Artistes de mon temps* étaient membres de la Royal Canadian Academy, mais Alfred Laliberté ne le mentionne que pour trois ou quatre d'entre eux. Curieusement, dans aucun de ses manuscrits, le sculpteur n'a fait allusion à sa propre appartenance à l'Académie et il n'a jamais fait suivre sa signature des trois lettres prestigieuses, R.C.A.

Au cours des années, les galeries d'art comme celles de Scott, de Johnson ou de Watson offrirent leurs cimaises aux artistes d'ici. Les grands magasins du centre-ville, Ogilvy, Eaton et Morgan prirent aussi l'initiative d'expositions. Mais il faut bien admettre que les artistes francophones ne s'y sentaient pas tout à fait chez eux. Ce n'est qu'en 1950 qu'Alfred Laliberté parle d'«une lacune»: «Pourquoi

Montréal, ville de plus d'un million d'âmes dont la majorité est française et compte une foule d'artistes de langue française, n'a-t-elle pas encore en 1950 une salle convenable pour exposer leurs œuvres tant en peinture qu'en sculpture? Il existe certes une galerie d'art où se tiennent des expositions, on permet bien aux Canadiens français d'y exposer leurs œuvres, mais, malgré la courtoisie de nos compatriotes anglais, nous ne nous sentons pas vraiment chez nous. Il faut déplorer cette lacune.» Il y avait pourtant des lieux accueillants : le Club Saint-Denis, la bibliothèque Saint-Sulpice, la galerie Morency, le Cercle universitaire, tous situés au cœur du Quartier latin, dans l'axe des rues Sainte-Catherine et Saint-Denis. Tous, hélas, en dehors du circuit du marché de l'art.

Au printemps de 1911, une cinquantaine d'artistes participèrent au Premier Salon de la peinture et de la sculpture, au Club Saint-Denis. On retrouve trente-trois d'entre eux dans *Les artistes de mon temps*. Voisine de l'Université Laval de Montréal, de l'École polytechnique et des Hautes Études Commerciales, la bibliothèque Saint-Sulpice, sous l'impulsion de son directeur Olivier Maurault, a polarisé un grand nombre d'activités culturelles. Jean-René Lassonde, qui a fait l'histoire de cette institution, a relevé trente-deux expositions de 1915 à 1929. On retrouve tous les exposants dans *Les artistes de mon temps*. Évoquant ces expositions, le critique Marcel Valois écrit, en 1965, dans *Au carrefour des souvenirs* : «Les expositions de peinture attiraient, durant un mois chacune, une assistance régulière de curieux plutôt que de connaisseurs. La plupart des visiteurs et des visiteuses venaient apprendre à regarder et à comparer. Ils se sentaient chez eux. Car à peu près personne ne s'aventurait alors à la Montreal Arts Gallery de la rue Sherbrooke ouest.»

* * *

Il est malaisé d'établir la chronologie de la composition des *Artistes de mon temps*. Aucun texte n'est daté. L'indication la plus précise se retrouve dans l'introduction : «... étant donné que je n'ai que cinquante ans...». Nous serions donc en 1928, année vraisemblable du début de la rédaction. Toutefois, les premières tentatives d'écriture seraient un peu antérieures, si l'on en croit l'allusion à 1926 faite dans *Mes souvenirs* : «C'est alors que commença une période d'accalmie (...). Alors pour me distraire sans faire trop de frais et aussi pour m'entraîner à manier la plume, j'ai voulu écrire mes réflexions et mes pensées.» Plus loin, il écrit qu'il alterne entre *Mes souvenirs* et *Mes pensées*. Il n'est donc pas impossible que l'ensemble des manuscrits ait été en chantier simultanément. Chose certaine, entre 1928 et 1932, il n'a guère le temps de toucher à ses manuscrits puisque le modelage des deux cent quatorze sculptures de la série «Métiers, coutumes et légendes» l'occupe entièrement.

À maintes reprises dans *Les artistes de mon temps*, Alfred Laliberté mentionne le décès d'artistes survenu dans les années trente. D'Henri Fabien, mort en trente-cinq et d'Ulric Lamarche, en trente-neuf, il parle au passé. À propos de George Hill, il écrit: «Ce sculpteur mort déjà depuis plus de dix ans...» Hill est mort en 1934. Albert Laberge dans *Peintres et écrivains d'hier et d'aujourd'hui* (1938) annonce: «L'œuvre écrite de Laliberté n'est pas encore publiée; mais après avoir été longtemps sur le métier, elle est presque terminée. Elle comprendra quatre volumes: *Mes mémoires*, pratiquement finis, *Les hommes et les choses*, *Les artistes de mon temps*, *Mille réflexions*. Au moment où ces lignes sont écrites, la rédaction du troisième ouvrage est achevée. Dans ce livre, Laliberté consacre une étude à chacun des cent trois artistes canadiens depuis Bourassa jusqu'aux peintres d'aujourd'hui.» En fait, la rédaction s'est poursuivie tout au long des années quarante. Des textes nouveaux se sont ajoutés, d'autres ont été complétés comme l'indique l'insertion de feuillets et de feuilles. Si je me reporte à mes souvenirs personnels, je peux affirmer que la sculpture, la peinture et l'écriture ont occupé les treize dernières années du sculpteur.

Autodidacte, Laliberté a toujours exprimé ses regrets de ne pas être allé à l'école. Dans la première version de *Mes souvenirs*, qui s'intitulait *Mes mémoires*, il écrit à propos de ses œuvres: «Je me console quelle ne seront jamais publiées par moi, et si quelqu'un si mettais à cette entreprise, il faudra aussi avant qu'il y mettre une plume experte. Alors là la situation sera sauvée.»

Le manuscrit des *Artistes de mon temps* m'est parvenu tel que l'avait conservé sa femme, Jeanne, depuis la mort de l'auteur. Il se compose des listes de noms, les unes au crayon, d'autres à l'encre, des textes sur les artistes et de feuilles blanches sur lesquelles une marge avait été tracée à l'avance. J'ai déjà mentionné dans la présentation de *Mes souvenirs* que de tous les manuscrits d'Alfred Laliberté, *Les artistes de mon temps* est le seul à ne pas avoir été recopié conjointement par l'auteur et sa femme. Le manuscrit aurait-il été retranscrit qu'il aurait gagné en clarté mais perdu en vérité. On y retrouve des erreurs grossières, des formulations impeccables, et des niveaux de langue entremêlés. Rédigé sur plusieurs années, le manuscrit reflète les phases d'apprentissage de son auteur. Des textes comptent très peu de fautes, d'autres en sont truffés. Faire l'analyse logique des textes serait une périlleuse tentative. Les subordonnées cherchent leur principale, les parenthèses restent ouvertes et la concordance des temps est approximative. On observe aussi des glissements fréquents du «je» au «nous» et du «il» au «ils», s'il paraît à l'auteur que le jugement porté sur l'un vaut aussi pour plusieurs autres.

Il semble difficile pour Alfred Laliberté de mettre un terme à ses phrases quand il est emporté par son récit. Heureusement que le conteur n'oublie pas son public et qu'il l'interpelle pour ponctuer sa narration: «C'est vous dire que... Tout de même voyez... croyez-moi... Je vous ai raconté plus haut que...» Il faudrait l'écouter plutôt que le lire et se souvenir de ses mains nerveuses et expressives, de son intonation moqueuse... Le style de Laliberté ressemble à un ruisseau qui se heurte à des pierres, contourne des obstacles, change brusquement de direction et se perd dans des méandres.

Habitué au contact direct avec la matière, le sculpteur s'égare dans la formulation abstraite. Comme il manie mieux la gouge que la langue, il parle de «beau peintre», de «bel artiste», de peintures «aux tons distingués» et se restreint souvent au lieu commun. Il emprunte parfois son vocabulaire à la critique officielle, mais il sait trouver ses propres mots quand la connaissance d'une œuvre ou l'intimité d'un artiste les lui suggèrent.

Par rapport à la critique officielle, le témoignage d'Alfred Laliberté est original. Sa liberté d'expression est rafraîchissante. Les critiques officiels se contentaient de décrire les œuvres et se gardaient bien de les juger. Ils ne voulaient pas, semble-t-il, s'attaquer aux espoirs d'un peuple fragile. Un portrait était toujours «magnifiquement exécuté», un tableau était «un travail de maître» ou était «digne d'être comparé avec des œuvres d'artistes européens». Heureusement, des critiques comme Charles Gill trouvaient des formulations plus originales. Dans l'ensemble, on avait le compliment facile et le sens critique atrophié. Albert Laberge, quant à lui, s'est fait l'hagiographe des peintres.

La voix d'Alfred Laliberté est souvent dissidente. C'est là son intérêt. S'il se trompe parfois, il a pourtant des intuitions étonnantes et il sait aussi voir juste. Déjà, il y a cinquante ans, il déplorait le caractère répétitif des sujets de Coburn, peintre qui, encore aujourd'hui, fait les beaux soirs des ventes aux enchères. Que dirait-il de la persistance du syndrome de la cabane à sucre dans le paysage québécois? S'il a dû se taire et être parfois complaisant au cours de sa carrière, il reprend le droit de parole dans *Les artistes de mon temps*.

Les artistes de mon temps nous apprennent plus de choses sur Alfred Laliberté que lui-même ne nous en apprend sur ses contemporains. Leur histoire reste à faire. En revanche, l'auteur apporte un éclairage nouveau, un regard de l'intérieur sur l'époque et la condition d'artiste. Ce document s'ajoute aux sources biographiques déjà connues. À la même époque, Jean Chauvin, Émile Vaillancourt, Albert Laberge, Olivier Maurault, Émile Falardeau avaient écrit sur les artistes de leur temps. *Ateliers* de Chauvin a été publié en 1928 tandis que *Peintres et écrivains d'hier et d'aujourd'hui* et *Journalistes, écrivains et artistes* de Laberge l'ont été respectivement en 1938 et en 1945. Autant d'œuvres qu'Alfred Laliberté connaissait bien puisque des chapitres lui avaient été consacrés. On aurait pu imaginer que ces publications aient influencé Laliberté ou encore lui aient fait abandonner son projet. Non, ce qu'il a à dire sur ses contemporains lui est personnel. Il a ses souvenirs à lui, ses opinions, ses idées. De plus, il a connu les artistes d'une autre façon et il a d'autres yeux: il est un des leurs.

J'ai voulu pour la publication limiter mes interventions au minimum. Le lecteur d'aujourd'hui devra se montrer indulgent pour la prose du sculpteur Alfred Laliberté et admirera en même temps son courage. J'ai rétabli l'orthographe pour faciliter la lecture mais maintenu la syntaxe. Les mots entre parenthèses remplacent les oublis, quand il n'y avait aucun doute possible. Autrement, j'ai préféré laisser un blanc. Le temps qui nous sépare de ces artistes exige que des notes éclairent le texte. Par ailleurs, j'ai fait précéder les textes de l'auteur de courtes notices biographiques qui permettent de situer le lecteur. Cette publication reproduit le texte intégral du manuscrit d'Alfred Laliberté. Il me faut espérer que les descendants de tous ces artistes ne se formaliseront pas des jugements que le sculpteur a pu porter sur eux, il y a si longtemps.

Pour l'illustration, j'ai retenu dans la mesure du possible des œuvres en rapport direct avec le texte ou ayant fait partie de la collection d'Alfred Laliberté. Celle-ci comptait cent vingt œuvres dont la liste se trouve en annexe. «Au cours des temps j'ai voulu avoir une collection de tableaux bien à moi comprenant des œuvres de peintres canadiens-français et canadiens-anglais de mon époque. C'était tout d'abord par goût et aussi en témoignage de l'intérêt que je portais aux peintres. Chaque fois que l'occasion se présentait et que mes finances me le permettaient, j'étais heureux d'augmenter ma collection. Elle est même devenue assez importante pour une collection privée.» Y avait-il meilleure façon de rendre hommage aux artistes de son temps?

Odette Legendre

LES ARTISTES
DE MON TEMPS

En voulant parler des artistes de mon temps seulement, je ne veux pas ignorer qu'il y a eu d'autres artistes avant ceux de mon temps, non, je laisse ceux-là, ces pionniers de la première heure. Il est certain qu'ils ont eu beaucoup de mérite d'essayer de faire de l'art à une époque où les gens n'avaient aucune préparation pour pouvoir apprécier des œuvres en peinture ou en sculpture. Seulement je laisse à d'autres plus dénicheurs ayant des qualités de l'historien, car ces artistes-là ont certes bien travaillé mais ont si peu laissé de trace de leur travail. C'est pour cela qu'il faudrait quelqu'un au nez fin pour sentir de loin dans les vieux papiers des archives le nom et l'histoire de ces artistes pionniers, artistes et artisans d'art qui ont enrichi les intérieurs de certaines vieilles églises de la belle sculpture sur bois. Il y a eu plusieurs peintres. On a même trouvé des noms parmi ces peintres qui ont fait des centaines de portraits répandus dans les presbytères et les églises qui ne sont peut-être pas des merveilles aujourd'hui, si on les juge sévèrement, mais ils devaient avoir leur valeur à leur époque. Il a déjà été écrit qu'il y avait eu des écoles, que des jeunes gens passaient des contrats pour faire tant d'années d'apprentissage d'art, en peinture, en sculpture ou en architecture. Mais aujourd'hui après avoir reconnu qu'il y en a eu d'autres avant nous, je veux parler des artistes de mon temps. Je risque beaucoup moins de faire de graves erreurs et d'être injuste envers ces braves artistes ou artisans venus à la première heure.

Bien sûr, je n'entreprendrai pas en écrivant cet article au sujet des artistes de mon temps, et surtout de ceux que j'ai connus, de faire l'histoire de l'art au Canada, ni même l'historique de chacun de ces artistes. Je veux seulement parler un peu de chacun en passant. Il va sans dire que j'en ai connu plus intimement quelques-uns de ces artistes et aussi, il ne faudra pas s'étonner si j'en parle un peu plus longuement, tout en ne rentrant pas, si je le peux, dans leur vie privée; il y a toujours un grand risque de dire des choses qui pourraient peut-être être de nature à diminuer l'estime ou l'admiration de quelques mentalités plutôt étroites.

Je peux déjà me vanter d'avoir connu cinq générations d'artistes. Ceci peut vous paraître étrange étant donné qu'il faut cent ans pour cinq générations et que je n'ai que cinquante ans, mais vous comprendrez facilement lorsque je vous aurai expliqué que j'ai connu des artistes qui étaient à la fin de leur vie et (qui sont) morts très vieux tandis que moi j'étais au début de ma carrière. Entre moi et ces braves vieux artistes, il y avait plus de deux générations d'âge; et alors, la dernière de vingt ans qui pousse et fait son éducation à l'École des Beaux-Arts à Montréal et à Québec, car je veux surtout parler des artistes de la Province. Étant placé au centre, si je peux m'exprimer ainsi, je me trouve assez bien placé pour bien observer les artistes encore vivants, en pleine vigueur. Et je retrouve aussi les disparus en évoquant mes souvenirs de l'âge presque tendre qui résistent le plus à ma mémoire.

Bien, cette écriture de la part d'un sculpteur sans formation première n'a pas la prétention d'être un ouvrage important; c'est simplement un peu de matériel qui sera peut-être propre à servir à l'écrivain de l'histoire de l'art au Canada. S'il veut s'en donner la peine, pour lui le champ sera libre et encore vierge. Et je serais fier que la paresse abandonne pour tout de bon ceux qui seraient prêts à le faire.

Je parle plutôt de ceux de mon temps parce que je crois les connaître davantage et que j'en ai connu plusieurs intimement; les autres, je les ai approchés ou j'en ai entendu parler. Il est entendu que les artistes sont beaucoup plus nombreux aujourd'hui qu'il y a un demi-siècle. Nous avons toujours marché un peu dans les sphères de l'intellectuel, mais cette marche n'a pas été assez éclatante pour nous rendre fiers et aveugles; il nous reste à parcourir encore pour nous glorifier d'être un peuple d'artistes et de grands admirateurs de belles choses.

Parmi les artistes de mon temps qui forment une liste de noms assez considérable, j'avoue qu'il y a plusieurs noms parmi, s'il fallait être très sévère sur le jugement porté au point de vue de l'art, le peu de valeur de leur œuvre, en quantité comme en qualité, bien sûr ces noms seraient mis de côté. Mais comme il y a toujours dans chaque vocation beaucoup plus d'appelés que d'élus et souvent c'est la faiblesse des déchus qui fait valoir, lorsqu'on en fait la comparaison, qui donne la valeur, la grandeur des élus. Mais je veux parler de tous en leur donnant la place qu'ils méritent et aussi dire qu'il est bien difficile de faire de l'art, de devenir un maître. Combien parmi ces ratés ont pourtant essayé de mettre toute leur âme, tout leur talent qu'ils n'avaient peut-être pas, si vous voulez. Mais ils auraient probablement été des plus heureux s'ils avaient pu arriver au succès, faire vraiment de l'art; il ne leur a pas été possible malgré toute leur bonne intention. Alors ce sont peut-être des victimes qu'il faut plaindre un peu et leur donner un tout petit coin du ciel. Mais combien d'autres ratés, par leur paresse, leur prétention, leur insouciance à ne pas travailler à devenir meilleurs, sont restés dans leur écorce épaisse à passer leur vie à se laisser vivre. Leur vie a été inutile pour l'art, pour leur pays et pour tout le monde; ceux-là ce sont de pauvres malheureux qu'il ne faudrait presque pas ménager: ils sont condamnés d'avance par les hommes et le temps qui les laissera tomber dans l'oubli. Plus rien.

L'avant-dernière génération des artistes de mon temps, encore jeunes, trop jeunes pour avoir eu le temps de donner toute la plénitude de leur talent, même à quarante ans, on a pu déjà faire de belles choses ou donner les plus belles promesses. Mais s'il y a du talent, avec l'expérience qu'ils peuvent acquérir, ils pourront faire encore mieux plus tard. Donc, je peux difficilement porter mon jugement sur des choses qu'ils n'ont pas encore produites. Alors attendons un peu plus tard. En attendant, je peux parler des quelques œuvres accomplies qui nous donnent les plus belles promesses.

Vient ensuite la jeune génération que je ne peux pas juger du tout car elle fait en ce moment son éducation artistique dans les Écoles des Beaux-Arts de la Province. Comme ces élèves ont presque toutes les facilités pour étudier sous une bonne direction, nous devons espérer, étant donné la quantité qui se dirige vers les beaux-arts. Si chacun d'eux ne devient pas un grand artiste, il aura tout de même reçu les notions du beau qui logiquement devraient contribuer à développer le goût du beau dans tout le pays et la province de Québec en particulier. C'est le moins que nous attendons d'eux. Il faut toujours espérer, même en art ici, malgré que les esprits semblent avoir pris une mauvaise direction ultra-moderne qui ne s'harmonise pas très bien avec le sentiment de l'art, du moins celui que l'on connaît et là, on se demande quelque (   ) quel art va-t-il être et la préférence de cette jeune génération.

Le jugement que je vais porter sur la valeur de chaque artiste sera sans parti pris. Je me dépouille de mon moi, de mes préférences, de toute rivalité, de toute rancune qui n'existent pas d'ailleurs. Je base surtout mon verdict sur le jugement déjà porté, déjà donné par

31

les hommes dans les expositions, dans les succès remportés, justement mérités. Je tiens compte aussi des artistes incompris de leur temps, s'il y en a, parce que leur art est difficile à comprendre mais qui le seront peut-être plus tard.

Il y a une chose cependant où je serai peut-être dur : c'est la paresse que je méprise, car je trouve coupable celui qui avait du talent et qui n'a fait aucun effort pour le développer. Celui-là n'a pas le droit de passer sa vie à ne rien faire et par là, la rend nulle dans un pays comme le nôtre où il y a tant à faire du côté de l'art, pour nous montrer du moins égal aux pays qui ont une histoire de l'art, car c'est là où l'on voit la démarcation de l'intellectuel et de la civilisation. Je voudrais que chacun fasse sa part ; si tel arrivait à être le cas, nous pourrions être fiers de nous. C'est une des compensations vers laquelle tout homme libre et généreux doit aspirer. Moi qui cherche à donner l'exemple et dont l'œuvre est peut-être discutable comme valeur, si d'autres mieux doués que moi se laissent aller à une insouciance paresseuse, ceux-là sont coupables. Je voudrais qu'ils en fussent punis par l'oubli. Je les méprise d'avance car ils n'ont pas mérité de vivre.

Vous trouverez aussi les noms qui forment la liste. Plusieurs ne sont pas de vrais artistes, si l'on exigeait des preuves. Ceux-là font partie du rapaillage fait dans un but historique. Les hommes et le temps les jugeront plus tard. J'ai voulu parler de tous ceux qui ont voulu essayer de faire de l'art et parmi ce nombre, peu sont élus.

Napoléon Bourassa
1827-1916

Napoléon Bourassa est né à l'Acadie (Québec) et a fait ses études au Collège de Montréal. Il abandonne rapidement l'étude du droit pour suivre des cours de peinture chez Théophile Hamel. De 1852 à 1855, il séjourne en Europe, d'abord à Paris, puis à Florence et à Rome. C'est à Rome que s'exerce sur lui l'influence du peintre Friedrich Overbeck, chef de l'école mystique allemande. En 1859, il entreprend L'Apothéose de Christophe Colomb *dont l'esquisse sera exposée à l'Exposition universelle de Paris en 1863.*

Pendant de nombreuses années, Napoléon Bourassa partage son temps entre La Revue canadienne, *où paraît son roman* Jacques et Marie, *et l'enseignement du dessin à la Société des artisans canadiens-français. De 1870 à 1872, il exécute les murales de la chapelle de Nazareth, à Montréal, et de 1872 à 1880, il conçoit les plans et la décoration de la chapelle Notre-Dame de Lourdes, également à Montréal. Il fait deux autres séjours en Europe, en 1877 et 1888-1889. De 1890 à 1904, ses principales réalisations sont le monastère et l'église des Dominicains à Saint-Hyacinthe, ainsi que les églises de Montebello et de Fall River. Il meurt à Lachenaie en 1916. (RCA 1880)*

Parmi les artistes de mon temps et de la première heure, je place Napoléon Bourassa, architecte, peintre, sculpteur, écrivain et musicien. J'ai connu ce brave homme quand j'étais jeune; je commençais ma carrière d'artiste et lui terminait la sienne. Je me souviens encore de l'avoir rencontré sur la rue Bonsecours. Il montait la rue avec une démarche fière et hautaine, la tête à chevelure blanche et abondante, un œil noir et perçant; une barbe lui décorait également le bas de la figure. Ce jour-là, il se rendait, comme il le faisait assez souvent, chez Carli, marchand de statues religieuses. Alexandre Carli, artiste lui-même, fut longtemps l'âme de la maison Carli dont je parlerai plus loin[1]. Pour le moment, il s'agit de Napoléon Bourassa qui fut certainement l'artiste le plus considérable de son temps, dans la province de Québec et probablement du Canada.

Nous pensons que parmi les églises dont il fut l'architecte, Notre-Dame de Lourdes est certainement son œuvre la mieux réussie. Bourassa décorait aussi les églises dont il avait fait les plans. Alors, par son architecture et par sa peinture, il pouvait tout faire converger vers un but, l'harmonie d'un ensemble suivant son esprit. Il avait été influencé par la décoration des églises de Rome où l'on trouve beaucoup en peinture. On imitait des moulures, on imitait même des autels en peinture dont il faut s'approcher bien près pour bien voir que ce ne sont que des imitations. Bourassa a imité des moulures, mais toute cette décoration avec des tons plutôt gris qui donnent un (air) distingué.

Comme peinture de chevalet, il a peu produit. Quelques années après, sa fille[2], qui avait passé quinze ans à Rome, revenue chez son père, voulant donner plus de relief à la valeur d'artiste de son père, nous avait invité à voir, et en même temps, elle espérait qu'elle pourrait installer l'œuvre de son père dont elle aurait la garde. Elle n'a pas réussi[3]. Il y avait entre autres, une grande toile de tons noirs et blancs comme il le faisait souvent dans ses décorations. Cette grande toile était intitulée je crois, *L'Apothéose* où le peintre avait voulu grouper des Canadiens, (hommes) politiques et autres, les plus marquants dans l'histoire canadienne[4]. Au point de vue peinture, ce n'était certainement pas des plus heureux.

Comme écrivain, *Jacques et Marie* devait avoir de la vogue à son époque. J'en ai déjà entendu dire du bien par des hommes de lettres. Comme musicien, ça devait plutôt (être) une distraction, car je ne crois pas,

1. Voir Alexandre Carli.

2. Il s'agit d'Augustine qui avait fait un premier séjour à Rome de 1884 à 1887 et qui y vécut par la suite plus de quinze ans.

3. D'après Anne Bourassa, sa tante Augustine avait prévu deux musées Bourassa, l'un à Montréal et l'autre, à Montebello. (Voir Raymond Vézina, *Napoléon Bourassa*, p. 46).

4. *L'Apothéose de Christophe Colomb* que Napoléon Bourassa avait entrepris de transposer sur toile de 1904 à 1912 et qui est restée inachevée. L'œuvre se trouve aujourd'hui au Musée du Québec.

34

Napoléon Bourassa, *Autoportrait*. (Musée du Québec)

que je sache, que Bourassa ait composé de la musique[5]. Toutes ces choses ont peut-être la valeur de sa sculpture; il a si peu produit qu'il faut être généreux à son égard pour en parler car tout ce que j'ai vu en sculpture signé de Bourassa[6] est une tête de son beau-père, le fameux Papineau, tribun et patriote[7].

Comme époux, comme caractère, si l'on juge par ses descendants[8], il devait y avoir un indice chez lui d'intransigeance, ce qui a été probablement la cause qu'il ne put s'entendre avec les autorités du clergé lorsqu'il s'agissait de la construction d'une église dont il aurait pu préparer les plans. Et que reste-t-il aujourd'hui à part ses églises que la pioche des vandales des temps modernes démolira peut-être bientôt car le pic ne respecte plus rien[9].

5. Grand amateur de musique, il jouait du violoncelle.

6. Napoléon Bourassa a sculpté un bas-relief de François Bourassa, son père, un médaillon et un bas-relief de Louis-Joseph Papineau.

7. Il avait épousé Azélie Papineau en 1857.

8. L'auteur fait sûrement allusion à Henri Bourassa.

9. Ainsi la chapelle de Nazareth a été démolie en 1960 mais les fresques ont été découpées; certaines sont conservées à l'Oratoire Saint-Joseph.

Philippe Hébert
1850-1917

Philippe Hébert,
Monument de Maisonneuve.

1. Appelé à l'époque
Sainte-Sophie
d'Halifax.

2. La famille d'Alfred
Laliberté a vécu à
Sainte-Sophie à partir
de 1891.

3. Il faut comprendre
ici le goût des choses
de l'esprit.

4. L'ascendance
acadienne de la famille
Hébert est confirmée
par Bruno Hébert.

5. Entre autres,
Benjamin Sulte,
Charles Gill.

Philippe Hébert est né en 1850 «dans la forêt de Sainte-Sophie d'Halifax». Peu attiré par le travail de la terre, il s'engage en 1869 dans les Zouaves pontificaux et passe trois ans en Italie. Après un séjour chez le sculpteur Adolphe Rho, à Bécancour, il poursuit son apprentissage auprès de Napoléon Bourassa à Montréal et travaille au chantier de Notre-Dame de Lourdes.

De 1879 à 1887, il se consacre à la décoration de l'église Notre-Dame d'Ottawa et à celle de Notre-Dame à Montréal où il exécute, entre autres, les statues qui ornent la chaire. Les monuments commémoratifs et ses neuf statues de la façade du parlement de Québec ont été réalisées entre 1887 et 1894, plusieurs au cours d'un séjour de six années à Paris. À son retour à Montréal et jusqu'à sa mort, en 1917, Philippe Hébert a sculpté plusieurs monuments importants de Montréal. (ARCA 1905, RCA 1906)

Celui-ci fut sculpteur seulement mais un sculpteur fils de bons cultivateurs de Sainte-Sophie de Mégantic[1]. Cette famille probablement douée d'une intelligence au-dessus de la moyenne des cultivateurs que j'ai connus à Sainte-Sophie[2] par ses goûts de grandeur[3] (était) d'un commerce agréable. Il est probable que tous ces Hébert étaient de descendance acadienne car ils avaient certaines coutumes qui s'approchaient des coutumes françaises[4].

Celui-ci qui pour être plus ou moins travailleur et brillant tout jeune, s'est révélé plus tard un grand travailleur et un affiné finaud qui avait acquis ces qualités au contact des artistes et hommes de lettres qui furent ses amis[5].

Philippe Hébert a produit beaucoup de monuments et de statues à Québec, à Montréal et à Ottawa[6]. Il y a de ses monuments qui sont bien excepté que c'est presque toujours le même qu'il a fait, par le même piédestal, le même fût. Enfin, ses monuments sont là que tout le monde peut juger et remarquer le même fût et le même arrangement des figures au bas. D'ailleurs, ce défaut lui a été reproché de son vivant par un Français venu pour installer un monument de sa façon[7]. On a aussi fait le rapprochement (de) quelques-unes de ses statues installées sur la façade du Parlement de Québec[8], mais il faut ajouter que toutes ces critiques ont été faites par des rivaux qui avaient à le démolir. Pour ma part, je le juge au-dessus de tout cela et ses statues à Québec sont bien. Je voudrais les avoir signées moi-même.

On a aussi prétendu qu'il se faisait aider à Paris par des artistes plus forts que lui, ce qui a fait dire au consul du Canada à Paris en parlant d'un départ de Philippe Hébert pour le Canada, alors ce consul, fils de Voltaire, disant avec une expression d'ironie: «Ça lui coûte beaucoup à Hébert de laisser son talent à Paris.» Celui-ci n'était pas un rival, peut-être avait-il des amis français à protéger au détriment de notre bon sculpteur canadien.

Ce que l'on peut reprocher à Philippe Hébert, c'est d'avoir surtout travaillé pour des choses commandées pour de l'argent, car il était amoureux de l'argent. Il pouvait inventer toute une mise en scène pour ne pas donner de pourboire à des ouvriers qui le servaient, quitte à se vanter après qu'il les avaient roulés.

À part son *Sans merci*[9] qui est bien, je ne crois pas qu'il ait exécuté d'autres figures, des figures de musée. Des petites statuettes, il en a fait plusieurs parce qu'il les vendait et savait les vendre; en somme, son amour pour l'argent le forçait à travailler pour tout ce qui rapportait. Il est vrai qu'à son époque, il n'était pas question de musée à Québec ni à Montréal. Il est probable qu'il aurait changé sa production si on avait fait appel à son talent pour meubler les musées

6. Voir «Liste des œuvres du sculpteur» dans Bruno Hébert, *Philippe Hébert, sculpteur*, p. 143-150.

7. Il s'agit de Paul Chevré (1867-1914), auteur du monument de *Champlain* (1898) qui surplombe la terrasse Dufferin, à Québec; des statues d'*Honoré Mercier* (1912) et de *François-Xavier Garneau* (1912) également à Québec et de la statue de *La France* (1913), devant l'Union française, Square Viger, à Montréal.

8. Les statues de *Frontenac, Lord Elgin, Michel de Salaberry, Montcalm, Wolfe* et *Lévis*, sans compter *La fontaine des Abénakis* et *Le pêcheur à la nigog*.

9. *Sans merci*, copie réduite de l'œuvre monumentale.

10. Sous le titre «Statuettes et bronzes», Bruno Hébert a dénombré trente-huit œuvres.

11. On trouve des œuvres de Philippe Hébert à Halifax, Hamilton, Calgary, New Westminster, St-Jean (N.B.), Trois- Rivières et Grand Pré (N.E.).

12. En 1885, «il participe à ce concours qui groupe dix-sept artistes dont quelques Européens de talent reconnu. Le projet soumis par Philippe Hébert est primé, ce qui lui vaut une bourse de 1000 $ et l'honneur d'ériger le premier monument de la colline parlementaire.» Bruno Hébert, *op. cit.*, p. 64-65.

13. *La reine Victoria* (1900), *Mackenzie* (1899), en collaboration; *Macdonald*(1895).

14. Le monument *Maisonneuve*, Place d'Armes à Montréal, a été inauguré le 1er juillet 1895.

15. *Edouard VII* (1915) au Square Philips à Montréal, *Mgr Bourget* (1903) devant la cathédrale Marie-Reine-du-monde; *John Young* (1911), Place Royale à Montréal; *Jeanne Mance* (1909), devant l'Hôtel-Dieu de Montréal.

16. *Mgr Laval* (1908) à Québec.

canadiens[10]. Malgré ce que l'on peut dire de bien ou de mal de lui, il est encore une belle figure d'artiste au Canada et il est de ceux qui vivront dans l'histoire de l'art canadien.

Pour Philippe Hébert, il est peut-être inutile que je chante la valeur de chacune de ses œuvres. Mais comme elles sont là exposées aux regards du public et du connaisseur qui pourront toujours les juger à leur juste valeur.

Parmi ses monuments érigés dans les grandes villes du pays[11], citons son *George-Étienne Cartier* à Ottawa qui fut son premier concours où il décrocha la palme. Cette (œuvre) nous montre qu'il commençait déjà à être maître de son métier[12]. Toujours à Ottawa, *La reine Victoria, Mackenzie, Macdonald*[13], tous bien exécutés, excepté (pour) celui-ci la petite figure au bas du monument qui représente la Confédération dont la facture est tellement différente, le modelé plus sensible que l'on serait porté à croire qu'elle n'a pas été faite par le même sculpteur. À Montréal, son *Maisonneuve*[14] semble avoir été, pour le moment des débuts, le plus heureux. En effet, ce monument est probablement le plus intéressant de ses monuments. Il en a fait beaucoup d'autres, mais pas mieux réussis, plutôt moins bien: *Edouard VII, Bourget, Young, Jeanne Mance*[15]. À Québec, *Laval*[16], et quelques autres moins importants.

Arthur Vincent
1852-1903

Jusqu'à maintenant, nous savons peu de choses sur J. Arthur Vincent. À part ses monuments dans le quartier Saint-Henri, à Montréal, on connaît de lui la sculpture du baldaquin de la cathédrale. Le 28 mai 1884, La Minerve *suggère à ses lecteurs d'aller voir la statue du capitaine Joseph Brant, œuvre de Vincent, exposée dans la vitrine de M. Dawson, rue Saint-Jacques. Enfin, un journaliste de* La Minerve *(19 septembre 1884) rappelle qu'Arthur Vincent vient de terminer une statue de dix pieds et demi de hauteur pour le collège des Oblats, à Ottawa. Par ailleurs, on lit dans* La paroisse *d'Olivier Maurault, à propos de la chapelle du Sacré-Cœur : «L'autel, le retable (et sans doute les vingt statues qui les ornent) et la grande porte d'entrée sont de M. J. Arthur Vincent, le sculpteur du baldaquin de la cathédrale.» Ces sculptures et celles d'Olindo Gratton ont disparu lors de l'incendie de la chapelle du Sacré-Cœur, en décembre 1978.*

Je ne peux pas dire que j'ai connu celui-ci intimement. D'abord notre différence d'âge m'aurait interdit tout de suite tout sans gêne. Je suis allé à son atelier qu'il avait dans une petite (rue) près de la rue Saint-Laurent et Vitré par là, où il y avait le petit théâtre Bijou tout près de là[1]. Je parle de ce théâtre car l'histoire du sculpteur Vincent se rattache à ce théâtre Bijou. Je me souviens encore de l'impression que m'avait faite l'intérieur de son atelier. Tout pêle-mêle, sans ordre et il y avait des sculptures, si peu de choses d'art, une bibliothèque dans un coin avec quelques livres de petits formats, enfin l'ensemble de tout ça ressemblait plutôt à une fonderie qu'à un studio d'art.

1. Dans le *Lovell's Montreal Directory*, on trouve le nom d'Arthur Vincent de 1870 à 1901. Il change fréquemment d'adresse, mais au moment où Laliberté le rencontre, il habite rue Lagauchetière près de St-Dominique.

2. Voir Antonio Leroux.

3. Il s'agit du baldaquin de la cathédrale Marie-Reine-du-Monde.

4. Le monument de *Jacques Cartier* (1893) au Parc Saint-Henri et le monument de *Pierre Le Moyne d'Iberville* (1898), Square d'Iberville. Le monument actuel en ciment a remplacé l'œuvre originale à la fin des années cinquante.

J'étais pénétré dans cet atelier, ce n'était pas que j'avais reçu l'invitation, non, j'allais chez un camarade de l'école du Conseil des arts et métiers au Monument national, rue Saint-Laurent. Ce camarade, Antonio Leroux[2], travaillait pour Vincent à l'exécution du baldaquin[3]; celui-ci avait même été à Rome pour prendre des mesures, des proportions sur le baldaquin de Saint-Pierre de Rome, pour le compte de l'évêché de Montréal. En somme, c'est à peu près avec deux autres choses ce que l'on peut voir de l'œuvre de Vincent. L'on peut voir aussi une statue de Lemoyne d'Iberville à Saint-Henri ou à Sainte-Cunégonde, près du chemin de fer par là : elles n'ont aucune valeur d'art[4].

Il faut ajouter que Vincent a travaillé assez longtemps dans une fonderie à faire des modèles servant à faire des moules à la fonderie. C'est ce qui lui a sans doute enlevé l'inspiration des envolées d'art et je crois aussi qu'il n'avait pas l'amour du travail. En revanche, je crois qu'il avait l'amour du désordre dans son ménage, dans sa vie privée; c'est ce qui lui a gâché sa vie, avec une fin assez lamentable. Enfin, Arthur Vincent avait une stature assez imposante, un beau port, une belle tête d'artiste avec une chevelure grise, abondante et longue, un grand chapeau aux larges bords qui lui donnait une allure de Buffalo Bill. Enfin, qu'est-ce qui a manqué à ce Canadien venu à la première heure pour faire ce qu'il a fait vraiment, tout en tenant compte de l'époque où il n'y avait presque rien ici comme art? Seulement de la manière qu'il a passé sa vie, perdu son temps à des choses vaines nous facilite grandement la réponse. C'est que Vincent n'avait pas la vocation de l'art. Il lui manquait le travail, l'inspiration, la culture intellectuelle, la volonté et l'ordre. Il n'est pas étonnant après cela d'avouer qu'avec son physique à la surface si prometteuse, il a donné si peu en réalisation.

Louis Jobin*
1845-1928

Louis Jobin est né à Saint-Raymond, comté de Portneuf et a passé son enfance à Pont-Rouge. Un professeur de grammaire décèle les aptitudes du jeune homme qui entre comme apprenti-sculpteur chez François-Xavier Berlinguet en 1865. Trois ans plus tard, il part pour New York où il travaille pendant un an pour le sculpteur anglais William Bolton, puis pour des sculpteurs allemands. Il revient à Montréal en 1870 et sculpte principalement des enseignes pour les marchands et des figures de proue. Lassé de ce genre de travail, il décide d'ouvrir un atelier à Québec en 1875. Lors du grand incendie de Québec en 1878, son atelier est détruit. Le deuxième brûlera également en 1896. Jobin s'établit alors à Sainte-Anne-de-Beaupré où il travaille jusqu'à sa retraite en 1925.

Un des derniers représentants des grands sculpteurs sur bois, Louis Jobin a sculpté un grand nombre de statues religieuses, calvaires et monuments au Sacré-Cœur. Il est l'auteur de la Vierge du Cap Trinité qui surplombe le Saguenay (1881) et du monument équestre de Saint-Georges Ouest, en Beauce (1910). Plusieurs de ses œuvres se trouvent aujourd'hui au Musée du Québec.

Ce brave sculpteur sur bois que je n'ai pas connu en personne, je le connais seulement par quelques statues de bois sculptées de sa main où j'ai (vu) là d'ailleurs la même habileté et le manque de souffle de l'art. Il savait bien manier la gouge, mais sous ses coups de gouge, il ne se dégage aucune sensibilité. En plus, il y a parfois des manques de proportion (qui) dénotent qu'un tas de choses échap-

* Titre du manuscrit: «Louis Jobin, sculpteur sur bois».

paient à l'inexpérience de l'art de ce brave Louis Jobin et le si (peu) d'éloges que je fais de son œuvre balance peut-être avec le trop d'éloges que lui a adressés M. Marius Barbeau, homme de lettres à Ottawa[1], et (pour) ceux qui désireraient vraiment lire du bien de la sculpture de Jobin, il en fait presqu'un demi-dieu, et c'est pour diminuer un peu l'exagération de notre ami Marius Barbeau que je n'hésite pas à lui donner le mérite qu'il a, mais pas plus, et au lieu d'un demi-dieu comme l'a proclamé Barbeau, j'en fais un sculpteur qui n'a jamais senti la vraie inspiration de l'art[2].

1. Marius Barbeau (1883-1969). Anthropologue, folkloriste et professeur. Il a été ethnographe au Musée national de l'Homme, à Ottawa à partir de 1915. Alfred Laliberté fait probablement allusion aux articles de Barbeau parus dans les journaux de l'époque ou *Au cœur de Québec* paru en 1934 puisque *Louis Jobin statuaire* a été publié en 1968.

2. Dans la hiérarchie des valeurs d'Alfred Laliberté, la sculpture sur bois n'appartient pas à l'art.

Louis Jobin, *Un chef indien.* (Musée du Québec)

William Brymner
1855-1925

William Brymner est né à Greenock, en Écosse, et sa famille arrive au Canada en 1857. Il fait des études en architecture à Ottawa où son père s'est vu confier la tâche de créer les Archives canadiennes. En 1878, il va étudier à Paris, à l'Académie Julian, dans les ateliers de Bouguereau et de Tony Robert-Fleury. Il suit également des leçons de Carolus-Duran. Il revient au Canada en 1885, se fixe à Montréal et prend la direction des Montreal Art Association Schools. Il y enseignera pendant trente-cinq ans, de 1886 à 1921, d'où l'importance primordiale de son rôle dans la formation d'un grand nombre d'artistes canadiens. Durant ces nombreuses années, il peindra l'été en Europe, à l'Île d'Orléans ou à son atelier de Saint-Eustache qu'il partage avec Maurice Cullen. De 1909 à 1918, il est président de la Royal Canadian Academy. William Brymner est mort au cours d'un séjour en Angleterre, à Wallasey. (ARCA 1883, RCA 1886)

Voilà un excellent artiste que j'ai bien connu et tous les artistes de ma génération car il a joué un grand rôle dans l'art chez les artistes de Montréal, ayant été professeur à l'Art Association peut-être depuis sa fondation, et c'était à cette époque la seule école sérieuse ici, à Montréal. Alors William Brymner présidait à l'enseignement de l'art comme il présidait aussi au jugement et à l'installation des peintures et des sculptures exposées dans les salles de l'Art Association qui a commencé, je crois, au Carré Philips[1].

Il serait curieux de faire la liste des noms de tous ceux qui ont reçu des leçons ou des conseils de Brymner. Il avait la réputation d'être sévère, juste et

1. L'Art Association occupait en effet le coin nord-est du Square Philips, de 1877 à 1912.

sincère. En effet, ce type, Écossais d'origine, inspirait la confiance et la crainte en même temps. Comme peintre, il a peu (produit) à cause d'une partie de son temps qu'il donnait à l'enseignement et comme tous ceux de sa race, son imagination n'était pas très vive de même que l'exécution était assez longue. Il avait une valeur comme peintre car il était bon dessinateur. Sa peinture n'était peut-être pas des plus sensibles de forme et de couleur, mais il était ferme et sincère; c'est déjà deux belles qualités. Chose curieuse, un artiste, dont je ne mets pas en doute le jugement, me disait un jour que Brymner était plus fort comme aquarelliste qu'en peinture et cependant dans ses expositions, on pouvait surtout voir ses peintures, figures, portraits mais toujours traités à la manière de l'École, à l'époque où il fit son éducation de peintre par des leçons reçues de professeurs qui étaient déjà de la vieille école dont la transition ne s'était pas (   ) par tous les peintres français et anglais[2].

Chose curieuse pour un homme que les mœurs et la sobriété (   ) et assez âgé pour avoir l'expérience de la vie commettait parfois des audaces, en même temps des naïvetés qui ont dépassé les plus débauchés en question de peinture. Il avait exposé une fois une figure de femme nue étendue, un peu de travers sur un divan, les jambes écartées, dans une pose tout à fait indécente. Cette femme aurait pu être très suggestive si elle avait vraiment été réussie comme couleur, comme chair, comme dessin, mais c'était une laideur, une carcasse dont la peau, d'un ton plus que malade, enveloppait les os dont nous n'étions pas certains s'ils pouvaient exister en-dessous. Et bien, avec son influence, il finit par la faire acheter pour la faire accrocher dans un musée à Ottawa si bien que la princesse Patricia[3], dégoûtée de voir ce lambeau de femme à la vue de tous les visiteurs du musée, la fit disparaître pour l'installer je ne sais où[1].

On peut trouver d'autres exemples d'hommes les plus sobres, les plus honnêtes qui commettent de ces audaces presqu'impardonnables. Vers la fin de sa vie, on le trouva un matin presqu'inerte, paralysé.

2. «La manière de l'École», c'est-à-dire l'académisme tel que transmis dans les ateliers français de la fin du 19ᵉ siècle.

3. Brymner peignit *Femme nue* en 1915. Cette toile serait une réponse à un critique du *Herald* (1914) qui déplorait l'absence du nu dans les expositions canadiennes.

4. La princesse Patricia, fille du Duc de Connaught, gouverneur général du Canada de 1911 à 1916.

William Brymner, *Nu*. (Musée des beaux-arts du Canada)

Revenu un peu mieux, il se maria avec une femme, amie depuis longtemps[5]. Entourant son homme de soins, il vécut, je crois, onze ans après. Cet homme fut un gentleman, mais il ne laisse pas beaucoup de belles choses pour la postérité dans les musées.

5. Il a épousé, en 1917, Mrs. Larkin qui aurait été secrétaire à l'Art Association. Les archives ne conservent aucun renseignement à son sujet.

Charles Huot*
1855-1930

Peintre religieux et peintre d'histoire, Charles Huot est né à Québec. Il n'a que dix-neuf ans quand il arrive à Paris où, pendant cinq ans, il étudie avec Alexandre Cabanel, à l'École des Beaux-Arts. Il vit en France quatorze ans; il y peint, participe à diverses expositions et voyage à travers le pays. Pendant cette période, il se peut qu'il ait été illustrateur pour des éditeurs. En 1885, il épouse Louise Schlachter, fille d'un pasteur du Nord de l'Allemagne et rentre au Canada en 1886 pour mettre au point le projet de décoration de l'église Saint-Sauveur, à Québec. Il exécute cette commande de treize tableaux en Europe et revient en 1890 pour l'installation de ses œuvres. En 1894, il séjourne à Rome et voyage en Italie. En 1900, une rétrospective de ses œuvres a lieu à Québec. De 1910 et jusqu'à sa mort, Charles Huot consacre tout son temps à la réalisation des grands tableaux d'histoire qui le rendront célèbre.

1. Il faut entendre ici, de la ville de Québec.

J'ai rencontré ce bon peintre québécois[1] pour la première fois en 1907 sur le bateau qui me ramenait au Canada en compagnie de l'ami Suzor-Côté dont je parlerai plus loin. En effet, le deuxième jour de la traversée, je vis un homme assez âgé par ses cheveux et sa barbe blanche, une belle tête d'artiste. J'ai senti tout de suite qu'il était un des nôtres par sa conversation et son langage avec Suzor-Côté. Suzor a fait la présentation; il le connaît depuis longtemps mais pas moi, trop peu renseigné sur les hommes et les arts de mon pays.

La conversation de Charles Huot roulait toujours sur les artistes, la peinture, la manière de peindre de l'un et de l'autre et Suzor était l'homme

* Titre du manuscrit: «Charles Huot de Québec».

qui pouvait l'alimenter ayant déjà vécu longtemps à Paris et (étant) renseigné sur la valeur et la manière de chaque peintre à Paris comme au Canada. Alors, je profitais du savoir de mes deux aînés.

La longue traversée me permit de connaître plus intimement Charles Huot. Le peintre québécois étant veuf, il voyageait avec sa fille unique[2]. Je crois qu'il revenait d'un séjour en Allemagne où il avait vécu quelques années[3]. Il vécut aussi en France et je crois que c'est là même qu'il a fait son éducation[1]. Je ne m'explique pas trop son peu d'amour pour le Français. Il avait une expression à lui en les appelant «maudits Français» en s'ouvrant peut-être trop la bouche en prononçant «Français» qui était vraiment une prononciation des Canadiens qui se soucient peu du beau langage.

Quant à sa fille unique qui avait été élevée avec ses caprices, elle en avait parfois qui manquaient de retenue et de bon sens. Le père, toujours conciliant, semblait trouver naturels les caprices. Je crois même que sa femme défunte était une Allemande. Voilà peut-être la raison pour laquelle il préférait l'Allemand au Français.

Je me souviens qu'il aimait beaucoup à parler d'archéologie. Il avait l'air très renseigné. À cette conversation, je préférais m'effacer. Il avait trouvé à bord des officiers à qui il pouvait causer de cette science[5].

Comme peintre, c'était un vieux de la vieille. Il aurait été très difficile de lui faire avaler la peinture ultra-moderne. Il a beaucoup peint pour les églises de la province de Québec[6]. De sentiment religieux lui-même, jusqu'à croire aux revenants par une vision de sa femme morte qu'il nous racontait lui-même, et il semblait convaincu de la vérité.

Nous comprenons alors ayant trop longtemps (peint) pour les églises (... ment) et à bon marché, il a dû gâter un peu son talent de peintre, mais c'était le seul moyen de gagner son pain.

Il semble qu'il serait peut-être difficile de trouver des œuvres de Charles Huot; cependant, j'ai vu une

2. Louise Huot est décédée en juin 1907 au cours d'un séjour de la famille en Normandie et en Bretagne. Sa fille Alice avait alors vingt-et-un ans.

3. Il avait fait plusieurs séjours dans sa belle-famille et y a peint ses grands tableaux pour l'église Saint-Sauveur.

4. Avec Alexandre Cabanel.

5. À l'École des Beaux-Arts, il aurait suivi des cours d'archéologie.

6. Les églises Saint-Sauveur, à Québec et Saint-Patrice , à Rivière-du-Loup; la chapelle de l'Hôtel-Dieu de Chicoutimi et la chapelle du Lac Bouchette.

7. *Le débat sur les langues: séance de l'Assemblée législative du Bas-Canada le 21 janvier 1793* (1910-1913); *Je me souviens* (1914-1920), salle de l'Assemblée législative, Assemblée nationale du Québec. *Le Conseil souverain* (1926-1931), salle de l'ancien Conseil législatif, Assemblée nationale du Québec.

peinture au Musée de Québec, une figure couchée, vraiment étudiée, qui ressemble beaucoup à une vieille peinture italienne.

Il a exécuté deux grandes décorations: les scènes des premiers parlements qui ornent les murs et le plafond du Palais législatif de Québec[7]. Mort assez âgé, il fut certainement le meilleur peintre québécois.

Charles Huot, *L'atelier du peintre*. (Musée du Québec)

Hamilton Plantagenet MacCarthy*
1846-1939

Fils d'un sculpteur de réputation, Hamilton P. MacCarthy est né à Londres en 1846. En 1885, il s'établit à Toronto et y demeure treize ans après quoi, il se fixe à Ottawa. Il prend une part active à la vie culturelle de la capitale, et reçoit de nombreuses commandes de bustes d'hommes politiques ou de monuments. Parmi les plus connus, le Monument de Champlain *à Ottawa, le buste de la* Reine Victoria, *au* Sénat, *le* Monument aux héros de la guerre des Boërs, *à* Québec, *le* Monument aux morts, *à Verdun. (ARCA 1886, RCA 1892)*

Ma mémoire tenace me rappelle que j'ai vu le sculpteur MacCarthy lors d'un voyage en chemin de fer de Montréal à Ottawa. J'étais avec quelqu'un qui le connaissait bien de vue. Je vois passer un monsieur et, me voyant intéressé par le passage de cet homme dans le train, mon compagnon me dit: «Tiens, mais c'est le sculpteur MacCarthy.» En effet, assez grand, élégant, en complet gris, des cheveux et une barbe grisonnants, l'air distingué et l'allure de quelqu'un, je lui trouvais une ressemblance avec la tête de Mackenzie des chemins de fer, monument exécuté par Philippe Hébert[1] et érigé à côté du parlement à Ottawa. Et après avoir (vu) la sculpture de ce sculpteur, je me suis dit que c'est dommage qu'une (tête) comme la sienne qui pourrait être l'enveloppe d'un cerveau où un beau talent serait possible, mais

Hamilton MacCarthy, *Monument de Champlain.*

1. Le monument de l'Honorable *Alexander Mackenzie,* sur la colline du parlement, a été sculpté par Philippe Hébert, en 1899, en collaboration avec Hamilton MacCarthy.

* Titre du manuscrit: «Hamilton MacCarthy, sculpteur à Ottawa».

non, il n'existait pas dans cette tête, et je ne me sens pas la bienveillance assez prononcée pour chercher à le dénicher où je suis convaincu qu'il n'a pas élu domicile dans cette tête-là, après avoir vu sa sculpture.

Parlons d'abord de son *Champlain* érigé dans le parc en arrière du Château Laurier à Ottawa. Ce Champlain semble avoir fait dans ses pantalons depuis des mois et il persiste toujours à porter les mêmes, ce qui n'est pas très bien pour un monsieur de son rang. Enfin, cette statue est mauvaise de proportions, de forme, avec aucune sensibilité. Mais il y a un autre coupable, complice pour le choix de l'auteur de ce monument. C'est cet historien canadien-français, hautement réputé comme historien, résidant à Ottawa, que je ne nommerai pas pour le punir, sachant bien d'avance qu'il ne souffrira pas beaucoup[2]. Pour l'historien en général, la qualité de la forme, la beauté d'une statue ne lui fait ni chaud ni froid. L'importance c'est que Champlain ait son monument avec une inscription sur le piédestal bien exacte. Le reste, les lignes, les proportions, la beauté, il ne voit pas cela.

Je veux bien avouer en face du ciel que MacCarthy n'a jamais été un rival pour moi. Donc, je n'aurais aucune rancune contre lui; ma sincérité seule me fait dire toutes ces vérités. L'avoir ignoré aurait été en dehors de mon but: je ne veux ignorer personne.

2. Benjamin Sulte (1841-1923), journaliste, critique, historien, traducteur à la Chambre des Communes avait servi de modèle pour la statue de Champlain.

Eugène Hamel*
1845-1932

Eugène Hamel est né à Québec en 1845. Il étudie d'abord avec son oncle, Théophile Hamel, puis à Anvers et à Bruxelles. À Anvers, il travaille avec D. Bouffault pour le dessin, et avec Vanlérius, en peinture. Il étudie ensuite à Florence avec Cantalmesse, de 1867 à 1870. Il séjourne également à Rome de 1881 à 1884 où il fréquente l'atelier de Mariani. À son retour d'Europe, Eugène Hamel s'installe à Québec et devient un portraitiste recherché. Il a peint une série de portraits des présidents de l'Assemblée et du Conseil législatif. (RCA 1880)

En 1897, lors de l'Exposition provinciale de Québec[1], où un espace était réservé aux beaux-arts, à laquelle j'avais exposé moi la statue de Sir Wilfrid Laurier sculptée en bois[2], là, je vis le peintre portraitiste Eugène Hamel. Il était à vernir le portrait de l'honorable Parent, devenu premier ministre de la Province à cette époque-là[3].

Je trouvais par certains côtés une certaine ressemblance entre la peinture et son auteur, je veux dire Eugène Hamel. Je ne me souviens pas que l'on ait beaucoup parlé de lui ici à Montréal. Il est certain qu'il était mieux connu à Québec et plus apprécié aussi.

Il y a quelque temps, je regardais la liste des noms des membres décédés de la R.C.A. et je trouvais son nom comme membre[4]. C'est déjà une preuve qu'il avait une certaine valeur comme portraitiste. Je

1. Il n'y a pas eu d'exposition en 1897 mais en 1898.

2. Voir Alfred Laliberté, *Mes souvenirs*, p. 48.

3. Simon-Napoléon Parent a été premier ministre du Québec de 1900 à 1905.

4. Membre fondateur en 1880, il démissionne en 1885.

* Titre du manuscrit: «Eugène Hamel, peintre de Québec».

ne me souviens pas plus tard d'avoir vu de ses peintures exposées ici à Montréal ou ailleurs. À l'époque
où je le vis, il était déjà d'âge assez avancé. Il mourut
probablement, c'est ce qui expliquerait que l'on a vu
peu de ses choses en 1900 et après.

Eugène Hamel, *Autoportrait*. (Musée du Québec)

Louis Saint-Hilaire
1860-1922

Né à Laprairie, Louis Saint-Hilaire a commencé à étudier le dessin à l'École normale Jacques-Cartier, à Montréal. Il enseigne quelques années aux États-Unis dans une petite communauté francophone du Michigan. L'employeur de la région, Joseph Grégoire, offre à Saint-Hilaire d'aller étudier en Europe. On le retrouve en 1880 dans les ateliers de Gérome et de Jules Breton à Paris, puis à Rome et à Florence. Durant ce premier séjour, il réalise plusieurs copies dans les musées. Il effectue un deuxième séjour en Europe en 1887, cette fois protégé par l'évêque de Nicolet, Mgr Gravel. À son retour, il s'installe à Minneapolis. Il part de nouveau pour Rome, en 1891, pour remplir une commande d'une vingtaine de tableaux religieux. Il profite de ce séjour européen pour s'inscrire à l'Académie Julian et à l'École des Beaux-Arts et travailler avec Bouguereau, Benjamin Constant et Lefebvre. De retour en 1895, il s'installe quelques années à l'Île-aux-Noix, puis à Saint-Jean et finalement à Montréal.

Louis Saint-Hilaire a laissé de nombreuses peintures dans les églises du Québec dont celles de Sainte-Martine, de Saint-Romuald, de Saint-Sébastien. À Montréal, les églises Saint-Stanislas de Kostka et Saint-Enfant-Jésus du Mile-End conservent de ses œuvres.

Saint-Hilaire, mort déjà depuis plusieurs années, avait surtout un esprit assez inventif. Il avait, paraît-il, entrepris de tisser, de fabriquer des toiles pour les peintres. Il réussissait à tisser vraiment de bonnes toiles; malheureusement, il n'a pu tenir longtemps la concurrence d'une maison beaucoup plus solide que lui comme finance. Il savait réparer une peinture, la toile même. Il pouvait transporter une vieille peinture dont la toile ne tenait plus sur une neuve[1]. Il avait étudié comme tous les autres peintres pour produire des œuvres d'art. Il s'est borné surtout à des essais qui lui enseignèrent tout de suite de ne pas aller plus loin. Donc, il a surtout copié[2], réparé.

Le meilleur souvenir, qui est bien triste en même temps, c'est un pique-nique qu'il avait organisé à Lanoraie. Il avait une idée: il avait une invitation du curé de cette paroisse pour faire voir son chemin de croix qu'il voulait lui faire réparer. Alors notre ami Saint-Hilaire ne voulant pas s'embêter décide d'organiser un pique-nique afin de passer un beau (moment) sur les bords du Saint-Laurent. Il était entendu que l'on apporterait tout ce qu'il fallait pour faire la pêche et aussi faire quelques pochades car il nous promettait des merveilles comme points de vue. En plus, nous apportions chacun notre dîner. Tout ceci faisait du bagage pour charger un mulet, et comme j'étais le plus jeune, le plus fort, le plus résistant, c'est moi qui fis le mulet. Les autres étaient Suzor-Côté, Saint-Hilaire, Franchère et moi, le mulet. Depuis ce temps-là, j'ai beaucoup plus de pitié pour les mulets. Je trouve qu'ils n'ont pas toujours (tort) de s'entêter à ne pas marcher, conduits, poussés par des hommes à porter des charges sur leur dos, dans un but inconnu par eux et ils ne profitent jamais de leurs fatigues causées par un tas de choses sur leur dos, au caprice de l'homme sans pitié pour leurs semblables.

Rendus au bout de l'île, nous décidâmes de prendre notre dîner avec les choses que nous avions emportées. Seulement, Saint-Hilaire n'avait (rien) emporté et ne voulait pas séparer avec nous. Il s'achète là une bouteille de lait qui se trouvait suri, étant donné la grande chaleur et le présage d'une tempête. Il but son lait et pour faciliter la digestion de son lait suri, il a fumé tout l'après-midi (comme) je n'ai jamais vu un homme fumer. Rendu au but, chacun devait s'occuper suivant ses aptitudes. Suzor-Côté se mit sur le bord du quai pour faire la pêche et il ne pêcha qu'une vieille botte. Franchère, très faible, reprenait à manger de la ciboule en rapport avec son régime et son estomac malade tandis que, pendant ce temps-là, Saint-Hilaire (et moi) allions voir le curé au sujet du chemin de croix. Un passant cause avec Franchère de sa maladie et (lui dit) qu'à un mille du village, il y avait une source miraculeuse. Donc, nous prenons le chemin, moi avec ma charge sur le dos, pour aller vers la source pour la guérison de notre camarade. Après avoir marché le mille, et ne voyant rien de miraculeux, on demande à un passant qui nous dit que cette source était encore à deux milles plus loin. Découragés par la distance, on décide d'arrêter à côté d'une maison abandonnée autour de laquelle le foin était fraîchement coupé. Ça sentait bon là. Nous avons rachevé de dîner tandis que Saint-Hilaire installa son chevalet au milieu du champ pour peindre, seulement, je vous prie de me croire, sa pochade n'a pas révolutionné la peinture. Un moment plus tard, il nous fallut plier bagages, chassés par une averse qui tombait à torrent sur nous. Nous sommes enfin revenus sains et saufs à peu près.

Quinze jours plus tard, nous avons reçu la visite de Saint-Hilaire venant nous remettre les quelques sous, comme il n'avait pas donné sa part dans les frais de ce splendide pique-nique. (Il était) tellement changé, tellement faible qu'il perdit connaissance en montant chez nous. Il nous donnait l'impression avec sa maigreur accentuée encore davantage qu'il y avait un demi-siècle qu'il ne s'était rien mis sous la dent. Il est mort quinze jours après. Je crois que sa vie a été un pique-nique raté.

Edmond Meloche*
1855-1917

François-Xavier-Edmond Meloche est né à Montréal. Apprenti en même temps que Philippe Hébert à l'atelier de Napoléon Bourassa, il collabore à la décoration d'édifices publics, religieux et civils. Devenu décorateur réputé, il est nommé directeur de l'École de peinture décorative de Montréal (La Minerve, 6 mars 1894). À l'Exposition universelle de Chicago de 1894, il remporte un prix pour ses plans d'architecture et de décoration. Meloche enseigne aussi au Conseil des arts et manufactures de 1886 à 1899. En 1899, on le retrouve à Paris auprès d'autres artistes canadiens.

Edmond Meloche s'est vu confier la décoration de très nombreuses églises au Québec, entre autres : Champlain (1881), Saint-Michel de Vaudreuil (1883), Saint-Jean-Baptiste de Rouville (1886-1887), Sainte-Sophie de Terrebonne (1891), Saint-Roch de l'Achigan (1895). À Montréal, Saint-Vincent de Paul (1890) et la chapelle Bonsecours.

Voilà une vie, une carrière d'homme pourtant bien commencée en apparence et qui finit d'une manière lamentable. Il me semble de voir encore Meloche au temps de sa grande prospérité. Ce petit homme court de stature mais assez rondelet, portant haut la tête et toujours le chapeau de soie, avait l'air de quelqu'un. Je le connus lorsque j'étais élève de modelage au Conseil des arts et métiers au Monument national, en 1897-1898[1]. Meloche a même fait partie du Conseil des arts mais (était) trop artiste

1. Ces dates sont écrites en marge.

* Titre du manuscrit : «Meloche, décorateur d'églises».

pour les autres membres du Conseil qui étaient des épiciers bien indifférents à la beauté et à la connaissance de l'art. Celui-ci ne s'entendait pas très bien avec eux, ils ont vite trouvé le moyen de l'éloigner du Conseil.

Ici je dois avouer que Meloche a joué un rôle dans les débuts de ma carrière d'artiste lorsque j'étais élève au Conseil des arts. C'est Meloche qui avait proposé au Conseil que l'on (donne) un prix d'honneur au meilleur élève avec la promesse que le Conseil paierait une partie des frais du voyage à Paris pour étudier les beaux-arts. Je soupçonne même que Meloche, qui venait souvent voir ce que les élèves faisaient de bien, semblait surtout s'intéresser à moi, à mon travail. Et en effet, j'ai décroché ce prix d'honneur. Et voilà, il faut croire que Meloche avait du flair pour trouver ceux qui pourraient aller le plus loin[2].

Meloche avait la réputation d'être un grand décorateur d'églises. Il en avait décoré, paraît-il, des quantités. Et un moment donné, je ne (sais) pas ce qui lui est arrivé, il s'est mis à négliger son travail, ses affaires en faisant une vie de désordre et il est tombé aussi bas que l'on peut tomber.

2. Voir Alfred Laliberté, *Mes souvenirs*, p. 51 et 52.

Robert Tait McKenzie
1867-1938

Robert Tait McKenzie est né à Almonte, en Ontario, de parents d'origine écossaise. Reçu médecin en 1892, il enseigne à l'université McGill jusqu'en 1905 puis accepte la direction du département d'éducation physique à l'Université de Pennsylvanie. Autodidacte en sculpture, il aurait commencé à modeler pour ses cours d'anatomie. Il profite toutefois de séjours à Paris, l'été, pour étudier la sculpture et s'intéresse particulièrement à la sculpture antique. En 1902, il expose The Sprinter *à Paris et* The Athlete *en 1903. Ces œuvres sont aussi exposées à Londres et à Montréal.*

Tait McKenzie a joué un rôle important dans le développement de l'éducation physique, de la pratique du sport et de l'olympisme; il y a trouvé le thème principal de sa sculpture. Par ailleurs, dans les années vingt, il a réalisé plusieurs monuments commémoratifs de la guerre 1914-1918. On trouve des œuvres de McKenzie à Philadelphie où il a vécu et où il est mort, à New York, à Newark, en Écosse, en Angleterre et au Canada dans la plupart des musées. À Montréal, on peut admirer The Falcon *sur le campus de l'Université McGill. (RCA 1928)*

Sans doute il avait étudié la médecine et fait la dissection du corps humain puisqu'il était reçu docteur. Mais il arrive souvent que (malgré) la profession qu'ils ont étudiée, ils occuperont leur vie à faire tout autre chose tel que certains avocats qui se jettent de tout âme dans la politique, la littérature ou l'histoire. McKenzie a trouvé plus intéressant de manier la terre glaise que de couper dans la chair, là-dessus, il faut lui concéder qu'il a eu raison. Cependant, ses études faites à disséquer les muscles des cadavres se font sentir dans la forme sèche de ses petites figures touchant le sport qu'il a exécutées en quantité, et avec son esprit de commerçant, il a trouvé le moyen de faire un joli revenu.

Ses bustes, j'en ai vu bien peu et tous mauvais. Entre autres, celui de Sir Beatty, président du C.P.R. très mauvais[1]. J'ai vu de lui une statue de soldat faite pour le compte d'une ville[2], je ne me souviens pas où, (qui) n'était pas mal du tout, mieux que beaucoup de statues de soldat faites par différents artistes. Mais dans tout ce qu'il a fait, il se dégage toujours le peu de sensibilité des artistes de sa race, je veux parler des sculpteurs, car il y a des peintres de sa race qui ont vraiment fait de jolies choses.

1. Buste de Sir Edward Beatty, président de Canadian Pacific Railway, de 1918 à 1941. Ce buste avait été exposé en 1931, à l'exposition de la Royal Canadian Academy.

2. Il s'agit peut-être du *Volunteer* (1923), fait pour Almonte, ville natale de McKenzie où se trouve aujourd'hui un musée de ses œuvres.

George Hill*
1862-1934

George Hill,
*Monument aux héros
de la guerre des Boers.*

George Hill, fils d'un tailleur de marbre, est né à Richmond, dans les Cantons de l'Est. Il s'initie à la taille de la pierre dans l'atelier de son père et c'est en 1889 qu'il s'inscrit à l'École des Beaux-Arts de Paris, dans l'atelier de Falguière. Il aurait travaillé avec Jean-Paul Laurens et Injalbert et fréquenté également l'Académie Julian (atelier de Chapu). De retour au Canada en 1894, il réalise de nombreux monuments, le plus connu étant celui de Sir George-Étienne Cartier, au pied du Mont-Royal. (ARCA 1908, RCA 1917)

Ce sculpteur, mort déjà depuis plus de dix ans[1], avait commencé par faire de l'ornementation pour les architectes[2]. (Il obtint) son premier succès dans un concours pour le monument érigé à la mémoire des soldats morts à la guerre du Transvaal[3]: la statue équestre du Carré Dominion, un cheval se cabrant retenu par un officier, sur un piédestal tout à fait agréable de lignes dont l'architecte Maxwell est l'auteur. Dans son ensemble, le monument a belle allure. Pour le cheval, on l'a accusé d'avoir copié un des chevaux de Marly, de la Place de la Concorde à Paris, excepté le chevalier de Marly: celui de Hill est habillé en costume de soldat.

Hill connaissait son métier et pour faire une maquette pour un concours, il (la) finissait minutieusement pour plaire au Comité. Il a décroché des contrats plus souvent qu'à son tour. Je crois qu'il a

1. Ce texte a donc été écrit après 1944.

2. Il a travaillé principalement pour Robert Findlay et pour les frères Edward et William Maxwell à la décoration de grandes résidences bourgeoises et d'édifices publics.

3. Érigé au Square Dominion en 1907, le *Monument aux héros de la guerre anglo-boër* représente un soldat tenant par la bride un cheval cabré.

* Titre du manuscrit: «George Hill, sculpteur».

fait des douzaines de monuments de soldats morts à la guerre de 1914[4].

Il avait une manière à lui d'influencer un comité en sa faveur en disant qu'il y avait deux grands sculpteurs dans le monde, Michel-Ange et lui. Et avec son sens des affaires, il savait les gagner à sa cause. Au concours pour l'érection du monument à George-Étienne Cartier, je faisais partie de ce concours et l'ami Hill a eu beaucoup de mal à remporter la victoire. Il y eut à cette occasion une polémique de part et d'autre dans les journaux de Montréal. J'étais jeune et pas très habile à faire jouer les influences, car c'était un contrat important[5].

Hill a exécuté beaucoup de monuments et fait beaucoup d'argent, mais (c'est) encore un à qui on peut reprocher d'avoir surtout été un entrepreneur, car il a exécuté les sculptures qui payaient seulement. Il n'a rien fait pour le plaisir de faire de l'art; quelques bustes bien ordinaires le plus souvent lui étaient commandés. Il n'a fait aucune figure de musée car l'inspiration lui manquait, n'étant pas payante. Il n'a que rarement exposé car il n'avait rien de préparé pour ça, n'étant pas payant.

Il a été un bon sculpteur, oui, mais un artiste, non; un idéaliste, encore moins, trop mesquin pour ça. Enfin, la Société des sculpteurs[6] n'a pas voulu l'inviter à faire partie de leur société malgré qu'elle a été fondée par des gens de sa race. Ceci est bien la preuve de ce que j'ai avancé plus haut. Je doute que son nom passe dans l'histoire de l'art canadien.

4. Ses principaux monuments aux morts sont ceux de Westmount, de Montréal-Ouest, de Magog et de Lachute.

5. Voir *Mes souvenirs*, p. 81 et Aline Gubbay, *Three Montreal Monuments : An Expression of Nationalism*, p. 64 à 84.

6. *La Société des sculpteurs du Canada* fondée en 1928 et dont Alfred Laliberté était membre.

Horatio Walker*
1858-1938

Horatio Walker est né à Listowel, en Ontario, et c'est à Toronto qu'il commence à travailler aux studios de photographie Notman et Fraser. Dès 1876, on le retrouve aux États-Unis. Il séjourne en Europe de 1880 à 1882, principalement en France où Millet et les peintres de Barbizon exercent sur lui une influence déterminante. À son retour, il s'établit à Rochester, dans l'état de New York. À partir de 1886, il passe ses étés à l'Île d'Orléans, à Sainte-Pétronille où il s'installe définitivement en 1928. De 1900 à 1928 il expose avec succès tant aux États-Unis qu'au Canada. Walker a laissé une œuvre abondante représentée dans la plupart des musées canadiens. (RCA 1913)

1. Les articles de Paul Lavoie ont paru les 29 octobre, 5 et 10 novembre 1938. Cette phrase nous permet de dater de 1940 ce texte de Laliberté.

2. On peut imaginer que les deux hommes se sont connus lors des expositions, en particulier celles des élèves de l'École des Beaux-Arts de Montréal puisque Walker était membre du jury.

Il y a deux ans, quelques semaines après sa mort, Paul Lavoie écrivait pour *Le Devoir* plusieurs articles très élaborés à la mémoire de Walker, laissant tomber sur la tombe encore fraîche du peintre défunt des fleurs à profusion[1]. Il est vrai que le respect de la mort nous invite à ne dire que du bien de tous; ce qu'il a fait est merveilleux, il en a fait un peintre tellement complet, tellement parfait qu'il a monté à l'égal d'un dieu, trop haut, à mon avis, et vu que les cendres sont refroidies, je crois qu'il vaut mieux maintenant le placer juste au niveau de sa valeur de peintre, car le plaçant trop haut, il y a le danger que le temps le descende beaucoup plus bas.

Avant de connaître Horatio Walker intimement[2], j'avais entendu parler de ce peintre de Sainte-Pétronille de l'Île d'Orléans. On parlait de lui

* Titre du manuscrit: «Horatio Walker, peintre de l'Île d'Orléans».

comme d'un peintre d'une grande autorité en peinture, et celui qui avait le privilège d'être reçu chez lui, c'était un honneur insigne. On parlait de lui comme d'un caractère difficile. Il y avait une cause à ça: une femme qui ne l'a pas compris. Mais des circonstances trop longues à expliquer par la suite ont bien changé son caractère de sorte qu'il est devenu un homme charmant et très estimé.

Simard[3], le sous-secrétaire de la Province, ne jurait que par Walker, et le directeur de l'École des Beaux-Arts de Montréal était également en haute amitié avec lui[4]. Walker avait tout intérêt à cultiver l'amitié de Simard en même temps que celle du directeur, celle des deux, Simard surtout, car celui-ci lui a acheté des quantités de peintures pour le compte du gouvernement de Québec, à des prix presque exagérés. Il avait déjà vendu des peintures très cher aux États-Unis et, avec la complicité de Simard, il continuait à les vendre cher au gouvernement de Québec, avec son type de tête laide, mais où l'intelligence et la sincérité dans ses jugements nous inspiraient confiance.

Il a commencé à faire sa réputation à peindre des cochons qu'il faisait à merveille. En regardant sa tête, on avait l'impression que lui seul pouvait réussir à les peindre à ravir: on y trouvait un semblant de parenté entre sa tête et ses cochons.

Je l'ai connu intimement lorsqu'il faisait partie du jury pour juger les travaux des élèves de l'École des Beaux-Arts à Montréal[5]. J'ai dit plus haut qu'il nous inspirait de l'admiration et nous étions prêts à trouver ses peintures très belles jusqu'au moment où l'on découvrait ses intrigues intéressées et le pouvoir de sa présence disparaissait. Je peux presque parler d'une certaine fascination, la qualité de sa race, l'autorité.

Avec l'enthousiasme de son grand admirateur Simard et du directeur de l'École des Beaux-Arts de Montréal, dans une des salles de l'école, ils firent une exposition des œuvres de Walker, en ayant bien choisi ce qu'il y avait de plus représentatif. C'était une ex-

3. J.O. Simard a été sous-secrétaire de la Province de 1912 à 1930.

4. Il s'agit de Charles Maillard, directeur de l'École des Beaux-Arts de Montréal de 1925 à 1945.

5. De 1926 à 1932.

6. *La 1ʳᵉ exposition annuelle d'artistes canadiens* eut lieu en mars 1929.

position très intéressante[6]. Mais il y avait là de grandes tartines : sa paire de bœufs par exemple, qui sentait l'influence de l'École de Barbizon de France à plein nez, des séries d'habitants faites sur place d'une pauvreté de pâte, de tons pauvres. Également, des scieurs au godendor, pauvre également comme peinture. Et on aurait dit qu'il a peint un cheval d'après un modèle de cheval empaillé. Enfin, sa valeur comme peintre, c'est sa production de choses du terroir. À part cela, comme artiste sensible, non ; comme créateur, non ; comme distinction dans les tons, non ; comme belle pâte et riche matière, non. Il n'est qu'un peintre qui a copié bêtement les choses de la campagne, sans poésie, sans philosophie ; une simplicité qui ne dégage rien. Enfin Walker, par son intelligence, a su tirer beaucoup d'une valeur moindre ; cette qualité appartient encore aux hommes de sa race. Tout de même, ce peintre restera comme ayant été un bon peintre du terroir, peut-être même un amoureux du terroir et c'est comme tel probablement que beaucoup lui sera pardonné. Son nom sera parmi les meilleurs peintres du Canada. Ainsi soit-il.

Walker a produit au-dessus de quinze cents choses. C'est beaucoup. Cela prouve qu'il a été un grand travailleur, c'est déjà une belle qualité.

Horatio Walker, *Les battures de l'Île-aux-Grues.* (Musée du Québec)

Olindo Gratton*
1855-1941

Olindo Gratton est né à Sainte-Thérèse de Blainville. De 1874 à 1880 environ, il est l'un des apprentis de Napoléon Bourassa au chantier de la chapelle Notre-Dame de Lourdes, à Montréal. Par la suite, élève et associé de Philippe Hébert, de 1881 à 1888, il collabore à la réalisation des statues du sanctuaire de la cathédrale Notre-Dame d'Ottawa. Il enseigne le modelage et la sculpture sur bois au Conseil des arts et manufactures en 1887 et de 1894 à 1899. Vers 1900, il retourne s'établir à Sainte-Thérèse. De janvier à mars 1918, il expose une dizaine de sculptures à la bibliothèque Saint-Sulpice. Gratton a sculpté les grandes statues qui ornent la façade de la cathédrale Marie-Reine-du-Monde (1892-1900), le monument de Barthélemy Joliette, à Joliette (1902) et celui du curé Charles Ducharme, à Sainte-Thérèse (1925). En collaboration avec Philippe Laperle, il a sculpté la statue de Saint-Jacques qui ornait la façade de l'église.

Si les œuvres de ce brave artisan nous donnaient l'impression que sa nature est une nature d'élite, sensible, cultivé, penseur, on pourrait dire que Gratton est un grand philosophe ayant (vécu) depuis bien longtemps à Sainte-Thérèse dans le calme, loin des bruits, des ambitions fausses qui finissent par tuer son homme à force de tenir ses nerfs dans un état d'excitation qui est comme l'abus de l'opium où ils ne peuvent plus s'en passer. Mais non, sa philosophie a été celle de l'habitant de campagne qui travaille dur, qui se résigne à tout parce que la religion lui apprit que sur la (terre) on souffre pour gagner notre

* Titre du manuscrit: «Olindo Gratton, sculpteur sur bois de Sainte-Thérèse».

65

ciel à notre mort. On ne s'occupe pas d'un beau coucher de soleil et autre beau phénomène de la nature. Pour eux aux prises avec la terre, il s'agit d'y trouver de quoi vivre. Manger, dormir et travailler et élever une famille, mais cette dernière ne s'applique pas à l'ami Gratton car il était célibataire et vivait avec sa sœur depuis longtemps[1].

L'ami Gratton a commencé son éducation artistique sous la direction de Philippe Hébert. Il a dû apprendre à manier la gouge en sculptant les statues en bois sous la chaire de l'église Notre-Dame, à Montréal, dont Hébert avait les contrats pour l'exécution, et c'est là que l'élève apprit le métier ingrat de sculpteur sur bois. Je dis ingrat parce qu'avec cette matière, ce matériel, le bois, il est presqu'impossible de faire une forme sensible, et celui qui travaille longtemps avec ce matériel, il lui reste bien longtemps ce défaut de faire sans souplesse, sans sensibilité parce que l'œil et l'esprit en a fait son éducation qui est quasi mauvaise.

Gratton a la charpente forte et solide, (une) figure osseuse avec une forte moustache. Des bras solides manient la hache avec une maîtrise lorsqu'il s'agit d'ébaucher une statue qu'il couvrira peut-être de cuivre pour mettre le bois à l'abri des intempéries. La cathédrale de Montréal en possède plusieurs qui couronnent le haut de sa façade. Comme ces statues sont perchées bien haut, nous ne devons voir que la valeur (de) la masse et le point (de vue) de décoration qui complète la façade du temple religieux. Gratton est surtout un artisan, cependant, le monument à la mémoire du Père Ducharme érigé dans le jardin du Collège de Sainte-Thérèse dénote tout de même une certaine maîtrise de son métier. Ce monument n'est pas mauvais. Il a pris part à plusieurs concours de monuments, mais son manque de jugement, d'imagination et de métier l'ont toujours placé dans un état d'infériorité avec les autres, de sorte qu'il n'a pas pu en produire plusieurs. Ce qui a manqué à Gratton? Il lui a tout manqué ce qu'il faut pour faire un bel artiste. Par là, il reste presque au niveau de l'artisan.

1. Bernard Mulaire, arrière-petit-neveu d'Olindo Gratton, poursuit déjà depuis quelques années des recherches sur ce sculpteur.

Henri Julien*
1851-1908

Henri Julien est né à Québec en 1851. Son père, à l'emploi de l'Imprimeur du roi, se voit obligé de déplacer sa famille à Toronto, à Ottawa et finalement à Montréal.

Vers 1860 et jusqu'en 1867, Henri Julien aurait suivi des cours de dessin avec l'abbé Chabert. Il commence à travailler en 1869, comme apprenti-graveur pour Georges Desbarats, propriétaire du Canadian Illustrated News *et de l'O-pinion publique. Remarqué par son talent exceptionnel, il devient dessinateur attitré pour ces deux journaux jusqu'en 1888. Parallèlement, il envoie des caricatures à divers journaux humoristiques, entre autres au* Farceur *(1878-1903) sous le pseudonyme de Crincrin.*

À compter de 1888 et jusqu'à sa mort en 1908, Henri Julien est rattaché au Montreal Star *comme dessinateur, illustrateur d'événements politiques d'actualité et caricaturiste. Pendant plusieurs années, il a illustré des textes dans l'Al-manach du peuple, ce qui a contribué à sa notoriété.*

Il faut donner une place à part à cet artiste doué d'un bel esprit et d'un beau talent de dessinateur, d'une habileté hors ligne à croquer sur le vif des types qui jouaient un rôle au Palais de justice, à l'Hôtel de ville ou (en) politique, envoyé par le journal le *Star* pour qui il était à son service. Souvent Julien n'avait pas la permission de croquer des types qui s'oppo-saient à ce que leur binette parût dans les journaux. Parfois il dessinait en deux coups de crayon sur sa

---

* Titre du manuscrit: «Henri Julien, dessinateur. Mort subite et relativement jeune».

manchette de chemise ou parfois, on le forçait à déchirer son croquis, mais seulement la binette du type paraissait quand même dans le *Star*. Henri Julien tout en étant bien traité et bien payé, après avoir dit bien traité, je répète bien payé, car Julien recevait du *Star* comme traitement à sa valeur, la somme de $ 75,00 par semaine, c'était considérable à cette époque, mais seulement il était très difficile à remplacer et on n'a (pas) encore trouvé un autre Henri Julien aujourd'hui même.

Je me souviens encore du type d'Henri Julien, d'une bonne taille moyenne, assez rondelet, très sanguin, un blond à la figure bien proportionnée, moustache blonde; pas poseur pour deux sous, il disait les choses par leur nom. Il nous donnait l'impression d'être un homme sincère et de savoir ce qu'il disait. Il était en grande estime de tous les artistes parce qu'il était vraiment un artiste lui-même. Son tempérament fut entravé par des obligations qu'il s'est faites lui-même en se mariant jeune et élevant une grosse famille[1] et aussi par un manque d'ordre dans l'administration de l'intérieur. Il lui a fallu travailler, se débattre comme un diable dans l'eau bénite pour faire vivre sa famille. (C'est) la cause que sa carrière d'artiste comme production d'art vraiment de valeur (...).

Son œuvre, son dessin, sa peinture[2]. L'*Album Henri Julien*[3] dans lequel on retrouve en grande partie la reproduction de ses œuvres, tous ses types de Canadien ont l'air des bouffons, pour ça, Julien ne savait pas donner à ses types un caractère vraiment d'homme digne et de grandeur. Le coup de crayon toujours habile mais toujours à la surface. La pensée ne se réflétait pas de l'intérieur.

Sa peinture. Il n'avait pas le sens de la couleur et ses (toiles) pèchaient toujours par le même défaut de bouffonnerie. Henri Julien, sa carrière d'artiste se résume en une phrase: avec un talent extraordinaire, il a fait une œuvre tout à fait ordinaire.

1. Henri Julien a eu sept enfants.

2. Il a fait de l'aquarelle et de la peinture de 1900 à 1908.

3. L'*Album Henri Julien*, paru en 1916 aux éditions Beauchemin.

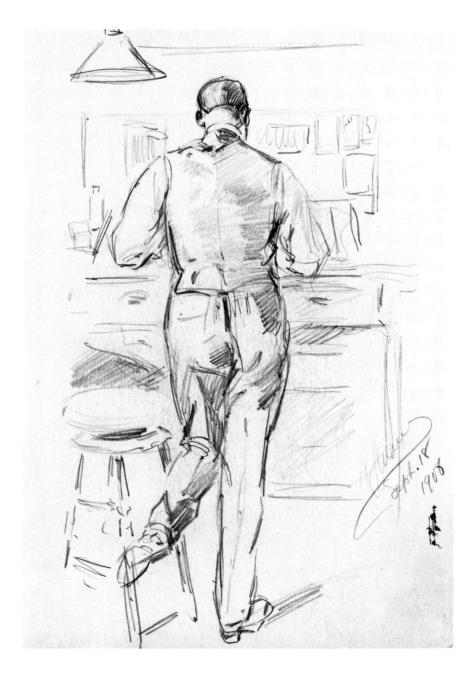

Henri Julien, *Autoportrait*. (Musée des beaux-arts de Montréal)

Edmond Dyonnet*
1859-1954

Edmond Dyonnet a passé son enfance à Crest (France) où il est né, et à Turin où sa famille a vécu quelques années avant de venir s'établir au Canada en 1875. À Montréal, il suit des cours de dessin de l'abbé Chabert puis décide de poursuivre ses études à l'Académie Albertine de Turin. Son séjour durera quatre ans. De retour en 1890, il entreprend une longue carrière d'enseignement, d'abord au Conseil des arts et manufactures, à l'Art Association, à l'École des Beaux-Arts et aux Écoles d'architecture de l'Université de Montréal et de l'Université McGill. Edmond Dyonnet a joué un rôle capital dans la formation d'un très grand nombre d'artistes.

Dyonnet a été un portraitiste recherché et il a laissé également des paysages. Ses Mémoires d'un artiste canadien *publiés aux Éditions de l'Université d'Ottawa contiennent de nombreux renseignements sur sa longue carrière. (ARCA 1893, RCA 1903)*

Cet homme, ce beau portraitiste a enseigné l'art de peindre et de dessiner durant toute sa vie d'artiste et grande (est) la liste des noms d'artistes qui ont reçu ses conseils, son encouragement. Il a été un papa pour les jeunes qui voulaient se livrer à l'art et il mériterait la reconnaissance de douzaines d'artistes qui parmi il y en a avec leur talent et les conseils de Dyonnet sont arrivés à une autorité incontestable. Il était un papa mais il fallait aussi le traiter en papa pour sa sincérité et son dévouement pour l'art ici au Canada.

* Titre du manuscrit: «Edmond Dyonnet, R.C.A.».

1. Dyonnet y a enseigné à compter de 1890.

2. L'abbé Chabert est décédé en 1894 dans une institution psychiatrique où il était interné depuis 1888.

3. Voir «Présentation», p. 15.

4. Cette phrase reste ambiguë.

5. Le portrait d'Henri Julien a été peint en 1890-1891. Collection du Musée du Québec.

6. Charles Gill peint vers 1900. Collection du Musée du Québec.

7. Jules Poivert peint en 1909. Collection du Musée du Québec.

8. Jules Helbronner peint vers 1906, rédacteur en chef de *La Presse* de 1890 à 1908.

9. L'École polytechnique dispensait des cours de dessin. Dyonnet y a enseigné de 1907 à 1923.

10. Il a enseigné à l'Université McGill de 1920 à 1936.

11. C'est-à-dire à l'Art Association.

12. Historiographe de l'Académie royale du Canada, il en a été le secrétaire de 1910 à 1948.

J'ai dit plus haut que Brymner enseignait à la Art Gallery, l'école peut-être la plus sérieuse au Québec, mais Dyonnet enseignait en même temps et donnait des leçons aussi sérieuses.

Le Conseil des arts et métiers où il était professeur en chef[1] avait commencé bien modestement sous l'abbé Chabert qui finit assez mal sa vie[2]. À ce moment-là, ils étaient rue Saint-Gabriel et ensuite, devenu le Conseil des arts et métiers, au Monument national[3]. Alors Dyonnet étant sous la direction des directeurs du Conseil, des hommes qui ne connaissaient rien en art, nommés par la politique, a été une entrave pour notre ami Dyonnet pour donner de l'envergure à son enseignement; il a souvent dû être déçu dans son enthousiasme!

Dyonnet était d'origine française beaucoup plus près que trois de nous Canadiens-français[4]. Son type, beaucoup plus français, son langage, sa facilité de parole lui faisaient faire une petite conférence à chaque élève pour lui faire comprendre son art. Il parlait plusieurs langues avec la même facilité il les écrivait. Dyonnet a joué un grand rôle ici dans la formation de l'art au Québec. Encore une fois, nous (lui) devons reconnaissance.

Avec tout le temps qu'il prit pour enseigner, il a peint de nombreux portraits. Pour en citer quelques-uns qui sont vraiment de belles choses, voyons Henri Julien[5], Charles Gill[6], Poivert[7], Helbronner, un des fondateurs de *La Presse*, Français d'origine lui aussi.

Dyonnet a aussi enseigné dans d'autres institutions à l'École polytechnique[9], à McGill[10], à la Art Gallery[11]. En tête de cet écrit, au bout de son nom, j'ai mis les trois lettres de l'Académie royale parce qu'il est le secrétaire de cette institution depuis longtemps et il s'est toujours acquitté de cette besogne sans jamais d'erreur, parce qu'il est consciencieux et honnête, droit et sincère[12].

Enfin, la vie de Dyonnet a été une vie d'enseignement, de dévouement et même de sacrifice. Son beau-frère mourut; Dyonnet resta célibataire pour protéger sa sœur et élever ses enfants, peut-être même

Edmond Dyonnet, *Portrait de Charles Gill*. (Musée du Québec)

(laisser?) quelques revenus qu'il a amassés par sa bonne conduite et son économie. Dyonnet a aussi eu des gestes de sagesse. Rendu à un certain âge où l'enthousiasme diminuant se faisait sentir dans sa peinture, il a cessé de peindre d'autant plus que les idées modernes de la peinture commençaient à se faire sentir. Il a compris alors qu'il faut peindre avec la vigueur et l'enthousiasme ou bien ne pas peindre. Il faut tout de (même) un certain esprit d'abnégation et un esprit ouvert pour cesser d'exécuter un art qui a été toute sa vie.

Philippe Laperle
1860-1934

À l'occasion d'une exposition au Conseil des arts et manufactures en 1884, La Minerve *mentionne que Philippe Laperle est un élève de Philippe Hébert. De 1884 à 1887, on trouve son nom parmi les professeurs du Conseil des arts et manufactures. En 1888, il travaille à Montréal en association avec Olindo Gratton. Ils réalisent une statue de saint Joseph, pour le Collège de Sainte-Thérèse et une autre de saint Christophe pour l'église du même nom à Arthabaska. De 1891 à 1899, il s'associe à un autre sculpteur, Alfred Lefrançois.*

Ce sculpteur sur bois devait être un camarade de Gratton et devait travailler pour Philippe Hébert. Laperle a dû sculpter des chevaux de bois pour les selliers que ces marchands installaient dans leur vitrine avec un beau harnais sur le dos pour faire ( ) de la marchandise qu'ils fabriquaient et vendaient, car (en) ce temps, la machine roulante n'avait pas fait son apparition pour tenter les hommes à la vitesse de transport. Alors le règne des chevaux était dans toute sa gloire.

En 1897, je me souviens lorsque je venais étudier le modelage ici à Montréal des étudiants de l'Université Laval dans le temps, me parlaient d'un nommé Laperle, sculpteur qui crevait de faim, me donnant son exemple pour me décourager comme l'art ne faisait pas vivre son homme. On n'a plus entendu parler de Laperle depuis. Il a fait un autre métier ou il est mort sans gloire. Il est venu dans un temps difficile mais (je) crois plutôt à un manque de talent, car celui qui a du talent et travaille réussit davantage.

François-Xavier-Aldéric Rapin
1868-1901

Aldéric Rapin est né à Saint-Thimothée et a étudié avec l'abbé Chabert. À l'occasion d'un concours en 1890, il remporte une médaille d'or offerte par Lord Strathcona. En septembre 1891, il s'embarque pour l'Europe. Il retrouve Charles Gill, son ami, et suit des cours à l'École des Beaux-Arts. Espérant une commande de tableaux pour l'église Notre-Dame, Rapin revient au pays en 1892. Il ne peut retourner étudier à Paris faute de contrat, se marie en 1893 et enseigne le dessin au Conseil des arts et manufactures (1893-1894) et à l'Académie Saint-Jean-Baptiste (1894-1895). Il s'installe ensuite à Marieville où il enseigne le dessin et la peinture.

Celui-là, comme plusieurs autres qui n'ont pas fait d'œuvres remarquables, je ne l'ai pas connu. Une personne qui m'en a parlé l'a connu tout jeune; elle habitait à l'endroit, la petite ville, qui était le champ d'exploits de Rapin qui, à vrai dire, n'a pas été un beau peintre. On pourrait peut-être trouver encore ses chemins de croix ou ses peintures d'un saint quelconque dans les églises du comté de Rouville. Mort jeune après une vie assez désordonnée[1]. Un jour, un ami ou une connaissance de Marieville qui vit encore, paraît-il, lui donna un coup de pied au bas du ventre. Mon Rapin en mourut. Alors transporté presqu'inanimé, peu après on le crût mort. Alors on procéda à l'enterrement et c'est quelques jours plus tard, on eut besoin de creuser près de sa tombe, et c'est là que l'on s'aperçut qu'il avait été enterré vivant. Il s'était tourné sur le côté et s'était rongé les bras. Voilà une triste fin[2].

1. Émile Falardeau (1887-1980) président de la Société historique de Montréal s'est fait le biographe du peintre Rapin dans *Artistes et artisans du Canada* paru en 1940. Il fait allusion à la «souffrance morale» de Rapin, à «son séjour dans la Ville-Lumière (qui) lui fut funeste au point de vue spirituel», il mentionne son mariage malheureux mais le récit reste confus et imprécis.

2. Laliberté a écrit en marge de son texte «Fin tragique de Rapin». Émile Falardeau rappelle que Rapin a été admis à l'Hôtel-Dieu de Montréal en avril 1901, qu'il y est mort le 18 mai et qu'il est enterré à Saint-Timothée. Comment expliquer l'anecdote que rapporte Laliberté?

Alexandre Carli
1861-1937

Né à Montréal dans une famille de statuaires et de modeleurs venue d'Italie, Alexandre Carli étudie le modelage au Conseil des arts et manufactures dès l'âge de dix-sept ans avec J. Van Luppen. Il suit également des cours de dessin chez Chabert. Lui-même enseigne au Conseil des arts de 1900 à 1914. En 1906, à la mort de son père, il prend la direction de la maison T. Carli. C'est lui qui fait venir d'Europe plusieurs modèles de statues religieuses qui ont décoré tant d'églises jusqu'à tout récemment.

Ce brave homme fut mon professeur en 1898-1899 au Conseil des arts et métiers lorsque je commençais mon éducation. C'est vous dire que j'ai connu Alexandre Carli de longue date et je parle de lui en connaissance de cause. Et c'est sous sa direction comme professeur que j'ai obtenu le prix d'honneur qui m'a facilité mon voyage à Paris pour étudier mon art. Aussi mon aîné Alexandre Carli a toujours une certaine admiration pour mes succès obtenus et je crois (avoir) en reconnaissance une estime respectueuse[1].

Sa carrière d'artiste, je crois sincèrement que si les circonstances avaient favorisé ses études de l'art, enfin (s'il avait) étudié en Europe, il aurait pu faire un grand sculpteur. Le côté sérieux chez lui, son éducation, sa culture, son esprit, tout me fait croire à cela. Il avait un coup de pouce d'une grande habileté et pour draper une figure, je le trouvais étonnant. Il avait même de l'imagination pour composer

1. Voir Alfred Laliberté, *Mes souvenirs*, p. 52-53.

74

des scènes religieuses. J'ai vu des panneaux demi-relief, sous forme de maquette, que je voudrais avoir faits moi-même. La grande frise qui a plus de deux cent cinquante pieds de longueur et sept pieds de hauteur qui orne l'intérieur d'une église dans l'Est, sur la rue Ontario, peut nous convaincre que l'ami en question avait du talent[2].

Qu'est-ce qui lui a manqué pour cultiver ce talent, le faire briller, faire un sculpteur, même un grand artiste? Car il était sensible, simple, travailleur, philosophe à sa façon et (avait) un esprit logique pour comprendre les choses. Voilà, son père, T. Carli, a fondé la maison Carli[3]. Les débuts de cette maison (furent) très modestes. Son fils Alexandre étant l'aîné de la famille[4], (il avait) la crainte de le perdre en le laissant partir pour l'Europe; il n'aurait plus son sculpteur pour exécuter ses statues religieuses à la demande de ses clients religieux. Plus matérialiste que son fils, pour le moment il avait une idée derrière la tête: marier son fils pour mieux le tenir pour continuer le commerce religieux de sa maison après sa mort[5]. Telle a été probablement la cause qu'Alexandre a raté sa vocation d'artiste.

Et Alexandre, bonne nature soumise, s'est laissé entraîner par des responsabilités qui se sont multipliées en obligations de famille; il s'est trouvé enchaîné pour sa vie, probablement contre son rêve de devenir un grand artiste. Tout de même, il a voulu faire de l'art même avec des statues religieuses en y mettant un esprit qui lui semblait plus près de l'art. Mais son père qui le tenait a vite fait de le ramener à son esprit à lui, avec la puissante complicité du clergé, du clergé client auquel Alexandre avec ses obligations n'a pu résister longtemps. Encore une fois vaincu, il a continué sa vie humblement contre son rêve, jusqu'à la mort.

Avec des principes assez sévères, il a élevé une assez grande famille, toutes des filles sur lesquelles il ne pouvait compter pour exercer en art la sculpture qu'il n'a pu réaliser lui-même[6]. Voyez cette bonne nature qui souffre peut-être moralement et en plus,

2. Il s'agit de l'église de la Nativité de Marie d'Hochelaga.

3. Thomas, né en Italie en 1838, s'établit à Montréal en 1858. Il est mort en 1906.

4. Alexandre a été le sculpteur attitré de la maison T. Carli jusqu'en 1934.

5. La maison T. Carli a compté jusqu'à soixante employés. La fusion avec la maison Petrucci s'est faite en 1923. Voir «Les statuaires et modeleurs Carli-Petrucci», p. 127 à 131, dans *L'Annonciation dans la sculpture au Québec* de John Porter et Léopold Désy.

6. Il s'est marié en 1880 et a eu six enfants.

par des circonstances qu'il n'a pu prévoir ni contrôler, perd une partie de son aisance et se voit finir sa vie assez tristement.

Ozias Leduc*
1864-1955

Toute la vie d'Ozias Leduc s'est écoulée à Saint-Hilaire, son village natal, sauf quand les commandes le retenaient à l'extérieur. C'est auprès de Luigi Cappello et d'Adolphe Rho qu'il s'initie à la peinture religieuse et à la décoration d'églises. Il a peint au-delà de cent cinquante tableaux et peintures murales pour trente-et-une églises du Québec dont la cathédrale Saint-Charles Borromée, à Joliette (1893), l'église de Saint-Hilaire (1894-1896, 1899; 1920-1929), l'église de Saint-Michel de Rougemont (1901-1902 et 1933-1935), Saint-Romuald de Farnham (1905-1906 et 1926), Notre-Dame de Bonsecours, à Montréal (1908-1909), la cathédrale de Saint-Hyacinthe (1910-1912), Saint-Enfant-Jésus du Mile-End, à Montréal (1916-1919), la chapelle privée de l'évêché de Sherbrooke (1922-1932), Notre-Dame de Montréal (1927-1928 et 1930), Notre-Dame-de-la-Présentation, sa dernière œuvre, à Shawinigan-Sud. Dans ses œuvres d'inspiration religieuse, Leduc intègre la réalité de son propre environnement à une vision mystique.

En plus de ses peintures religieuses, Leduc peint des portraits, des paysages et des natures mortes, œuvres empreintes d'un caractère intimiste et d'une sérénité qui lui sont propres. Une exposition à la bibliothèque Saint-Sulpice, en 1916, réunit quarante-et-un tableaux et dessins. Toutefois, ce n'est qu'en 1955 qu'il y aura une importante rétrospective de son œuvre. (ARCA 1916)

Un peintre canadien juste et sincère me parlait de l'ami Leduc il n'y a pas longtemps et me disait

* Titre du manuscrit: «Ozias Leduc. Peintre de Saint-Hilaire».

1. Un court séjour à Paris, de mai à décembre 1897, le met en contact avec la peinture impressionniste et la peinture symboliste et mystique comme celle de Puvis de Chavannes.

2. Laliberté a travaillé chez Carli quand il était élève au Conseil des arts et manufactures, mais il y a probablement rencontré Leduc plus tard quand il confiait à la maison Carli le moulage en plâtre de ses sculptures.

3. Il épouse Marie-Louise Lebrun, veuve de Luigi Cappello en 1906. Elle était sa cousine.

qu'à ses débuts à Paris[1], il peignait avec un tout petit pinceau mais qu'il y mettait déjà un beau sentiment. Cet homme timide et silencieux, concentré en lui-même, lorsqu'il parlait avait des dissertations qui étonnaient ses camarades canadiens.

Je (l') ai rencontré beaucoup plus tard chez Carli[2] (où) il venait parfois au sujet de statues religieuses et probablement aussi pour se renseigner sur les types et les accessoires pour ses peintures religieuses qu'on le chargeait de peindre pour le compte de quelques églises, car c'est dans la peinture religieuse que Leduc a le plus exécuté au cours de sa carrière d'artiste.

Lorsque je vis Leduc, il me (fit) l'impression d'un petit saint Joseph. Ce petit homme à l'air timide cache une sensibilité, probablement un orgueil très prononcé. Nous sentions qu'un rien pourrait le froisser, le blesser dans ses sentiments, dans son orgueil et sans répondre, il souffrirait moralement. Ici, au retour à Montréal après ses études en Europe, il s'était essayé avec une décoration d'église, son associé étant Italien, et infirme je crois, et marié. Là, notre Leduc si timide, d'aspect si sévère, a enlevé la femme de son associé pour la marier après et ils sont encore heureux aujourd'hui[3]. Madame Leduc a une admiration sans borne pour son grand artiste. Ils vivent à Saint-Hilaire loin de tous les bruits et les mauvaises senteurs de la ville depuis bien longtemps. Ils habitent près de la montagne Saint-Hilaire, cultivent un peu pour eux, (pour) leur subsistance, gardent de petits animaux, mais Madame Leduc ne laissera jamais son grand artiste donner la pâture aux bêtes, c'est bien trop bas pour lui, et elle ne marchera jamais en avant de son homme. Il est le seigneur, un dieu pour elle, voilà pour le moins une harmonie touchante chez les artistes, ce qui est beau.

Sa peinture, on en voit peu. Cependant, Leduc a plusieurs tableaux dans les églises de la province. Leduc peut faire beau à condition qu'on lui donne le temps, beaucoup de temps, car Leduc est bien long. C'est un philosophe qui se contente de peu. Dans le

Ozias Leduc, *Effet gris, neige*. (Musée du Séminaire de Québec)

calme, il avait commencé la construction d'une maison près de la sienne très étroite, commencée il y a plus de vingt-cinq ans, elle n'est pas encore terminée. Comme ils sont très âgés tous les deux de sorte que la maison ne sera jamais terminée.

Il y a une dizaine d'années, un groupe de la Rosse-qui-dételle (s'est) réuni chez M. Victor Morin, à Saint-Basile[4]. Parmi le groupe se trouvait Mgr Maurault qui est un grand admirateur de Leduc; (il) nous entraîna à faire une visite chez Leduc et presque tous, nous fûmes déçus de notre visite à la vue d'un intérieur tout à fait nu de toute œuvre d'art et la pauvreté de tout, même la façon de l'artiste qui (était) silencieuse[5]. Mme Leduc (était) beaucoup plus accueillante. ꞌMassicotte E.Z. voulant attiser la conversation avec Leduc en faisant allusion (à) une date, Leduc a continué son silence. E.Z. Massicotte a pensé après que (Leduc) comprit qu'il voulait faire allusion à l'époque de son roman avec Mme Leduc. Et voilà qui est pourtant un bel artiste. Il a bien rarement exposé à l'Art Gallery[6]. Je me souviens tout de même d'avoir vu là deux belles choses: un pommier, des sapins, et une tête de Christ[7]. Comme peintre au beau sentiment, Leduc laissera certainement un nom.

4. Sur le groupe La Rosse-qui-dételle, voir *Mes souvenirs*, p. 231-232.

5. Jean Chauvin dans *Ateliers* parle «d'une austérité quasi monacale».

6. Il a exposé à l'Art Association une première fois en 1891. En 1894 il remporte le premier prix. Il expose en 1895, 97, 98, 1900, de 1912 à 1916 et en 1921.

7. *Pommes vertes* (1915). *Effet gris (neige)* (1914) et *Le Bon Pasteur* (1917), toiles exposées à l'Art Association.

Adolphe Rho
1839-1905

Né à Gentilly, Adolphe Rho élit domicile à Bécancour et consacre sa vie à la sculpture sur bois et à la peinture. Autodidacte, il a une maîtrise du crayon, du pastel et de la lithographie qui lui vaut une certaine réputation comme portraitiste. En 1878, il part pour Paris dans le but de se perfectionner, mais il doit rentrer au Canada après quelques mois. En 1884, profitant d'un pèlerinage en Terre Sainte, il se rend en Italie où il passe trois mois. Après 1885 commence pour lui une période très productive. Denis Fréchette, dans Adolphe Rho, l'homme et l'œuvre, *écrit: «Souvent aidé de ses quatre fils, Rho restaure et décore une trentaine d'églises et de chapelles, peint une soixantaine de tableaux religieux, sculpte statues et retables d'autels, exécute toujours des portraits au crayon, au pastel ou à l'huile.» Rho donne également des leçons de dessin et de peinture à Trois-Rivières jusqu'à la fin de sa vie.*

1. Voir Auguste Rho.

2. Il a fait des sculptures entre autres pour les églises de Gentilly et de Saint-Elphège, pour le Séminaire de Nicolet et le collège de Saint-Gabriel-de-Brandon. Ses fresques ornent les églises de Saint-Sauveur, à Québec, de Lanoraie et de Cap-Rouge. Plusieurs de ses œuvres sont aujourd'hui disparues.

Je n'ai rien vu (de lui) et je n'ai pas connu cet homme, peut-être cet artiste. J'ai (connu) son fils[1] mais je ne crois pas que son fils soit une œuvre assez remarquable pour qu'il ait été satisfait au point de ne pas avoir voulu faire autre chose plus près de l'esprit.

Des personnes intéressées m'ont avoué qu'il avait beaucoup travaillé à décorer des églises et aussi (à faire) des sculptures sur bois pour les mêmes églises[2], aux environs de Nicolet par-là. À cette époque, la sculpture sur bois était encore de mode dans les églises de la Province. Oui, il s'est fait des choses intéressantes à cette époque pour les intérieurs d'église. C'était peut-être le bon temps.

Auguste Rho
1867-1947

Auguste Rho, le fils aîné d'Adolphe Rho, est né à Bé-
cancour. Avec ses trois frères, Fortunat (1872-1957), Vigor
(1874-1954) et Zotique (1876-1962), il fait son apprentissage
avec son père et participe à l'entreprise familiale. À la mort du
père en 1905, Fortunat a une entreprise de décoration à Mont-
réal tandis que Vigor exerce son métier de décorateur à Win-
nipeg. Auguste aurait surtout travaillé à Montréal.

Je viens de parler du père que je ne connaissais
pas, mais en revanche, j'ai l'honneur de connaître le
fils. Je viens de dire que je n'ai rien vu du père mais
en somme, je n'ai rien vu du fils non plus. Je me
souviens lorsqu'il venait voir les gardiens de la salle
du cours de dessin et de modelage du Conseil des arts
et métiers. Là, il nous parlait toujours de ses projets
de faire le médaillon ou portrait du pape ou un autre
personnage aussi haut placé.

Rho entretenait bien peu de contact avec les
artistes, n'exposant jamais nulle part, faisant si peu
pour être connu. De fait, de ses projets mentionnés
plus haut, je n'en ai jamais vu la réalisation. Cependant, il était assez bien renseigné sur la valeur des
artistes du Québec. Un jour, venant comme d'ha-
bitude à ses visites au Conseil des arts, là, nous nous
sommes mis à parler de la valeur des artistes du pays.
Rho me dit que Ozias Leduc est le Canadien-français
le plus fort au pays et moi, mon ignorance de jeune
m'empêchait de juger Leduc à sa juste valeur. Je
protestais en faveur de peintres amis. Mais je connus
plus tard que Leduc possédait toute la maîtrise de son

art et que mes préférés de ce moment-là ont évolué, après ils ont probablement dépassé Leduc, mais au moment où Rho le disait, il avait raison; je lui accorde ce mérite volontiers[1]. Mais en fin de compte, qu'est-ce qui va rester de Rho? Un mot le dit: rien. Auguste Rho a aussi fait de la cire pour un musée de Québec[2].

1. La correspondance de Fortunat et de Vigor Rho avec Ozias Leduc révèle leur étroite collaboration. On comprend ainsi qu'Auguste ait eu une connaissance particulière de l'œuvre du peintre de Saint-Hilaire.

2. Cette phrase est rajoutée en marge. Il s'agit peut-être d'un travail pour le Musée de Sainte-Anne de Beaupré.

Archibald Browne
1866-1949

Né à Liverpool de parents écossais, il arrive au Canada en 1888 et habite Toronto. Ce n'est que vers la quarantaine qu'il se consacre exclusivement à la peinture. En 1919, il participe à la fondation du Arts and Letters Club de Toronto. En 1923, il remporte le prix Jessie Dow au Salon du printemps de l'Art Association. La même année, il s'installe à Montréal qu'il quitte en 1927 pour s'établir à Lancaster en Ontario. C'est là que Jean Chauvin fit son entrevue avec lui pour Ateliers. *Paysagiste, ami d'Homer Watson et d'Horatio Walker, Browne expose régulièrement au Canada, aux États-Unis, en Angleterre et en Écosse. (ARCA 1913, RCA 1919)*

Peintre paysagiste, du moins je n'ai jamais (vu) de portraits ni de figures signés par lui. Ses paysages étaient surtout d'été, brossés d'une habileté et avec une pâte parfois généreuse. Ses peintures sont toujours agréables à voir, seulement on peut lui reprocher de ressembler un peu à tous les peintres. Sa peinture manque de personnalité car il y a un peu de tous les artistes dans la sienne; c'est ce qui lui enlève une partie de sa valeur.

Cet homme tout court, assez gras, à la tête chauve, à la figure resplendissante de santé et l'air d'un bon vivant, nous donne l'impression d'être heureux avec son art qu'il a produit peut-être suffisamment pour la valeur vraiment artistique.

Pour un artiste, il a trouvé le moyen de se marier deux fois[1]. Si un jour il se décide de nous laisser pour un autre monde meilleur, il méritera bien le paradis, s'il y en a un pour les artistes.

1. Devenu veuf en 1917, il se remaria en 1919.

George Horne Russell
1861-1933

C'est en Écosse, où il est né, que George Horne Russell reçoit sa formation artistique. D'abord au Aberdeen Art School avec Andrew Burnett, le professeur Legros et Sir George Reid. Dans La Minerve *de 1877, on apprend qu'il expose au Salon de Paris en même temps que Charles Huot. Il s'installe au Canada vers 1899 et fait carrière à Montréal. Il est réputé pour ses nombreux portraits de la haute bourgeoisie de Montréal et pour ses marines. Russell joue un rôle actif dans différentes associations culturelles comme le Montreal Art Association et le Pen and Pencil Club.*

On trouve ses œuvres au Musée des beaux-arts du Canada, au Musée des beaux-arts de Montréal et à l'Art Gallery of Ontario. (ARCA 1909, RCA 1918)

Tout jeune étant employé chez Notman, photographe, pour retoucher les photos en couleur, c'est là qu'il lui est venu l'idée et l'ambition de faire des portraits en peinture pour devenir, en effet, un bon portraitiste plus tard.

Il faisait aussi de belles marines. Elles consistaient d'un côté (en) un rocher énorme avec, de l'autre côté, la mer avec ses vagues venant se briser sur le bas du rocher. Il peignait avec un assez beau métier, une belle pâte parfois généreuse.

Au physique, il se dégageait une assez belle prestance, même de la distinction, avec le talent des hommes de sa race pour se préparer un chemin et se trouver en avant et décrocher une commande ou un honneur. Avec ça, il avait la réputation d'être ambitieux, vorace, égoïste; toujours pour lui, voulant toujours être du jury et avoir son mot à dire lorsqu'il s'agissait d'art pour mieux travailler dans son intérêt. Et les plus jeunes que lui (ayant) encore peu d'autorité, et surtout lorsqu'ils étaient dans son chemin, n'avaient pas de faveur de lui. Je me souviens encore lorsque je fus témoin, étant du jury moi-même, de son sans pitié pour les rivaux, sa réponse était: «Je n'ai pas de faveur à faire à personne». Tandis que je savais bien qu'il en faisait pour les siens, mais c'était dans son intérêt de protéger un de ses élèves ou la parenté d'un homme dont il espérait la commande de son portrait à faire.

Il est devenu président de l'Académie royale[1] ce qu'il ambitionnait depuis longtemps tellement sa convoitise était visible. Là il pouvait encore mieux faire le beau temps et le mauvais en art, et toujours dans son intérêt. Lorsqu'il ne trouvait pas le moyen de faire refuser un rival dont le succès de sa peinture dépendait pour d'autres commandes, Russell trouvait moyen de le mal placer dans les salles de l'Art Gallery. Enfin, Russell a été un beau peintre, sans contredit, mais aussi un homme peut-être trop ambitieux et égoïste, en somme, un sale caractère.

1. De 1922 à 1926.

Maurice G. Cullen
1866-1934

Originaire de Terre-Neuve, Maurice Cullen arrive à Montréal en 1870. Il commence à travailler jeune pour gagner sa vie mais n'en suit pas moins des cours de modelage au Monument national, se croyant destiné à la sculpture. Un petit héritage de sa mère lui permet de partir pour Paris en 1888 et de s'inscrire aux Beaux-Arts dans l'atelier de Delaunay. Il peint aussi en Bretagne et y rencontre le peintre norvégien Fritz Thaulow qui aurait eu une certaine influence sur lui. Dans les années qui suivent son retour à Montréal (1895), il tente une difficile percée auprès des amateurs d'art et des collectionneurs. Il peint dans la région de Québec, à Beaupré, à l'Île d'Orléans où il retrouve Brymner et Morrice. Il séjourne à Terre-Neuve à quelques reprises entre 1910 et 1912. En 1919, il est chargé de peindre sur les champs de bataille en France. À son retour commence sa période de paysages laurentiens qui contribuent à sa renommée. À partir de 1923, la galerie Watson expose annuellement sa production. En 1930, se tient à l'École des Beaux-Arts de Montréal une importante rétrospective de son œuvre. Cullen a enseigné plusieurs années à l'Art Association. (RCA 1907)

Ce peintre des belles neiges de nos hivers canadiens a commencé par avoir du mérite pour finir avec beaucoup de valeur. Je parle de son mérite avec raison car il lui (en) a fallu, à lui comme (à) la plupart des artistes canadiens qui ont débuté dans des conditions des plus humbles comme de pauvres gueux. Ceci au premier abord peut vous paraître une injure à l'adresse de Cullen et autres, moi-même j'en prends la plus grande part de ces gueux; l'école dure leur a trempé un tempérament plus résistant à la misère et peut-être plus sensible (pour) voir les souffrances autour de lui puisqu'il a souffert lui-même. Alors le mal d'être pauvre pour un jeune artiste est plutôt un bien en réalité. .

Cullen a voyagé en Europe[1], en Afrique[2], pour un peintre débutant pauvre, c'est déjà beau, car plusieurs de ces jeunes artistes en herbe ne réussissent pas toujours à réaliser ce rêve. Mais nous savons que si Cullen a eu cet avantage, même en voyageant misérablement, il en profitait sérieusement, en homme sérieux épris du beau et des grands horizons, et toujours dans un but de cultiver son talent de peintre en voyant des ciels nouveaux.

Et après avoir vu ces beaux pays qu'il a probablement aimés, (il est) revenu au Canada, son pays, peignant ici et là des paysages d'été, d'hiver. Il était loin d'être le Cullen, le peintre des Laurentides; ses paysages d'alors, je l'appellerais l'époque des tâtonnements où le peintre cherche la vraie voie de sa vocation.

Il peignait des paysages parfois avec des tons assez distingués, mais aussi avec des faiblesses. C'est ce qui a fait dire un jour en ma présence, à un docteur grand admirateur de l'art et des artistes voyant une peinture de Cullen, il dit: «J'ai envie de donner un coup de canne dans ce ciel afin de le percer, de donner de l'air.» Et en effet, ce ciel est un rideau jaunâtre, opaque, qui tombe; parfois la couleur de ce rideau est jolie, distinguée, mais j'en ai vu de lui de bien pauvre. Mais à cette époque, il avait surtout de belles promesses qu'il deviendrait le beau peintre des Laurentides, et avec un travail ardu, il les réalisera amplement un peu plus tard. Et là vient sa récompense qui en somme ne fut pas trop tardive puisqu'il a pu en profiter la dernière moitié de sa vie.

En voyant peindre Cullen dans sa belle époque par exemple, en regardant sa palette, il m'était venu cette réflexion à l'esprit: on ne peut pas juger la valeur du peintre d'après sa palette, car sa palette était tout à fait décevante de désordre. Des montagnes de peintures sales, encroûtées, avec une cavité au milieu

1. Il a vécu en Europe de 1888 à 1895 et en 1901-1902. Il a visité la France, la Hollande et l'Italie.

2. Il est allé en Algérie et en Tunisie en 1893.

d'un amas de peinture encore plus considérable au centre de sa palette et on ne pouvait comprendre comment il pouvait nous faire voir des tons si beaux, si propres, si riches, si harmonieux et, supposé que si on lui avait demandé pourquoi il tenait sa palette si sale, il nous aurait répondu probablement que ce n'est pas la peinture sur la palette qui compte, c'est celle qui est sur la toile, et ses paysages lui auraient donné amplement raison[3].

3. La palette de Cullen est conservée à la Galerie Klinkhoff, à Montréal.

J'ai parlé plus haut de sa récompense et en effet, cette récompense est venue de plusieurs côtés à la fois : réputation, témoignages des amis, mariage et prospérité. Réputation, parce que Cullen avait trouvé sa voie en peignant les neiges des Laurentides, les belles montagnes bleues, les sapins, les lacs aux couleurs profondes, au milieu de belles neiges avec des tons plus beaux que le blanc. Tout ça si richement peintes, si belles qu'elles formaient les toiles les plus intéressantes des expositions à la Art Gallery[4]. C'est ce qui a influencé tant d'autres à le suivre, mais tout de même avec moins de beauté, de là la vogue, les acheteurs, enfin la prospérité.

4. Il y a exposé très régulièrement.

Avec sa réputation grandissante, il fut engagé par le gouvernement fédéral avec d'autres peintres à aller faire des croquis ou observer les paysages des champs de bataille pendant la Grande Guerre, et avec un bon traitement et assez loin des trop grands dangers. Et en effet, il y a eu, à Ottawa, une expositon des paysages des dévastations de la guerre[5].

5. A.Y. Jackson, David Milne faisaient aussi partie des peintres aux armées. L'exposition eut lieu en 1919.

Vient ensuite son mariage qui fut un roman. J'en parle parce qu'il est propre et démontre la sincérité et les sentiments moraux de résignation dans sa pauvreté d'autrefois, d'âge tendre. Jeune homme, il aimait une jeune fille et comme il était trop pauvre pour la marier, un monsieur Pilot[6], plus riche, l'a mariée. Ce mari qui avait été favorisé par la fortune, du moins de l'aisance, est mort relativement (jeune) et Cullen au moment de sa prospérité maria la femme choisie par lui depuis son jeune âge. Je n'oublie pas de dire en passant que Madame Cullen est vraiment digne de ce beau peintre par sa beauté, sa distinction et ses qualités. Voilà qui va bien, qui finit bien.

6. En 1910, Cullen épouse à Terre-Neuve Barbara Merchant, veuve d'Edward Pilot, fonctionnaire, père du peintre Robert Pilot.

Maurice Cullen, *La coupe de la glace*. (Musée des beaux-arts de Montréal)

J'ai fait son buste à Cullen parce que sa tête m'intéressait; en retour, il m'avait promis une de ses peintures que je n'ai jamais reçue[7]. Je soupçonne que de la misère soufferte par la pauvreté toute la première partie de sa vie, il lui en était resté quelque chose parfois qui rapetissait ses gestes.

Ce qui reste de Cullen, mort depuis peu d'années, c'est qu'il restera dans la mémoire des hommes comme un beau peintre de paysages d'hiver. Je n'aime pas les hivers canadiens parce qu'ils sont trop longs, trop froids, mais quand je regarde une belle neige de Cullen, j'oublie les froids des vrais hivers, car les peintures de Cullen sont si chaudes de tons.

7. Alfred Laliberté possédait deux Cullen: une huile, *La traversée de Longueuil* et un pastel, *Le mont Tremblant*. Le buste de Cullen a été offert au Musée d'Hamilton par Mme R. Pilot en 1958.

Marc-Aurèle Suzor-Côté
1869-1937

Marc-Aurèle Suzor-Côté reçoit ses toutes premières leçons de dessin et de peinture au collège de son village natal d'Arthabaska. Viennent ensuite la formation chez Chabert, à Montréal, et l'apprentissage avec le décorateur d'églises, Maxime Rousseau. En 1891, il entre dans l'atelier de Bonnat à l'École des Beaux-Arts de Paris, et en 1894, il se présente une première fois au Salon des artistes français. Il revient au Canada en 1895-1896 avant d'entreprendre son second séjour en France en 1897. Au cours de ces dix années, il fréquente les académies Julian et Colarossi. À l'Exposition universelle de 1900, il reçoit une médaille de bronze. Quand Alfred Laliberté arrive à Paris, en 1904, les deux artistes se lient d'amitié et reviennent ensemble au Canada en 1907. Héritier de l'Impressionnisme, Suzor-Côté peint dans son atelier d'Arthabaska les lumineux paysages qui le caractérisent. En 1912, il commence sa série de bronzes et en 1916, il se consacre à l'illustration de Maria Chapdelaine. *De 1917 à 1927, il habite un grand atelier dans la maison de Laliberté, rue Sainte-Famille. Suite à une attaque d'hémiplégie, il quitte le Canada pour habiter la Floride où il continue à peindre. En 1929, l'École des Beaux-Arts de Montréal présente une rétrospective de son œuvre et en 1933, le Musée du Québec réunit ses œuvres dans une de ses salles. Suzor-Côté meurt à Daytona Beach en 1937. (ARCA 1912, RCA 1914)*

Ici je parle d'un ami que j'ai connu le plus intimement et de plus longue date, car c'est lui que j'ai connu le premier des artistes canadiens, du moins de nom.

En 1896, mon père et moi avions été à Arthabaskaville, ville natale du Suzor. Nous avions été au collège de la ville pour savoir si cette institution donnait des leçons de dessin et des beaux-arts en général. C'est là que j'entendis prononcer le nom de Suzor comme ayant de grands talents, car le frère à qui on s'adressait en parlait avec beaucoup d'admiration[1]. Suzor, dans le temps, était à étudier à Paris.

1. Voir Alfred Laliberté, *Mes souvenirs*, p. 52.

Et quelques années plus tard, je traversai pour Paris. Rendu dans la Ville Lumière depuis quelques semaines, Suzor apprit mon nom au registre des noms canadiens au Commissariat canadien à Paris. Alors, un dimanche matin, on frappe à ma porte d'une petite chambre où j'étais installé. Je vais ouvrir, un gros monsieur en redingote, en chapeau de soie, avec une voix de baryton et une exubérance toute française et avec une prestance que l'habitant de Sainte-Sophie n'était pas accoutumé de voir. Il venait me chercher pour aller dîner chez une famille canadienne installée à Paris depuis quelques années. Je protestais mais il a vite fait de me décider à accepter l'invitation en disant que ces bons vieux m'attendaient et voulaient absolument me voir à leur table[2].

2. Alfred Laliberté, *Ibid.*, p. 58-59.

M. et Mme Morin, tel était leur nom, avaient en haute estime et admiration l'ami Suzor. Il les amusait; c'était une distraction pour eux de le recevoir. C'était deux braves vieux, ils pouvaient d'autant le recevoir à leur table richement garnie de bonne (chère). Suzor était gourmet, ça faisait son affaire, lui qui parfois était obligé de (se) serrer la ceinture comme beaucoup de jeunes artistes. Il allait souvent chez Mme Morin se refaire l'estomac. Suzor surveillait mon éducation qui contribua à me dégrossir. J'avoue que pour parler de lui je sois presque forcé de tant parler de moi[3].

3. Alfred Laliberté, *Ibid.*, p. 60.

Plusieurs savent que Suzor avec sa belle voix de baryton était allé à Paris surtout pour le chant et la musique. Des circonstances d'un mauvais rhume affectant sa gorge l'avaient décidé à étudier la peinture dont il a fait sa carrière. Et pour sa musique, souvent et jusqu'à la fin de sa vie, on entendait sa voix de baryton chanter une phrase musicale d'un opéra.

Donc, Suzor était rendu à Paris depuis quelques années. Il exposait au Salon de Paris[4]. Tout en ayant déjà une belle pâte, il était loin de posséder la maîtrise de son art; il cherchait sa voie. Il allait au musée du Louvre faire des copies commandées par des compatriotes qui lui (donnaient) quelque argent pour vivre. Le cardinal Richelieu d'après Champaigne (fut) commandé par une compagnie de navigation de Montréal.

En été, au temps des vacances, Suzor allait en Bretagne d'où il revenait vers l'automne avec des études d'intérieurs d'églises bretonnes pour les exécuter de plus grandes dimensions. Il en a même exposé au Salon de Paris. À ma connaissance, il a travaillé assez longtemps à un groupe, les types bretons de retour des champs portant une gerbe de blé sur leur dos[5]. Je me souviens de sa difficulté de composer une scène quelconque. Son brio, sa virtuosité se sont développés avec du travail surtout, malgré son tempérament d'exubérant déjà très prononcé. Car, à bien dire, Suzor mettait dans tout ce qu'il touchait une exubérance, un brio en conversation, avec une petite côte, il faisait une montagne. Aussi, il savait intéresser son entourage. Il lui suffisait de voir rire et applaudir à chacune de ses sorties, il devenait alors sans égal comme exubérance. Sans retenue dans ses paroles, parfois des vantardises, frondeur, froussard, certains côtés de lui ressemblaient un peu à un enfant.

Un jour, aidant à un copain à changer de studio, il déménageait le peu de meubles (les) transportant à l'aide d'une petite charrette. Dans la rue où il passait, un curé passait sur le trottoir. Notre Suzor s'écrit: «Regarde donc ce gros calotin qui passe!» Le bon curé ayant entendu l'injure a semblé faire le geste de venir vers Suzor et celui-ci(la peur) le prend, laisse tomber les timons de la voiture et court de toutes ses jambes vers son studio, ferme la porte à clé, s'assied pour essuyer des sueurs froides sur sa figure, avec des yeux hagards. Il avait dit cette injure avec la même

4. Au Salon des artistes français en 1894, de 1898 à 1903, de 1905 à 1907 et en 1911. Au Salon national des Beaux-Arts, en 1907.

5. *Le retour des champs* (1903) Musée des beaux-arts du Canada.

inconscience qu'un enfant aurait (dit) à un autre enfant: «Regarde donc un oiseau qui passe.»

En affaires ou en transaction, c'était un cerveau d'enfant, mais cet enfant était présent d'esprit comme pas un homme que j'ai connu. Sur la rue de Vaugirard tout près de la rue Falguière, il y avait là un marchand de vin et restaurateur qui servait une bonne cuisine, à bon compte, à la portée du porte-monnaie des artistes bohèmes du quartier, un groupe d'artistes, parmi eux, il y eut des personnalités reconnues plus tard. Suzor et moi, nous allions souvent nous restaurer là, bien entendu lorsque l'état de nos finances nous le permettait. Et lorsque Suzor entrait en imitant des cris de bêtes et avec des gestes appropriés, une poussée de rire de la part des gens installés qui applaudissaient Côté, et après il n'y avait plus que lui qui comptait et lorsqu'il y avait des dames à qui Côté paraissait, alors là, Côté ne se possédait (plus); il n'y avait pas de borne aux sorties d'esprit de Côté. Parfois lorsque nous sortions du restaurant, un moment donné, sans que l'on s'en doute, sortant du groupe pour apostropher un cocher avec un langage des gars de la Villette, il trouvait le moyen de se rapetisser haut comme un nain, avec sa canne en l'air qui lui donnait une disproportion de jambes et de bras tout à fait extraordinaire. Et le cocher tombait toujours dans le panneau. Arthur Letondal[6] me parlait encore, il n'y a pas longtemps, de ce geste typique de Suzor comme étant très drôle.

Nous comprenons bien avec son esprit si amusant, il savait se faire aimer des femmes. Comme mon studio était à côté du sien, je savais à peu près ce qui se passait chez lui[7]. Un jour, une jolie grande blonde, qui venait le voir parfois avec sa mère, arrive ce jour-là toute pimpante avec des fleurs sans doute pour fleurir le studio de notre ami Côté. Elle frappe à sa porte, mais (sans) avoir de réponse, elle avait dû entendre du bruit qui lui (fit) comprendre que Côté était barricadé avec une autre femme; elle partit en diable, et l'autre aussi partit. Suzor est venu me trouver en me reprochant de ne pas avoir amusé

6. **Arthur Letondal** (1869-1955) musicien, organiste au Gésu en 1900 et en 1923 à la cathédrale. Également compositeur, professeur et critique musical.

7. **Les deux artistes** ont été voisins à Paris et à Montréal.

l'autre en attendant qu'il eût fini avec l'une. Ceci vous explique assez bien le succès avec les femmes.

Côté, tout en étant bohème à sa façon, était aussi très bien même chez les dames plutôt scrupuleuses, et si par hasard, il disait une grivoiserie assez osée mais fine et que ces dames avaient pincé le bec, il en disait une autre de sorte que ces dames n'avaient pas à se scandaliser de la première et finissaient par rire à la deuxième grivoiserie.

Il était un artiste d'esprit, un type, on acceptait tout de lui parce qu'il avait de l'esprit. Dans ses bons moments, comme compagnon on le recherchait parce que nous étions certains de ne pas s'embêter avec lui. Côté n'aurait pas été un bel artiste, il faudrait lui donner une place parmi les Canadiens extraordinaires par son type, son brio et son talent général.

Je vous ai raconté ses succès pour amuser les copains du café de la rue de Vaugirard et ailleurs, seulement je l'ai vu une fois vaincu par un Marseillais qui n'était pas un enfant comme type aux vives ripostes et après trois ou quatre ripostes du Marseillais, Côté s'est trouvé vaincu avec l'expression d'un homme anéanti. C'est dire que l'on trouve toujours son maître en ce monde.

Un jour, un copain lui faisait la réflexion qu'il avait les yeux bien cernés, qu'il s'amusait, Suzor répond: «C'est Laliberté qui s'amuse et c'est moi qui ai les yeux cernés.» Il ne comprenait pas ça. Et l'autre de rire et de ne pas aller plus loin sur la question. En d'autres circonstances, avec des personnes qui ne le connaissaient pas, avec des gens de la haute surtout, il avait des vantardises pour ses succès artistiques avec un aplomb à faire (   ) ou à dégoûter celui qui le connaissait.

Au retour au Canada, il eut un démêlé à la cour, à propos d'une femme, assez malheureux pour lui. Il s'est effacé presque durant deux ans. Après quoi, il est devenu le Suzor d'avant et a continué à travailler, à chercher à évoluer pour trouver sa vraie voie dans son art et depuis ce temps, il a produit comme pas un peintre ici.

Marc-Aurèle Suzor-Côté, *Nu.* (Photo A. Kilbertus. Collection particulière)

À son studio à Arthabaskaville, à côté de la maison paternelle où il allait souvent passer quelque temps, là, il étudiait des types de la campagne. Il en peignit beaucoup même de très bien et bien intéressants. Là aussi, il a modelé des vieux de la campagne et consciencieusement modelés et avec brio, des bustes, des statuettes des plus intéressantes. Il en a vendu beaucoup, peut-être trop même car il savait faire valoir son art et en tirer profit. Il était aussi assez commerçant. Il savait entretenir une cour à son studio. Des gens, amateurs d'art, à qui il leur vendait un bronze ou une peinture. Et les gens qui venaient chez lui en marchandant ou en faisant des réflexions bêtes, il leur répondait sans pitié, en quoi il n'avait pas tort.

Cette cour qu'il recevait le soir ou l'après-midi et souvent une ou deux de ces dames préparaient le thé ou le café dans la chambre de toilette, à côté du siège des cabinets. Ces femmes n'auraient pas toléré ça chez elles ni ailleurs, mais chez Suzor, c'était convenable, c'était original. Dans son studio régnait un désordre complet : tout était pêle-mêle. Aucun sens pratique, aucune prévoyance. Il aurait gagné mille dollars par mois, il aurait (dépensé) mille dollars par mois et par contre, il lui fallait bien se serrer la ceinture les autres mois en l'absence de prudence tout à fait. Il en avait d'erronnées, par exemple, un (jour), je lui demandai pourquoi il ne faisait pas ses dépôt d'argent à la banque canadienne nationale, à la succursale de notre ami Jules Hamel. Il me répond que ces institutions canadiennes-françaises ne (sont) pas assez solides, ça peut tomber au moment où l'on s'y attend le moins. Je me demande alors où il prenait ses renseignements au point d'ignorer que les banques étaient protégées par le Fédéral, qu'elles ne peuvent pas faillir.

Côté fut mon locataire de 1918 jusqu'au jour où il tomba paralysé, où il partit de chez moi pour l'hôpital et laissa ensuite Montréal au bout d'un an pour aller vivre en Floride près de onze ans avec sa garde-malade qu'il maria deux ans à peine avant sa mort, à l'âge de 69 ou 70 ans.

Suzor-Côté fut vraiment un bel artiste par son tempérament, son brio, son talent, sa versatilité. Il a fait tout avec un égal succès. Il n'était pas philosophe, pas poète, pas penseur, pas non plus un liseur. Cependant, il avait l'air d'un homme renseigné. Pour un livre entendu parler par un autre, il savait à l'occasion (en) parler suffisamment pour faire croire à son auditoire qu'il l'avait bien lu.

En art, il a fait des paysages de neige qui sont mieux peut-être que tous les autres, des paysages d'été, bien. Ses nus au pastel ne sont pas égalés ici. Ses fusains, (ses) têtes de vieux, en peinture ou au pastel, sont parfois étonnants. Sa sculpture, un succès de vogue. Les illustrations de *Maria Chapdelaine* ont leur valeur. Enfin, Suzor-Côté a laissé une réputation comme type et comme artiste de premier rang ici, au Canada.

Ses vieux de la campagne que j'ai dit bien étudiés, c'est vrai jusqu'à un certain point. Tout est presque toujours à la surface tel que son brio à Suzor; avec ses vieux Canadiens, il nous donne l'impression qu'ils n'ont jamais rien fait de mieux (que le) Père Ladébauche[8], encrassés dans leur ignorance et propres à rien, qu'ils ont été obligés de travailler pour les autres pour vivre, à tricoter, à filer, à tisser au métier. Il n'y a pas l'élévation de l'âme que ces gens-là ont parfois tout de même. Elles sont faites d'un beau métier mais c'est tout.

Ses nus au pastel au point de vue du velouté du pastel sont très bien. Mais à côté de ça, des fautes de proportion, des têtes qui ne s'attachent pas sur les épaules, des jambes trop courtes, des cuisses plus longues l'une que l'(autre) et avec ça la lumière n'est pas la lumière du jour. Tout a l'air d'être fait le soir tellement Suzor reste vieux jeu au point de vue de la lumière.

Il y a quelque chose que je trouve assez petit de Suzor-Côté et qui dénote chez lui une certaine couche de mentalité paysanne, à propos du musée à la mémoire de Sir Wilfrid Laurier à Arthabaskaville. Mme J.E. Perreault, femme du ministre de la voirie à

8. Laliberté fait allusion au personnage du caricaturiste Albéric Bourgeois.

Québec dans le temps, Mme Perreault, l'âme de ce musée, avait escompté sur les dons des trois artistes de la région pour donner un certain intérêt artistique à ce musée[9]. Ces artistes de la région, Philippe Hébert, de Sainte-Sophie, Suzor-Côté d'Arthabaskaville et moi, votre serviteur, du même comté.

Philippe Hébert mort, ses fils ne sont pas intéressés à faire des frais pour ce musée. Quant à moi, j'ai offert, je crois, ma part qui est visible là au musée[10]. Reste Suzor-Côté, né à Arthabaskaville, qui a été protégé et encouragé par Laurier, qui a peut-être fait pipi sur les genoux de Sir Wilfrid, ce qui l'a peut-être inspiré après à faire à Sir Wilfrid, dans son portrait, en lui faisant une jambe plus courte que l'autre; ce portrait que Suzor avouait lui-même être raté est au musée ainsi que celui de Lady Laurier, de plus petite dimension mais de même valeur d'art. Et bien, c'est tout ce que Mme Perreault a pu obtenir de Suzor, des jalousies, des rancunes de village sous prétexte que les uns sont mesquins, il suit leur exemple en l'étant davantage. Il est vrai qu'à ce moment-là Suzor était malade, mais il avait sa lucidité complète.

9. Alfred Laliberté, *op. cit.*, p. 124-125.

10. Le Musée Laurier possède cinquante-trois œuvres d'Alfred Laliberté.

Ludger Larose
1868-1915

Ludger Larose étudie à l'École des Beaux-Arts, à Paris, avec Jules-Élie Delaunay, Jean-Paul Laurens et Gustave Moreau de 1887 à 1889 et en 1894. Il est encore tout jeune peintre quand il reçoit une commande de l'abbé Sentenne, curé de l'église Notre-Dame de Montréal, responsable de la construction et de la décoration de la chapelle du Sacré-Cœur. Il retourne en France en 1890 pour exécuter les quatre tableaux qu'on lui a confiés : Le Paradis perdu, La Sybille de Tibur, L'Annonciation *et* Le Rocher de l'Horeb. *On le charge également de copier, à Rome,* La Dispute du Saint-Sacrement *de Raphaël.*

En plus de la peinture religieuse, Larose a fait du paysage, de la peinture de genre et surtout du portrait. Tout en menant sa carrière de peintre, il enseigne au Conseil des arts et manufactures en 1898-1899, à l'École du Plateau de 1894 à 1910 et au Westmount Public School de 1912 à sa mort survenue en 1915.

Cet artiste, c'est à peine si des gens de son temps qui vivent encore aujourd'hui se souviennent de lui tellement il a peu produit et joué un rôle effacé à Montréal[1].

Nous savons peut-être quelques-uns qu'il a été professeur de dessin dans une école de la ville qui n'était sûrement pas une école supérieure. Mort probablement depuis longtemps et sa mort a dû passer inaperçue comme sa vie, sa carrière d'artiste.

1. Selon sa petite-fille, l'appartenance de Ludger Larose à la Franc-Maçonnerie explique son renvoi du Plateau et l'ostracisme dont il a été victime par la suite.

Ludger Larose, *Nature morte à la cloche à fromage*. (Musée du Québec)

Henri Angers*
1870-1963

Henri Angers est né à Neuville dans le comté de Portneuf. De 1889 à 1893 environ, il aurait été l'apprenti de Louis Jobin. En 1892, il collabore avec ce dernier à la décoration de la première Villa Manrèse, maison de retraite des Jésuites, chemin Sainte-Foy, et il aurait également travaillé à la deuxième Villa Manrèse, en 1921. Henri Angers, après son apprentissage avec Jobin, fréquente l'Académie d'Anvers (Belgique) de 1895 à 1897. Parmi ses œuvres, mentionnons des statues pour les églises de Loretteville, de Beauport et de Saint-Augustin. Il meurt à Québec à l'âge de 93 ans. Le Musée du Québec possède plusieurs œuvres d'Angers.

C'est en 1896 ou 1897[1] que j'ai vu Angers à Québec lors de l'Exposition provinciale à Québec où il y avait un espace à la faveur des artistes qui voulaient exposer leur œuvre[2]. Angers a l'allure d'un citadin de Québec, de type assez bien bâti; il pouvait être âgé à ce moment-là de trente à trente-cinq ans, et les pièces de sculpture signées de son nom dénotaient qu'il avait déjà manié la terre glaise depuis quelque temps. Il avait exposé là *Le Christ sur la croix*, demi-grandeur, en plus, une autre figure et une tête à peu près de la même valeur ou plutôt sans valeur tellement ces choses étaient banales.

Je n'ai jamais entendu parler du sculpteur Angers depuis, et si on y pense bien, on conçoit qu'il était bien difficile pour lui de faire beaucoup de bruit à

1. Plus sûrement en 1898.

2. Voir Alfred Laliberté, *Mes souvenirs*, p. 47-48, 110-111.

* Titre du manuscrit: «Henri Angers, sculpteur de Québec».

99

Québec et à Montréal encore moins à cause de la rivalité qu'il y aurait trouvée. Et à Québec, un autre
à ce moment-là avait pris toute la place au sujet des
contrats payants et avec une réputation et des influences contre lesquelles Angers ne pouvait lutter.
Qui sait? Il est peut-être mort relativement jeune
comme tant d'autres sans pouvoir réaliser son rêve.

H. Ivan Neilson*

1865-1931

Québécois de naissance, fils de l'explorateur John Neilson, Ivan Neilson a eu jeune l'occasion d'aller dans le nord du Québec et au Labrador. Il s'intéresse d'abord à la navigation et commence à peindre au cours de ses voyages. En 1897, il décide de se consacrer à la peinture et s'inscrit au Glasgow School of Fine Arts, puis à Paris, à l'Académie Delecluse et enfin à l'Académie Saint-Gilles à Bruxelles. Son séjour en Europe durera quatorze ans.

Après avoir vécu quelques années en Écosse, il se fixe à Québec, enseigne à l'École des Beaux-Arts et peint à son atelier de Cap Rouge. Neilson est surtout connu pour ses paysages, ses eaux-fortes et ses aquarelles. Le Musée du Québec possède une importante collection de gravures de Neilson. (ARCA 1915)

Cet artiste d'origine anglaise qui causait français comme nous et avec toute la courtoisie des hommes de sa race au contact pendant longtemps de la race canadienne-française dont il avait contracté suffisamment la manière, les coutumes pour faire de lui un homme charmant pour nous.

Au départ du directeur de l'École des Beaux-Arts de Québec, l'ami Neilson fut nommé directeur de l'école où il lui donnait une meilleure direction[1]. Il mourut relativement jeune d'un froid attrapé sur l'eau dans ses randonnées lorsqu'il le pouvait au temps des vacances, car il aimait le métier de marin à la passion[2]. On peut dire que c'est cette passion-là qui le fit mourir.

1. Neilson a succédé à Jean Bailleul et a été directeur de l'École des Beaux-Arts de Québec de 1929 à 1931.

2. Ivan Neilson avait une formation d'ingénieur-mécanicien et a longtemps travaillé à ce titre sur plusieurs mers.

* Titre du manuscrit: «Ivan Neilson, dessinateur et graveur».

101

Edmond Lemoine

1877-1922

Edmond Lemoine portraitiste et peintre de genre, étudie d'abord quatre ans à l'atelier de Charles Huot à Québec. En 1898, il part pour l'Europe et s'inscrit à l'Académie royale d'Anvers dans l'atelier de Julien de Vriendt. En 1913, il entreprend un second voyage en Europe au cours duquel il fait de nombreux croquis. À Paris, il fréquente l'Académie Colarossi. À son retour, il est nommé professeur à l'École des Beaux-Arts de Québec.

Je ne sais pas si cet artiste est de descendance du héros intrépide Lemoyne d'Iberville qui a fait tant de misère à (ses) ennemis sur les mers. Mais l'on trouve une si grande différence, si tel était le cas, on pourrait croire que la vitalité de l'un a dégénéré en délicatesse, en sensibilité pour notre artiste de Québec.

En effet, le charmant homme qu'il était comme artiste cependant a produit peu et rien d'extraordinaire, étant professeur à l'École des Beaux-Arts de Québec[1]. Il voulut se marier à l'âge dépassant sa première jeunesse. Son mariage fut un drame car il mourut sa lune de miel n'étant pas encore finie. Peut-être sa grande délicatesse n'a pu résister aux obligations du sacrement de mariage[2].

1. L'inventaire de ses œuvres se chiffre à 300 peintures et croquis que l'on trouve principalement chez les collectionneurs à Québec.

2. Épouse Hortense Charlebois en 1921.

Edmond-Joseph Massicotte
1875-1929

C'est avec Edmond Dyonnet, au Conseil des arts et manufactures et avec William Brymner, à l'Art Association, que Massicotte a fait ses classes. Au début de sa carrière, il est illustrateur pour les journaux, principalement pour Le Monde Illustré. *En 1909, sa carrière prend un virage important. Il remplace Henri Julien comme illustrateur de* L'Almanach du peuple Beauchemin. *Ses illustrations de contes, de légendes, des mœurs et coutumes de la vie rurale québécoise connaîtront une immense succès. Il illustre également* L'Almanach Rolland, *les* Récits laurentiens *(1919) et* Croquis laurentiens *(1920) de Marie-Victorin. En 1923, l'album* Nos Canadiens d'autrefois *réunit des scènes de la vie canadienne comme les célèbres* Bénédiction du Jour de l'An, Une épluchette de blé-d'Inde, Les sucres *et plusieurs autres qui ont été largement popularisées.*

Ce beau dessinateur des scènes de campagne de chez nous était le frère de mon ami E.Z. Massicotte, archiviste de Montréal[1]. Je cite le nom de E.Z. en passant, car celui-ci a une (si) grande admiration pour son frère Edmond qu'il nous serait difficile de diminuer la valeur artistique des œuvres de son frère que l'on s'exposerait à le faire souffrir moralement. Le principe de s'aimer autant entre frères est louable: c'est un des sages conseils du Christ.

Je me souviens bien d'Edmond Massicotte, il y a bien longtemps, c'était à l'époque de ses débuts où il venait dessiner à la Art Gallery sous la direction de William Brymner. Plus tard, devenu misanthrope,

1. Édouard-Zotique Massicotte (1867-1947), archiviste, folkloriste, historien, membre fondateur de l'École littéraire de Montréal en 1895. Il a laissé de très nombreux écrits sur le folklore, les traditions populaires, la petite histoire, la généalogie. Il faisait partie avec Alfred Laliberté du groupe «La Rosse-qui-dételle». Voir *Mes souvenirs*, p. 100, 101, 123, 231, 232.

Edmond Massicotte,
La Nouvelle Année.

2. Le Musée du
Québec possède
effectivement plusieurs
Massicotte dont les
dix-sept calepins de
croquis. Pour une
étude de l'œuvre et le
catalogue des dessins
inventoriés, voir
Bernard Genest,
Massicotte et son temps,
Boréal Express, 1979.

personne ne le voyait beaucoup. Il travaillait, produisait ses scènes de campagne qui étaient son moyen de subsistance. Nous pouvons difficilement comparer Edmond à Henri Julien, car les deux, tout en exécutant des scènes de la campagne, leur manière de faire, de voir était tellement différente. Massicotte visait l'exactitude des gestes, des coutumes qui pourraient servir de documents plus tard. J'en ai vu plusieurs qui m'intéressent beaucoup. Son œuvre qu'il a faite assez considérable sur les choses du terroir au Canada, qui est toute son œuvre je crois, est déjà bien connue et elle fut connue sans bruit, sans réclame que son auteur a toujours éloignée de son vivant autant que possible, de même que les petits honneurs qu'il n'a jamais eus et surtout jamais recherchés. Et si je juge aussi par mon (ami) E.Z. Massicotte, son frère, je vois avec admiration que toute cette famille a une grandeur de caractère, une dose de philosophie qui les met bien au-dessus des petits honneurs de ce monde. Ceci, il me semble est une preuve de leur valeur, car chez eux il ne se commet pas de folie, les actes sont mesurés, leurs œuvres aussi ont une place j'en suis sûr, car l'œuvre d'Edmond Massicotte est aussi une œuvre utile comme documentation et elle restera. Mort maintenant depuis quelques années, en somme relativement jeune, je crois qu'une partie de ses dessins sont au Musée de Québec[2].

Robert W. Wickenden
1861-1931

C'est dans sa ville natale de Rochester en Angleterre que Robert Wickenden s'initie à la peinture et au dessin. Jeune encore, il vient étudier à New York avec Carroll Beckwith et Chae. En 1883, on le retrouve à Paris dans les ateliers d'Ernest Hébert et de Luc-Olivier Merson, à l'École des Beaux-Arts. La lithographie occupe une place importante dans l'œuvre de cet artiste et, à ce titre, il expose aux Salons français de 1883 à 1900. Il est d'ailleurs membre de la Société des lithographes et de la Société des peintres lithographes de France. À partir de 1886, il vit tantôt à Paris, tantôt à New York et expose à travers les États-Unis et l'Europe.

En 1896, il vient au Canada, fait les portraits de nombreuses personnalités, des peintures de genre et des paysages qui lui valent une certaine réputation. Il expose régulièrement aux expositions de l'Art Association de Montréal de 1901 à 1925 et de la Royal Canadian Academy, de 1899 à 1925. À la fois peintre et écrivain, Wickenden publie des poèmes et des essais. Dans son dictionnaire, Bénézit en parle comme «l'historiographe autorisé des maîtres de l'école de Barbizon». Il est mort à Brooklyn en 1931.

J'ai si peu connu celui-ci et si peu admiré que je vais m'en tenir à m'inspirer ou reproduire quelques passages de l'article de mon ami Albert Laberge écrit en l'honneur de celui-ci dans son beau livre intitulé *Peintres et écrivains*[1].

Les morts sont vite oubliés. Je suis certain cependant que ceux qui ont eu la bonne fortune de rencontrer et de connaître le peintre inspiré, le philosophe et le gentilhomme qu'était Robert Wickenden gardent pieusement son souvenir.

1. Albert Laberge, *Peintres et écrivains d'hier et d'aujourd'hui.*

2. La famille de sa mère était probablement originaire du Jersey, mais Wickenden est né dans le comté de Kent.

3. Dans le manuscrit, Laliberté a écrit cette remarque en marge du texte.

Robert Wickenden est né dans l'île de Jersey[2]. Une partie de sa vie s'est écoulée en France et une partie aux États-Unis. Il a vécu six ans au Canada. Il avait soixante-et-onze ans au moment de sa mort. Je laisse Laberge parfois[3]. Paysagiste et portraitiste, il fit plusieurs scènes de campagne que je ne trouve pas des plus heureuses. Son *Bûcheron* est loin d'être parfait dans son attitude, dans son geste; il nous semble bien trop loin de l'arbre. Nous avons l'impression qu'il ne pourra pas le rejoindre avec sa hache. Sa *Fileuse* est assise trop haut et son rouet manque de proportion. Nous sentons que si la fileuse appuie un peu fort pour le faire tourner, le rouet va culbuter sur la roue tellement la roue (est) en dehors du centre de gravité. Ceci ne démontre pas vraiment un sens développé d'observation puisqu'il a vécu à la campagne.

Je sais qu'il causait bien le français ayant vécu longtemps en France. Il m'a paru aussi très courtois et (avait la) dignité d'un Anglais distingué. Ayant beaucoup voyagé, il a pu se renseigner sur les écoles d'art de toutes les époques pour devenir un beau connaisseur.

106

Robert Wickenden, *Canadian Woodsman.* (Musée du Québec)

Andrew Wilkie Kilgour
1868-1930

Né à Kirkcaedy (Fifeshire) en Écosse, Andrew W. Kilgour a suivi des cours avec Newburg à l'Art School de Glasgow et à l'Heatherly School of Art, à Londres, avant de venir s'établir au Canada en 1910. À Montréal, il poursuit ses études avec Brymner et Maurice Cullen. Aux expositions de la Royal Canadian Academy et de l'Art Association, il expose surtout des paysages, son sujet favori.

Voilà un peintre que je ne me souviens pas d'avoir rencontré. J'ai vu quelques-unes de ses peintures qui m'ont donné l'impression d'être un assez bon suiveur, excepté que ceux qu'il suivait étaient souvent plus forts que lui par leur personnalité. Il a peint des paysages d'été et d'hiver qui ressemblaient à beaucoup d'autres.

Raymond Masson
1860-1944

1. Il appartenait à la famille de Joseph Masson (1791-1847), riche négociant et seigneur de Terrebonne.

2. Dans *Paris-Canada* du 13 février 1892, on lit: «Avant de quitter M. Franchère, un délicieux moulage, suspendu à l'une des parois de l'atelier, nous frappe la vue. C'est une figure de femme d'une délicatesse et d'une grâce d'exécution indiscutables. Cette pièce, qui ne déparerait aucune collection et que nous n'avions encore vue nulle part, nous intrigua, et, après en avoir demandé le nom de l'auteur, nous fûmes agréablement surpris en apprenant qu'elle était l'œuvre de M. Raymond Masson, de Terrebonne. Nous savons que ce sculpteur est un modeste et qu'il travaille surtout pour sa satisfaction personnelle; espérons toutefois que M. Masson voudra bien

Raymond Masson est né à Terrebonne et aurait étudié à Boston. Par la suite il va à Paris où il passe une dizaine d'années. Dans Le journal de Québec *du 8 septembre 1887, on lit: «Un certain R. Masson, sculpteur sur bois, expose, à l'exposition provinciale, une Charlotte Corday fort remarquée.» Il se marie à Montréal en 1900 et s'installe à Terrebonne où il possède un atelier. En 1931, il publie quatre volumes de généalogie des familles de Terrebonne.*

De son œuvre on connaît son buste, une tête de femme en marbre, des sculptures sur bois, des bronzes ainsi que des médaillons conservés dans la famille.

Il a été probablement malheureux pour l'art de la sculpture que celui-ci fût le fils d'une famille riche[1]. On dirait qu'il faut encore plus de courage à un fils de famille qu'à un fils de gueux. Comme la plupart sont partis du bas de l'échelle, à l'école du pauvre, ceux-là le plus souvent continuent à souffrir de la faim pour étudier l'art et travailler envers et contre tous pour aller jusqu'au bout et réussir enfin. Mais notre ami Masson n'avait pas besoin de faire tant de sacrifices pour avoir sa vie assurée du côté matériel.

Chez l'ami Franchère, j'ai vu là une tête de femme modelée par Masson lors de son voyage à Paris pour étudier la sculpture. Il était là en même temps que l'ami Franchère qui probablement était plus amoureux de l'art que ne l'était l'ami Masson et c'est comme ça, je suppose, que celui-ci avait cédé son œuvre à l'ami[2]. Cette tête de femme était assez bien modelée, d'après mes souvenirs. Peut-être qu'avec du travail l'ami Masson aurait donné plus de sensibilité, plus d'étincelles dans ses têtes dans son art, mais pour le moment on ne peut pas l'affirmer parce que sa carrière de sculpteur finit là[3]. Et les trois ou quatre fois que je l'ai rencontré sur la rue, il a toujours fait allusion à mon prix d'honneur gagné au Conseil des arts et métiers[4]. Il était juge du modelage. Il a raison de parler de ce moment-là qui a contribué pour beaucoup peut-être au début d'une carrière comme c'était mon cas. Oui, il a contribué à l'exécution de mon voyage à Paris qui a été le commencement de ma carrière pour laquelle j'ai beaucoup de reconnaissance à mon ami R. Masson.

tirer un certain nombre d'exemplaires de cette figure si charmante pour le plus grand plaisir des délicats et des amateurs de belle sculpture.»

3. Il a continué à sculpter pour lui-même, sans participer aux expositions.

4. Voir Alfred Laliberté, *Mes souvenirs*, p. 53.

Joseph-Charles Franchère
1866-1921

Comme la plupart des peintres de sa génération, Franchère commence par suivre des cours de Chabert avant de fréquenter l'atelier de Edmond Meloche, le décorateur d'églises. En 1888, il est admis à l'École des Beaux-Arts de Paris dans l'atelier de Gérome et de Joseph Blanc. Comme ses collègues Beau, Gill, Larose et Saint-Charles, il exécute à Paris sa commande de tableaux pour la chapelle du Sacré-Cœur : La multiplication des pains, Le Christ consolateur *et* La Vierge de l'Apocalypse.

De retour à Montréal en 1894, il peint de nombreux portraits de professionnels, d'«honorables» et de personnes en vue. Dans son œuvre, on compte également plusieurs paysages et tableaux de genre. Franchère a habité dans la maison d'Alfred Laliberté, rue Sainte-Famille, de 1919 à sa mort en 1921. (ARCA 1902)

Voici une belle nature d'artiste, non pas dans le sens de tempérament, de force, de puissance, (de) penseur, non, dans le sens le plus humain de la douceur, amoureux de tout ce qui est beau. Aimant beaucoup la musique, il improvisait des harmonies sur un petit orgue que j'avais. C'était peu, si vous voulez, mais il montrait déjà là sa grande sensibilité d'âme. Honnêteté parfaite, jamais il essayait de dénigrer les amis qui sont parfois de faux amis, non, avec Franchère tout était bon et beau.

Et chose étrange, avec une telle nature, il n'est jamais arrivé à produire une œuvre vraiment belle. Il savait (dessiner) il n'y a pas à dire puisqu'il était professeur de dessin au Conseil des arts et métiers jusqu'à sa mort[1]. J'ai dit qu'il savait dessiner mais tout en faisant souvent de grosses fautes de proportion et de perspective. À part ça, il savait bien manier la couleur. Il lui manquait à ses qualités pour arriver à faire de belles choses dans le sens du beau, il lui manquait la force du tempérament et du cerveau.

Sa mentalité efféminée, sa constitution malade, depuis l'âge peut-être le plus tendre, et toute sa vie Franchère a été malade, (il a) perdu le sommeil dû à d'autres complications. Il n'était pas prolifique dans sa peinture par sa grande misère de trouver des sujets et de les composer lui faisait prendre plutôt des sujets tout faits, tout prêts à peindre immédiatement. Un vieux ou une vieille passait à son studio, il les faisaient poser avec une pipe pour le vieux et un tricotage pour la vieille et voilà le tour est joué.

Son œuvre est assez ordinaire en qualité comme en quantité[2], nous comprenons qu'avec autant de misère à trouver et à faire. Cependant il profitait souvent de son métier de peintre, par exemple, il trouvait moyen d'échanger des marchandises pour sa peinture. Un tel tailleur d'habit, Franchère le payait avec sa peinture et le peu d'argent qui rentrait chez lui ne sortait pas; cependant, les beaux concerts, il se les offrait et là, il était toujours certain de rencontrer des connaisseurs. Il aimait beaucoup la compagnie des dames et elles ne le fuyaient pas parce qu'elles ne le craignaient pas. Elles étaient (sûres ?) de ne pas tomber en pâmoison à côté de Franchère. Que cette dame lui disait qu'elle avait vu une de ses peintures, il était heureux, de même qu'à la vue de belles épaules de femme, Franchère était heureux comme un prince. J'en connais qui ne se seraient pas trouvés satisfaits de si peu.

Les morts, comme le dit mon ami Laberge, sont vite oubliés. Alors, si les morts dont la vie a été extraordinaire (le sont), on doit penser que celui-ci doit subir le même sort.

Franchère avait par un certain petit côté un manque de largeur d'esprit: la peur d'être volé, même lorsqu'il n'y avait rien à voler, et son esprit de nous

1. Il a été professeur au Conseil des arts et manufactures de 1899 à 1914 et de 1915 à 1918.

2. Albert Laberge parle «d'une œuvre considérable.»

faire croire qu'il (était) pauvre, sans argent, lorsqu'il a laissé $ 18,000 à sa mort en valeur de debentures d'actions ici et là.

Oublions ses défauts. Se souvenir de ses qualités.

Chose curieuse pour Franchère, l'homme sobre, modéré à qui l'on pouvait difficilement découvrir quelques aventures dépassant les limites de l'honnêteté, la dernière chose qu'il peignit avec une belle ( ) et une belle fraîcheur, ces deux qualités pas toujours constantes chez lui, et bien, ça été une femme demi-couchée, nue, voilée seulement par une gaze, comme le faisait parfois Franchère. Cette femme faite d'après modèle, bien sûr, s'y prêtait assez par sa forte poitrine provocante, sa chevelure abondante, ses yeux, mais Franchère avait exagéré tout ça à en faire une peinture des plus suggestive, voluptueuse, vicieuse à un plus haut degré. Cette peinture est disparue de son studio. Il nous serait difficile, je crois, de dire où elle est aujourd'hui. Elle n'avait jamais été exposée nulle part, car ça aurait été un scandale. Sa naïveté, son honnêteté l'ont empêché de voir ce qu'il faisait de suggestif; il n'y a rien vu de mal[3].

3. Tout ce paragraphe semble avoir été ajouté par la suite, si on se reporte au manuscrit.

Joseph-Charles Franchère, *Autoportrait*. (Musée du Québec)

Joseph Saint-Charles
1868-1956

C'est à l'atelier d'Edmond Meloche que Joseph Saint-Charles se forme à l'art décoratif en 1884 tout en suivant des cours de dessin et de peinture à l'école de l'abbé Chabert. En avril 1888, il s'embarque pour la France en compagnie de Joseph-Charles Franchère. À Paris, le jeune Saint-Charles partage son temps entre les ateliers de Gérome et de Joseph Blanc à l'École des Beaux-Arts, ceux de Jules Lefebvre, et de Benjamin Constant, à l'Académie Julian. Il fréquente aussi l'Académie Colarossi et exécute des copies au Louvre. En 1890, Saint-Charles se voit confier la réalisation de trois tableaux pour la chapelle du Sacré-Cœur de l'église Notre-Dame de Montréal : L'Adoration des Mages, Le serment de Dollard et de ses compagnons, La première messe à Ville-Marie. *Le séjour de Saint-Charles à Paris durera dix ans au cours desquels il fera deux brefs voyages à Montréal. Il rentre définitivement au Canada en 1898 après avoir passé quelques mois à Rome. Il aura une longue carrière de professeur d'abord au Conseil des arts et manufactures, puis à l'École des Beaux-Arts où il enseigne jusqu'en 1942. Il a également enseigné à l'École polytechnique. Joseph Saint-Charles a excellé dans l'art du portrait et a aussi peint de nombreux paysages de la région de Montréal et des Laurentides. (ARCA 1901)*

Voilà une belle tête d'artiste, avec une belle chevelure abondante blanchie de bonne heure. En effet, sa tête était déjà grise en 1896 ou 97 par là, où il arrivait de Paris d'un séjour passé là-bas pour étudier la peinture[1]. À la date mentionnée plus haut, je vis Saint-Charles pour la première fois au Conseil

1. En mai 1894, Saint-Charles revient au Canada jusqu'en février 1896. Il repart pour l'Italie au printemps 1897. C'est en 1898 qu'il revient et commence à enseigner. C'est à ce moment-là qu'Alfred Laliberté l'a rencontré.

113

des arts, au Monument national, où il était professeur de dessin. Je suivais les cours de dessin et de modelage, je recevais des leçons de dessin de Saint-Charles. Je me souviens qu'il parlait à la française et il ne comprenait pas toujours mon jargon de campagne de même que son langage me surprenait un peu, et souvent lorsque je lançais un mot, une phrase de mon jargon, il me faisait répéter; c'est ce qui m'intimidait davantage.

Saint-Charles était un très bon dessinateur car Suzor-Côté, en même temps (que lui) à Paris, me disait un jour: «Saint-Charles au bout de six mois à Paris était le plus fort dessinateur des élèves de l'école.» J'en ai la preuve par un dessin qu'il fit à l'école. La fermeté, la forme exacte, avec une belle interprétation. Il n'a pas pu avancer beaucoup plus loin depuis. C'était presqu'un prodige[2]. Avec l'aspect d'une santé, un corps sain, on pouvait espérer beaucoup de lui et je ne suis pas certain s'il a rendu ce qu'il faisait espérer de son talent. Une des causes, je crois, est que Saint-Charles s'est toujours laissé entraîner par son instinct. Son cerveau lui a peu souvent servi de boussole et on s'imagine toujours ce qui arrive lorsque le cerveau n'a pas le contrôle de l'homme. Malgré que Saint-Charles a fait de l'enseignement presque toute sa carrière de peintre, lorsqu'il enseignait au Conseil des arts, il enseignait aussi à d'autres écoles d'art, à la Loterie, dirigée par le notaire Breault. Avec les revenus de la Loterie, il entretenait une école d'art sur la rue Notre-Dame. Enseignaient là, Saint-Charles, Charles Gill et Edmond Dyonnet, professeur en chef[3].

Malgré toutes ses heures presque prises par l'enseignement, Saint-Charles a peint plusieurs portraits, des têtes d'homme, de femme où il y a de belles choses parmi. Mais il ne nous semble pas y voir autant de bonheur lorsqu'il maniait la couleur. Le dessin pour lui a toujours été sa plus grande force.

Saint-Charles a eu de grandes déceptions dans sa vie à cause de parents riches dont il espérait avec raison avoir une part de leur fortune. Ils sont morts

2. Joseph Saint-Charles se classait remarquablement bien aux concours organisés par l'École des Beaux-Arts. Il remporta cinq médailles au cours de ses études.

3. Il s'agit vraisemblablement de l'École de la Société des arts du Canada fondée en 1893 «dans le but de répandre le goût des arts, d'encourager et d'aider les artistes.» H.A.A. Breault était le directeur de la Société située au 1666, rue Notre-Dame. Parmi les récipiendaires de prix en 1896 et 1897, on retrouve les noms d'Henri Fabien, de A.E. Charron, d'Edgar Mandeville, d'Albéric Bourgeois.

Joseph Saint-Charles, *Autoportrait*. (Photo A. Kilbertus. Collection Galerie Bernard Desroches)

sans rien lui laisser. On sait que les artistes ont toujours été si peu encouragés ici que de recevoir une somme d'argent qui leur enlève beaucoup d'inquiétude leur fait beaucoup de bien. Alors son caractère aigri par ces injustices s'était laissé entraîner par quelques abus malheureux pour un artiste. Mais il avait marié une femme brave et charmante qui l'a compris même dans ses petits travers[4]. Il est vite revenu à plus de sagesse. Car Saint-Charles avec ses petits défauts a un cœur d'or et une grande sincérité, peut-être trop parfois.

Comme peintre, il me disait un jour: «Je ne peins même pas un barreau de chaise sans modèle.» Cette phrase condamne assez les artistes qui travaillent sans modèle: j'étais sensiblement visé. Il y a du bon et du mauvais dans les deux. C'est le résultat qui compte le plus.

Avec tout ce que j'ai pu dire de lui, Saint-Charles reste quand même un charmant homme, très estimé de ses élèves à l'École des Beaux-Arts de Montréal dont il est professeur depuis deux ans après sa fondation. Ce qui va rester de lui pour la postérité: deux ou trois belles choses qu'il a chez lui. Je dis deux ou trois, je suis très difficile. Il me semble (que) le temps en trouvera probablement plus que ça. Mais j'ajoute sans tarder sa pièce de résistance, le grand panneau qu'il peignit pour la chapelle du Collège de Montréal qui est une belle chose[5]. J'ai quelques peintures de lui parmi ma collection dans mon studio où Saint-Charles s'est montré le plus chic de tous les artistes. Pour cette circonstance pour laquelle je lui dois reconnaissance[6].

4. Il a épousé, en 1905, Marie-Anna Cheval dit Saint-Jacques.

5. *La présentation de la Marie au Temple*. Chapelle du Grand Séminaire de Montréal, 1907.

6. Voir «Collection particulière d'Alfred Laliberté» en annexe.

Jobson Paradis
1871-1926

Né à Saint-Jean-sur-Richelieu, Jobson Paradis fait ses études classiques à l'Université d'Ottawa et une maîtrise ès arts à l'Université Notre-Dame d'Indiana. On retrouve son nom dans l'atelier de Gérome à l'École des Beaux-Arts de Paris en 1892 et comme copiste au Louvre en 1895-1896 et en 1898. Durant son séjour parisien, il épouse une Française, Élisa Perrot. À son retour en Amérique, il se voit offrir un poste de professeur à l'Université Notre-Dame. Il y restera quatre ans après quoi il revient à Montréal, où il fait un peu d'illustration pour La Patrie. *De 1903 à 1913, il enseigne au Conseil des arts et manufactures et, si on en croit Albert Laberge, «dans des écoles de Montréal». Il expose régulièrement aux salons de l'Art Association de 1905 à 1924 et de la Royal Canadian Academy en 1907 et en 1910. En 1911, il participe au 1er Salon de la peinture et de la sculpture, au Club Saint-Denis. Peu de temps après, il est nommé traducteur à Ottawa, mais continue néanmoins à peindre et à dessiner. Il meurt de tuberculose dans un sanatorium de Guelph, en 1926.*

Jobson Paradis a excellé dans les sanguines, les fusains et les crayons représentant des scènes de rues de Paris ou de Québec. Il a également laissé de nombreuses études d'animaux faites au Jardin des plantes, à Paris.

Ici pour bien rester dans le cadre de ce travail sur les artistes de mon temps, ce cadre dont la ligne de contour est de la sincérité et sans fleurs. Et c'est pour ça que je ne pourrais pas dire autant de bien du peintre qu'en dit si généreusement mon ami Albert Laberge dans son livre *Peintres et écrivains*[1]. Cependant, sur les qualités de l'homme, je lui accorde volontiers.

1. Albert Laberge, *Peintres et écrivains d'hier et d'aujourd'hui,* p. 57-59.

Jobson Paradis, *Payasage d'Arthabaska*. (Musée du Québec)

Mais là encore, je ne suis pas bien certain que ses qualités d'homme, raffinement, délicatesse, courtoisie, culture intellectuelle, sincérité, je ne suis pas certain, dis-je, qu'elles ne soient pas au détriment du talent du peintre. Car l'artiste parfois tout en n'ayant pas des instincts tout à fait sauvages, a des défauts, des travers qui dépassent la normale. Par exemple, on a dit assez souvent que le génie était une forme de folie et ce sont ces travers-là qui alimentent l'originalité de l'artiste, lui fait faire des choses qui sont originales, et à défaut de ces travers, il lui faut alors un cerveau de penseur et bien équilibré et puissant (qui) lui sert de boussole et le dirige à faire des choses qui manquent de sensibilité, de cœur, mais en revanche, elles sont méditées, pensées et fortes qui sont encore bien supérieures au choses faites d'instinct ou alors des sensibleries, car nous savons que trop de sensibilité peut nous jouer de bien mauvais tours.

Jobson Paradis savait dessiner et manier tout ce qu'il faut pour bien peindre mais (avec) son tempérament modéré, soumis aux conseils venus de haut, pouvait-il profiter de tout ça pour faire vraiment grand et beau? J'ai connu plusieurs peintres canadiens qui étaient à la même époque que lui en Europe pour étudier. Je soupçonne qu'ils avaient des professeurs rigides, qu'ils recevaient des conseils dont l'interprétation était néfaste suivant la mentalité de l'élève. Je me souviens d'avoir entendu parler des conseils reçus là-bas à l'époque de Paradis. Ce conseil était ceci: «Copiez sincèrement la nature telle que vous voyez». Selon l'interprétation, (cela) peut bien vouloir dire aussi bêtement la nature sans chercher à réfléchir; ce qui est inutile est nuisible pour faire beau et grand. C'est ce que j'ai constaté le plus des peintres de cette époque, car tous avaient de la sensibilité, de la gentillesse.

Paradis possédait à un haut degré plusieurs qualités de l'artiste, mais il n'a pu réaliser son rêve, car il avait un idéal, de l'ambition chère à tout artiste. Il disait à un ami son désir surtout, puisqu'il ne pourrait pas espérer plus, ce serait d'avoir son nom dans un dictionnaire afin que l'on sache qu'il a

2. Laliberté reprend
ici une anecdote
rapportée par Albert
Laberge.

existé[2]. Ceci est beau et démontre les aspirations de l'homme. Je ne sais pas maintenant si sa vie d'artiste n'a pas été un drame. Sa fin triste est de nature à nous le faire comprendre et à nous faire incliner vers son nom et que dans sa tombe, il voit qu'il n'est pas tout à fait oublié par les hommes qui ont essayé comme lui de faire beau pour la postérité.

Henri Beau
1863-1949

Henri Beau est né à Montréal. Il fréquente l'école de l'abbé Chabert puis dès 1880, il part pour la France. À l'Académie Julian, il s'inscrit dans l'atelier de Bouguereau et à l'École des Beaux-Arts, dans celui de Léon Gérome. Il revient à Montréal en 1890, obtient un contrat pour collaborer à la décoration de la chapelle du Sacré-Cœur. Il retourne aussitôt à Paris et exécute Les noces de Cana. *De 1896 à 1914, il expose régulièrement à Montréal. C'est alors qu'il quitte définitivement le Canada pour habiter à Paris. Il reste toutefois en contact avec le pays et reçoit des Archives du gouvernement canadien des commandes d'esquisses, de croquis et de peintures sur les mœurs, les coutumes et les costumes civils, religieux et militaires de la Nouvelle-France.*

Ce peintre qui vécut à Paris depuis son escapade avec une actrice s'est trouvé déraciné du Canada pour toujours[1]. Son escapade nous prouve qu'il avait un certain tempérament et des passions et du dédain pour les principes qui sont la base de la société.

Par malheur, tout ce qu'on lui prête de tempérament ne s'est probablement pas bien manifesté dans sa peinture. Il a exécuté une grande décoration pour les murs ou le plafond du Parlement de Québec que l'on me dit avoir été enlevée[2]. Il n'a pas fallu qu'elle inspire beaucoup les Québécois. C'était, je crois, Champlain arrivant à Québec. Mais il ne fera pas le départ sans doute puisque l'arrivée n'a pas été bien accueillie. Le départ, c'est Beau lui-même avec son amour.

1. Il s'agit plutôt d'une cantatrice italienne.

2. La toile, *L'arrivée de Champlain* fut installée à l'Assemblée législative en 1908. Comme elle n'a pas su plaire, on la remplaça par *Le débat sur les langues* de Charles Huot, dévoilée en 1913.

119

Beau a peint autre chose que ce Champlain malheureux. Ses figures de femmes ne manquent certainement pas de grâce et de beauté. Mais il n'a pas beaucoup produit que je sache[3], et certainement pas assez pour qu'on lui permette, après l'avoir jugé, d'aller s'asseoir à la table des dieux. Fin.

3. Il a peint plusieurs nus et paysages et a exposé au Salon des indépendants à Paris, de 1902 à 1937.

Henri Beau, *Notre-Dame. Paris*. (Photo A. Kilbertus. Collection Galerie Dominion Gallery, Montréal)

James Wilson Morrice
1865-1924

James Wilson Morrice découvre son intérêt grandissant pour la peinture au cours de ses études à l'Université de Toronto (1882-1889), ce qui l'incite à partir en Europe en 1890. Il s'oriente d'abord vers les héritiers de l'École de Barbizon, dont le peintre Harpignies. À Paris, il évolue dans le milieu des peintres et des écrivains anglais et américains. C'est la découverte de Whistler et de l'Impressionnisme. Il peint sur la côte normande et bretonne et séjourne aussi à plusieurs reprises à Venise, tantôt avec Cullen, Brymner, tantôt avec l'Américain Prendergast. Le Musée des beaux-arts de Montréal possède une centaine de tableaux de Morrice et ses carnets de croquis. À deux reprises, en 1912 et en 1913, il peint au Maroc où il rencontre Henri Matisse. Il reste toutefois en contact avec le Canada où il revient tous les ans. Ses séjours ici se feront plus rares après la mort de son père en 1914. De ses incessants voyages au Québec, à Paris, à Venise, en Afrique du Nord ou aux Antilles, Morrice rapporte des paysages qu'il présente aux expositions et qui lui valent sa grande réputation. Il est mort à Tunis en 1924. (RCA 1913)

Ce peintre canadien d'origine anglaise, à part son âge tendre, a passé le reste de sa vie (à l'étranger?). Il avait des revenus et il en profitait. Il est certainement devenu déraciné; si seul ce déracinement lui a permis de se faire une si belle réputation de peintre là-bas, il a tout de suite notre pardon. Lors de mon premier voyage à Paris, dans la deuxième année[1], l'ami Suzor-Côté m'avait guidé un dimanche après-midi vers les salles de peintures au Salon du printemps[2]. Je me souviens, nous nous étions arrêtés

1. 1903.

2. Morrice exposait: *La Place Châteaubriand, à Saint-Malo, Les Tuileries, Régates à Saint-Malo, Un jardin public,* (Venise), *Effet de neige,* (Canada), *Sur la falaise.*

121

3. Vraisemblablement *Régates à Saint-Malo*.

devant une marine de Morrice et Suzor-Côté m'expliquait les qualités de grisaille aux tons distingués de cette peinture. J'en ai conservé un bon souvenir[3].

Bien sûr, les tons de grisaille des peintures, Morrice n'était pas le seul à les avoir trouvés; d'autres peintres français tels que Puvis de Chavannes les avait trouvés bien avant notre Canadien Morrice. Seulement, celui-ci a été assez habile pour se servir d'un tas de choses trouvées et arranger ça de façon à se faire peut-être une personnalité. Il a de ses

4. On trouve des Morrice au Musée d'Orsay, au Musée de Lyon, au Musée de l'Ermitage à Leningrad, à la Tate Gallery, à Londres et à l'île de la Réunion.

peintures dans les musées en France, c'est déjà beau[4]. Et inutile de dire que sa réputation à Paris a bien augmenté sa réputation et la valeur de sa peinture au Canada. Dans ses expositions faites ici à Montréal, j'ai vu de ses peintures qui sont décevantes. C'est à se demander même d'où vient la cause de sa grande valeur. Il y a peut-être aussi la cause qu'il ressemble beau(coup) à la jeune école par certains côtés, l'école de la déformation.

James W. Morrice, *Sous les remparts, Saint-Malo*. (Musée des beaux-arts de Montréal)

René-Charles Béliveau
1872-1914

René-Charles Béliveau est né à Montréal d'une famille aisée propriétaire de l'hôtel Jacques-Cartier. Il commence à peindre tôt et reçoit des encouragements du curé Labelle qui suggère aux parents de l'envoyer étudier en France. Il quitte le Canada à dix-huit ans et rejoint le groupe de Henri Beau, Suzor-Côté, Saint-Charles, Franchère, Lamarche, Gill, Paradis et Saint-Hilaire. Il étudie à l'Académie Julian et avec Gérome à l'École des Beaux-Arts. Durant son séjour, il voyage à travers l'Europe et épouse une Française. Il revient au Canada en 1900. Il expose des paysages et des portraits à l'Art Association jusqu'en 1909 et travaille à La Patrie *aux dessins de la Famille Citrouillard. Il meurt de tuberculose à quarante-deux ans. Son œuvre, des paysages de la région de Terrebonne surtout, serait retournée en France.*

Voici un peintre, peut-être un artiste dont le passage sur la terre comme artiste a été bien éphémère. A-t-il joué un rôle comme artiste? Ceci est peu possible étant donné sa bien courte durée, comme je le dis plus haut. Trop courte. Et pendant ce temps, il n'a rien fait qui nous fait prévoir qu'il aurait fait de belles choses s'il avait vécu plus longtemps. Donc, c'est un passage sur la terre comme tant d'autres: nul.

Il a sans doute été professeur dans des petites écoles. Mais il ne faut pas être bien fort pour en montrer à des enfants ou des jeunes qui ne savent rien. S'il y a un ciel pour les malheureux artistes, il aura sa place, à la dernière table.

Paul Copson
1884-1916

Paul Copson est né à Worcester, en Angleterre. Sur le formulaire de «Canadian Over-Seas Expeditionary Force», conservé aux Archives publiques du Canada, Copson indique qu'il est décorateur et que ses parents habitent Grand Rapids (Michigan). Il s'engage dans le 22ᵉ régiment, le 22 octobre 1914 et est tué en France le 9 août 1916. «Pendant quelque temps, Léger eut un atelier commun avec les peintres Marc-Aurèle Fortin et le malheureux Paul Copson, tué à la guerre, alors qu'il était à peine dans ses vingt ans.» Outre cette mention que nous lisons dans Peintres et écrivains d'hier et d'aujourd'hui *d'Albert Laberge, nous n'avons rien trouvé sur l'œuvre du jeune peintre.*

Mort à la Grande Guerre encore jeune, il est probable qu'il n'a pas eu le temps de donner toute la valeur de son talent en faisant de belles choses comme tant d'autres que le martyre de la guerre a fauchés tout jeunes. Parmi ceux-là, des jeunes arbres parfois pleins de sève ont subi le même sort, mais seulement, s'ils n'ont pas eu le temps de réaliser des merveilles, ils ont fait ce beau geste d'abnégation et de dévouement de donner leur jeune vie pour une bonne cause: défendre la patrie. C'est déjà très beau. Ces âmes-là méritent la plus belle récompense.

Albert-Samuel Brodeur
1862-1933

*Le nom d'Albert-Samuel Brodeur figure parmi les il-
lustrateurs du début du siècle. Après avoir suivi des cours avec
Dyonnet et Brymner, il travaille dès 1878 comme lithographe
pour la maison Burland and Co. et en 1884, pour George
Bishop Engraving Co. de Montréal. On trouve ses illustrations
dans le* Canadian Illustrated News, Le Monde Illustré,
La Revue Canadienne, L'Opinion publique *et dans* Le
Passe-Temps *où il fait équipe avec Massicotte, Savard,
Barré et quelques autres. En 1893, il entre au service de* La
Presse *dont il devient directeur du personnel artistique en 1903.
Il était au nombre des exposants à la First Annual Loan and
Sale Exhibitions of The* Newspaper Artists' Association
de 1903.

Ce dessinateur a passé sa vie à gagner sa vie à
dessiner pour les journaux[1]. Leur talent n'était peut-
être pas assez extraordinaire pour se livrer à faire
vraiment du grand art. Et les obligations qu'ils se sont
faites et la lutte pour la vie les a éloignés peut-être
aussi de grandes envolées qu'il faut pour faire un bel
artiste.

Je sais qu'il a fait quelques peintures durant ses
heures de repos[2], mais ce n'est pas suffisant pour
s'asseoir à la table des dieux.

1. Il a également illustré quelques livres: *Lake St. Louis* de Désiré Girouard (1893), *Contes vrais* de Pamphile Lemay (1907), *Fleurettes canadiennes* d'Oswald Mayrand (1905).

2. Il a exposé dix-huit tableaux, des paysages, aux expositions annuelles de l'Art Association et de la Royal Canadian Academy de 1903 à 1928.

Théodore Dubé
1861-1935

Théodore Dubé est au nombre des artistes canadiens que l'on retrouve à Paris à la fin du XIXe siècle. Il est né à Saint-Roch-des-Aulnaies et est venu étudier à Montréal au Conseil des arts et manufactures avant de se perfectionner à Boston. Il est à Paris en 1886, et dans l'atelier de Gérome en 1890. En 1892, le journal La Minerve *annonce son passage au Canada et fait état d'une commande pour la décoration du palais de justice d'Albany. À compter de 1892 et jusqu'en 1913, il expose à l'Art Association et en 1900, onze toiles le représentent à l'Exposition universelle de Paris. Copistes assidus au Louvre pendant de très nombreuses années, Dubé et sa femme Mattie ont partagé leur temps entre Paris, Montréal et les États-Unis. Théodore Dubé aurait acquis une notoriété et comme copiste et comme portraitiste des grands hommes politiques américains dont le Président Wilson. Ce portrait a d'ailleurs été exposé au Salon des artistes français en 1914. Également peintre de genre et paysagiste, Dubé en fin de carrière a été miniaturiste.*

1. Le relevé fait par Laurier Lacroix confirme la fréquence élevée des copies de ces deux œuvres. Théodore et Mattie Dubé ont fait également de nombreuses copies de Corot, de Greuze, de Murillo.

Fils de boucher, je ne reproche pas à celui-ci sa naissance, car moi-même je suis fils de bûcheron, mais ce que je crains, c'est que son père ait mis trop de viande, pour la quantité d'esprit et de talent, dans la constitution du cerveau de son fils.

Dubé était plutôt un copiste qu'un beau peintre car je l'ai toujours vu au Musée du Louvre à copier *Les glaneuses* de Millet ou *Les illusions perdues* de Gleyre[1]. Il en a tant fait, je crois qu'en dernier, il aurait pu les copier les yeux fermés. Il avait marié une Américaine qui était beaucoup plus peintre que lui. Sa femme américaine lui amenait beaucoup de clients américains[2].

Je me souviens à mon passage (à Paris) où je connus Dubé, lorsqu'il venait à des réunions de Canadiens rendus là pour étudier les beaux-arts, Dubé avait toujours une petite invention qui tenait au matériel de peintre, oui, qui tenait au peintre mais qui n'était pas de l'art.

Malgré qu'il était plutôt déraciné du Canada, il est venu ici parfois pour faire une exposition de ses peintures[3]. Il avait même l'audace d'exposer parfois des choses (qu'il) nous présentait comme étant de sa création et, malheureusement pour lui, c'était des copies. C'est dire alors que sa conscience d'artiste s'était un peu rapetissée.

2. En 1932, le journal *Concordia* rapporte qu'on trouve des Dubé «dans 117 villes américaines».

3. Laliberté veut sans doute parler de ses participations au Salon de l'Art Association, de 1892 à 1913.

Charles Gill
1871-1918

Fils d'un juge de Sorel, Charles Gill a reçu des leçons de Chabert mais aussi de William Brymner. Il n'avait que dix-huit ans quand il s'est embarqué pour la France où, comme plusieurs de ses compatriotes, il s'inscrit dans l'atelier de Gérome à l'École des Beaux-Arts. Il fréquente le milieu des peintres et des écrivains. Gill ne fait pas partie de la première équipe de peintres qui avait reçu des contrats pour la décoration de la chapelle du Sacré-Cœur. Ce n'est qu'à l'été 1892 que, de passage à Montréal, il reçoit la commande pour peindre La Visitation. *À son retour en 1894, il enseigne le dessin à l'École normale Jacques-Cartier et au Monument national. Il épouse la journaliste Gaétane de Montreuil l'année même où il est membre fondateur de l'École littéraire de Montréal (1902). L'écriture l'emporte sur la peinture, et Charles Gill devient critique littéraire et artistique pour* Le Devoir, Le Canada *et* Les débats. *Après sa mort, en 1919, paraît un recueil de poèmes* Le Cap Éternité *et une importante exposition de peintures et de dessins a lieu la même année à la bibliothèque Saint-Sulpice. La correspondance de Charles Gill, parue en 1969, éclaire aussi bien son œuvre peinte que son œuvre écrite.*

1. Jean Richepin (1849-1926), poète français célèbre par sa bohème et son œuvre de franc-tireur.

Avec une belle tête d'artiste à la Richepin[1], les cheveux épais frisés tels que sa barbe, la stature grande et forte, imposante, Charles Gill était poète surtout, peintre ensuite. Mais sa paresse innée l'a empêché de devenir grand dans ni l'un ni l'autre. Il avait une grande mémoire; du talent, il en avait probablement, mais comme le travail est au moins 80 pour cent du talent, ce pourcentage (était) si diminué

Charles Gill, *Le problème d'échecs*. (Musée du Québec)

par sa paresse. Sa production si peu abondante et pauvre le met au rang des peintres ordinaires.

Bohème dans la force du mot, sans ordre, il va sans dire. Chez lui, il aurait probablement plutôt accroché sa chaise que son veston. Un jour, faisant un petit voyage avec un ami, le matin, l'ami voyant que Charles Gill semblait oublier de faire sa toilette, l'ami lui dit : «Mais tu te laves pas?» Alors Gill de répondre : «Mais ça ne salit pas dormir.»

Cet original à l'aspect robuste masquait une faiblesse de constitution par le manque d'un poumon. Il est mort assez jeune de grippe espagnole[2].

Carlo Balboni
1860-1947

Carlo Balboni est surtout connu pour le buste de Dante Alighieri offert par la communauté italienne à la ville de Montréal en 1922. Installé d'abord au Parc Lafontaine, ce monument est aujourd'hui au Parc Dante.

Né en Italie, Carlo Balboni y a vraisemblablement fait ses études avant de venir au Canada, au tournant du siècle. On relève des envois de Balboni aux expositions de l'Art Association en 1909-1910, 1928-1929 et 1935; à la Royal Canadian Academy, en 1927 et en 1931. Dans tous les cas, il s'agit de bustes en plâtre ou en bronze. Il est mort à Montréal, à l'âge de 87 ans.

Italien de naissance venu ici à Montréal à l'âge où la première jeunesse est passée, ayant eu le temps d'apprendre son métier de sculpteur là-bas. De toute petite stature, prompt, nerveux, un cerveau demi-enfant, demi-homme faisait du petit sculpteur italien le type d'homme sympathique et inoffensif.

Ayant passé la plus grande partie de sa vie ici, au Canada, nous pouvons le considérer comme artiste de mon temps. Ayant presque durant tout son séjour ici travaillé pour la maison T. Carli à exécuter des statues religieuses et à faire du margottage, c'est-à-dire qu'il prenait la tête d'un saint quelconque pour la placer sur les épaules d'un autre saint quelconque suivant le désir du client religieux[1]. Et après avoir raconté tout ça, nous savons que si ce petit sculpteur avait le talent pour faire de belles choses, ses élans artistiques furent tout de suite étouffés par la nécessité de gagner sa vie. Il était d'une grande timidité qui lui enlevait tout sens débrouillard.

1. Voir le texte sur Alexandre Carli, et *Mes souvenirs*, p. 77.

130

Ce petit bonhomme de stature au-dessous de la moyenne avec de toutes petites jambes, surtout courtes, n'a jamais pu s'habituer au progrès moderne. Si par hasard le petit bonhomme avait à traverser la rue, voyant le train même à plusieurs centaines de pieds, la peur le prenait pour courir de toutes ses petites jambes de l'autre côté de la rue. Nous comprenons après tout ça que sa vie n'a pas toujours été des plus rose et qu'il l'a finie sans avoir rien fait d'extraordinaire malgré qu'il avait une certaine habileté[2]. Et c'est fini.

2. M. Louis-A. Carli me confirme que son père Apollo Carli (1881-1968) a souvent fait appel à Carlo Balboni. Par ailleurs, comme Alfred Laliberté a toujours confié à Apollo Carli le coulage de ses plâtres, il a beaucoup fréquenté l'atelier du statuaire et y a donc rencontré Carlo Balboni.

Joseph A. Labelle
1857-1939

---

*Joseph Labelle étudie à l'École Le Plateau et dès l'âge de dix-sept ans, il fait son apprentissage à la Montreal Lithographic Company. Pendant une douzaine d'années, il est dessinateur à la pige. Il fait partie de l'équipe qui regroupe Henri Julien, Antonio Leroux et Kroupa autour de Georges Desbarats, éditeur de l'*Opinion publique *et du* Canadian Illustrated News. *Il collabore également à* La Presse *et au* Star. *Il enseigne la lithographie au Conseil des arts et manufactures de 1887 à 1898. On retrouve son nom au catalogue de l'exposition de la Newspaper Artists' Association en 1903.*

Comme plusieurs autres artistes qui avaient peut-être du talent, (il) s'était créé, je suppose, des obligations assez jeune, ce qui est toujours une entrave pour faire de l'art. C'est ce qui lui a fait passer sa vie au service de *La Presse* de Montréal comme dessinateur. Encore une vie nulle au point de vue de l'art canadien.

Alphonse Jongers
1872-1945

Né dans les Ardennes, à Mézières, Alphonse Jongers a d'abord étudié à l'École des arts décoratifs, à l'Académie Julian dans les ateliers de Louis Lefebvre, de Benjamin Constant et d'Henry Lucien Doucet, avant d'entrer à l'École des Beaux-Arts. De 1889 à 1892, il s'inscrit dans les ateliers de Cabanel, d'Élie Delaunay et de Gustave Moreau. Boursier, il passe deux ans à Madrid et y rencontre le peintre américain John Sargent. Il accompagne celui-ci à Londres et aux États-Unis et arrive à Montréal en 1896. Aussitôt, il commence sa carrière de portraitiste. De 1900 à 1924, il s'installe à New York. Portraitiste d'une société riche, il fréquente l'élite de Newport. Il revient s'établir définitivement à Montréal en 1924. Les membres des clubs privés, les représentants de la haute finance et les hommes politiques défilent dans son célèbre atelier du Ritz Carlton. On trouve des œuvres de Jongers dans les musées canadiens et dans ceux de New York, Washington et Brooklyn. (ARCA 1937, RCA 1940)

Avec une tête à la Goya le génie en moins du grand peintre espagnol, Jongers, né en France, vint ici en Amérique après (avoir) fait ses études artistiques là-bas. Il vécut plusieurs années aux États-Unis, là comme ici, comme portraitiste. Il fit plusieurs portraits toujours bien payés. Jongers est un peintre, pas plus, il le dit lui-même[1]. Le mot qualificatif ne semble pas le tenter outre mesure, et, de l'avis de plusieurs artistes, il ne le mérite pas. Il a un beau métier, juste ce qu'il faut pour plaire aux banquiers et aux présidents de grosses institutions financières

1. Laliberté fait sans doute allusion à la phrase: «Je peins, je fais mon métier, voilà tout» que l'on trouve dans *Ateliers* de Jean Chauvin, à la page 64.

133

qui sont les clients de Jongers et qui ne peuvent certainement pas juger une œuvre d'art à (sa) juste valeur. Tout de même, Jongers en profite beaucoup de cette chance qui vient toujours à sa rencontre. Il a lui-même l'habileté de faire marcher les influences en sa faveur et lui-même par sa prestance, son aplomb, trouve le moyen de décrocher beaucoup de portraits à faire tandis que les autres en ont peu ou pas. Il y a un gros pourcentage de chance pour lui. Comme il est assez long pour les exécuter, il trouve le moyen d'intéresser le sujet qui pose pour lui afin que celui-ci ne se décourage pas de perdre tant d'heures, étant donné qu'ils sont des hommes d'affaires, il leur cause dans leur langue qu'il sait bien, en leur parlant des sujets qui les intéressent et le patient revient sans se faire prier. Et le tour est joué par Jongers, à son profit.

La première fois qu'on le rencontre sans savoir qui il est, supposons le voir en taxi ou dans une démonstration d'art, il nous donne l'impression d'un costaud cossu, d'un gros brasseur d'affaires. Avec sa voix grave, il nous en impose. Ceci a dû lui ouvrir bien des portes où il convoitait la commande d'un portrait de banquier.

2. «Alphonse Jongers, Montreal portraitist, who died in 1945, made a financial success of Art.» Zoé Biéler, Montreal Standard, 10 janvier 1948.

La valeur de sa peinture, c'est toujours le même arrangement, la même couleur vieux jeu, vieux style, vieux métier mais solide, banal mais qui plaît malgré tout. Pour Jongers, le plus grand ( ) de la vie est de faire beaucoup d'argent afin de vivre à son gré[2]. Voilà Jongers.

134

Alphonse Deguire
1869-1942

On sait qu'Alphonse Deguire fait ses études classiques au Collège de Montréal (1883 à 1890) et au Collège Sainte-Marie, qu'il s'inscrit en droit à l'Université Laval et qu'il change d'orientation pour se consacrer à la peinture. Il a fait d'innombrables portraits de Sir Wilfrid Laurier. Son dernier tableau s'intitule Jésus pleurant sur le monde.

Ce gros et grand garçon bien proportionné à la tête plutôt carrée, portant une moustache grisonnante, aux traits réguliers, toujours bien mis, nous donne l'impression de mener une vie facile d'un millionnaire. Tout ceci ne pourrait pas l'empêcher d'être un bel artiste, s'il avait du talent. Mais il nous semble si paresseux, comment pourrait-il encore développer son talent si toutefois il en avait. Aucun artiste ne le connaît intimement; lui, de son côté, ne fréquente aucun artiste. Il n'expose jamais, car ses dessins de tête du Pape, du Christ, ou de Sir Wilfrid ne sont vus que par les gérants de bureau de la rue Saint-Jacques de Montréal où Deguire pénètre pour taper le gérant en lui vendant une de ses têtes dessinées ou gravées sur papier, en faisant son petit boniment qu'il ne fait toutes ses têtes que par patriotisme. Seulement, il lui fallait un peu d'argent pour aller (étudier) son art en Europe pour la gloire du pays.

Lorsqu'on rencontre Deguire avec un carton enveloppé sous le bras, nous sommes certains qu'il va dans les bureaux d'affaires pour son petit commerce.

135

Mais je ne suis pas certain qu'il puisse arriver à taper plusieurs fois le même homme.

Et on se demande alors comment il a pu faire pour passer sa vie avec la mise d'un grand seigneur à ne rien faire. Il y a un secret qu'il me serait bien difficile d'expliquer. Cet homme avec son bel aspect est peut-être méprisable.

James Lillie Graham
1873-1965

Natif de Belleville en Ontario, J.L. Graham vient étudier à Montréal avec Brymner et Dyonnet. En 1897, il s'embarque pour l'Angleterre où il s'inscrit à la Slade School of Art. À Paris, on le retrouve chez Julian, dans l'atelier de Jean-Paul Laurens et à l'Institut supérieur des beaux-arts à Anvers, chez Julien de Vriendt. Il peint en Angleterre, en Belgique, en Hollande et en France avant de revenir au Canada en 1910. (ARCA 1914)

Ce peintre animalier[1] à l'esprit et l'exécution lents n'est pas très prolifique. Il a l'esprit timide et susceptible. Des opinions différentes des siennes émises peuvent le froisser profondément. En somme, il est charmant homme, malgré que ses dents un peu longues en avant de sa bouche nous donnent l'impression d'un rongeur. En effet, il doit en faire peu à la fois pour exécuter une peinture, à la façon des rongeurs. Il cause bien le français, ce qui est encore assez rare pour un Anglais.

Je l'ai rencontré assez souvent[2] et à chaque fois, il avait toujours des dissertations sur la peinture. Il en avait parfois d'étonnantes, mais il semble émettre ses opinions avec une belle sincérité. Mais en résumé, il (peint) si peu de choses que l'on ne peut pas le classer parmi les grands peintres.

1. Les animaux domestiques et les troupeaux semblent avoir été ses sujets préférés.

2. Probablement dans le cadre des expositions de l'Art Association.

Toussaint-Xénophon Renaud*
1860-1946

Un dossier conservé aux Archives de l'Archevêché de Montréal contient un document intitulé: T.X. Renaud, artiste, peintre, décorateur. Travaux exécutés jusqu'en 1920. *On y relève les noms de cent vingt-deux églises, vingt-sept chapelles et plusieurs presbytères, couvents et hospices où Renaud a exécuté des éléments décoratifs ou des peintures. Mentionnons à titre d'exemples, la chapelle du Couvent du Bon Pasteur, l'église des Pères du Saint-Sacrement, la chapelle de l'Oratoire Saint-Joseph. Il a également collaboré à la restauration de la cathédrale de Montréal. Selon Russell Harper, la période active de Renaud se situe entre 1895 et 1930.*

Décorateur d'églises connu mais aussi peintre de chevalet à ses moments de loisir. J'ai vu de ses paysages. Sans avoir les qualités d'un grand peintre, il a au moins les qualités d'un peintre qui le met au-dessus du décorateur au point de vue art. C'est déjà une preuve qu'il avait d'autres dispositions que le métier de contracteur, d'homme pratique et sensé. Mais c'est son métier et son sens pratique qui lui permet de passer la dernière partie de sa vie en se distrayant à peindre des paysages sans être inquiet du lendemain. Renaud a dû faire son apprentissage de décorateur d'église à la bonne époque de Meloche. Seulement, Renaud plus sérieux doit finir sa vie beaucoup mieux que son prédécesseur, plus en beauté.

* Titre du manuscrit: «Zophon Reneault».

Joseph-Alphonse Beaulieu
1871-1958

J. Alphonse Beaulieu est né à Saint-Sauveur-des-Monts. Il fait ses études au Séminaire de Sainte-Thérèse et son droit à l'Université Laval. Il est reçu au Barreau en 1897 et conseiller du Roi en 1912. Il a été conseiller juridique de La Presse *et a mené une carrière de peintre parallèlement à celle de criminaliste.*

Avocat de sa profession. Et si on se donnait la peine de faire enquête, on découvrirait peut-être qu'il fut sans (cause) et ce serait probablement la cause qu'il fit de la peinture où il a réussi assez bien, même très bien à décrocher une commande assez considérable: il fut chargé de peindre le portrait de deux douzaines de bâtonniers de Montréal. Quant à leur valeur, ses portraits seront probablement en harmonie avec les autres déjà installés dans les couloirs de la Cour. Les couloirs vont être garnis avec du Beaulieu. Ce n'est pas si bête. Son nom est peut-être destiné à la postérité[1].

Tout de même avec ses défauts, ses faiblesses, Beaulieu a eu une mentalité de dilettante. C'est encore une qualité, car il faut de la culture intellectuelle, un certain idéalisme, c'est ce qui le rend supérieur à bien d'autres avocats. Et ce qu'il y a encore chez Beaulieu d'assez intéressant, qui ne diminue pas du tout sa petite valeur comme artiste, c'est que ses fils héritent de son talent, mais beaucoup mieux, du moins en promesse[2].

Beaulieu comme avocat locataire, il vaut mieux ne pas l'avoir. Je le connais, je l'ai eu[3]. Et pour vous

1. Ces peintures se trouvent aujourd'hui au 15e étage du palais de justice de Montréal.

2. Paul V. Beaulieu, artiste peintre; Claude Beaulieu, architecte, Jacques Beaulieu (Louis Jaque), décorateur-ensemblier et peintre.

3. En 1922, après la mort du peintre Franchère, J.A. Beaulieu a occupé l'atelier de ce dernier chez Laliberté, rue Sainte-Famille.

139

embêter, il s'appuie toujours sur sa profession d'avocat et avec un sans gêne qui vous vexe comme s'il y avait chez lui un manque de tact que l'on ne rencontre pas généralement chez l'homme cultivé. Et tout ça ensemble nous fait penser qu'il ne peut pas être un grand peintre, pas plus qu'il est un grand avocat.

Ulric Lamarche
1867-1921

Né à Oakland, en Californie, Ulric Lamarche n'y a passé que son enfance puisque sa famille s'installe au Canada dès 1874. Il fait ses études classiques au collège de l'Assomption. On le retrouve à Paris en 1891-1892; il fréquente l'atelier de Gérome, à l'École des Beaux-Arts, ainsi que les académies Julian et Colarossi. Il profite de son séjour en Europe, pour voyager en France, en Italie, en Belgique, en Hollande et en Suisse. Il participe au Premier Salon de la peinture et de la sculpture, au Club Saint-Denis à Montréal, en 1911. Il expose également à l'Art Association. Comme beaucoup de ses collègues peintres, il enseigne à la Commission scolaire de Montréal. Il collabore au journal Le Canada *comme caricaturiste.*

Ce grand et robuste garçon, dit l'ami Albert Laberge, a été le peintre de l'été et affectionnait représenter la nature dans tout son épanouissement de sa beauté et de sa fécondité[1]. Je reprends[2]. Ceci serait déjà beau si Lamarche l'avait vraiment représenté comme ça. Mais il a travaillé si peu[3]. Car sa tête plutôt sympathique par son sourire nous donne l'impression que cet homme a une vie (   ) due, je suppose, à quelques revenus qui l'exemptent de faire beaucoup pour produire, travailler pour gagner sa vie. Tout ça n'est pas un malheur pour un artiste d'avoir des revenus. Mais si celui-ci n'est pas un paresseux que je méprise et s'il a vraiment la vocation de l'art, il doit sentir le besoin de produire, de faire beaucoup de belles choses, c'est son cœur, son âme qui le pousse; c'est une fièvre qui le consume et qui (ne) se guérit que par le travail. La compensation de

1. «Ulric Lamarche a été peintre de l'été. Ce grand et robuste garçon à la physionomie ouverte et souriante affectionnait représenter la nature dans l'épanouissement de sa beauté et de sa fécondité.» Albert Laberge, *Peintres et écrivains d'hier et d'aujourd'hui*, p. 79.

2. «Je reprends», écrit dans la marge, indique que l'auteur ne cite plus Albert Laberge.

3. Selon Albert Laberge, Ulric Lamarche aurait laissé de 1500 à 2000 caricatures.

dire je vais faire beaucoup de belles choses et pour ça, j'y travaille de tout cœur.

M'ont déjà dit quelques-uns de ses amis que Lamarche avait de l'esprit. Je le crois, car l'esprit est une chose innée, un don qui ne demande pas de travail ni d'effort pour l'acquérir d'autant plus que j'ai déjà moi-même vu de ses illustrations avec un petit texte au bas où il y avait de l'esprit.

Mort relativement jeune et même, on pourrait dire une mort prématurée pour un type dont la vie pour lui semblait belle et facile.

Ulric Lamarche, *Un village européen*. (Photo A. Kilbertus. Collection Galerie Bernard Desroches)

Émile Maupas
1874-1948

«Artiste et athlète», c'est ainsi qu'Albert Laberge présente Émile Maupas dans Journalistes, écrivains et artistes. *Né à Évreux, en France, il s'initie au dessin dans sa ville natale avant d'aller à Paris fréquenter les ateliers de Montmartre. Par la suite, il s'inscrit aux académies Julian et Colarossi. Après ses trois années de service militaire, Maupas se met à pratiquer la lutte. C'est comme lutteur qu'il participe à des tournois qui l'amènent à travers la France et l'Afrique du Nord. À l'occasion d'un championnat, il vient à Montréal où il se produit au Parc Sohmer. Il vit un an à New York puis décide de s'établir au lac Messabesic dans le New Hampshire. Il se remet à la peinture et à la sculpture et se lie d'amitié avec Henri d'Arles et Mgr Guertin dont il fait d'ailleurs les médaillons. Son retour définitif au Canada constitue un nouveau départ dans une carrière d'entraîneur et d'animateur sportif. Le Camp Maupas qu'il fonde en 1923 à Val Morin est une sorte de base de plein air qui connaîtra une grande popularité.*

L'œuvre sculptée d'Émile Maupas comprend surtout des bas-reliefs d'inspiration religieuse ou sportive.

Celui-ci a surtout été un professeur et un entraîneur de lutte. C'est comme ça qu'il se fit connaître et également qu'il finit sa vie. Mais il fit aussi de la sculpture, de la petite sculpture d'idée et de dimension. Un ami à lui avait déjà dit du bien de sa sculpture dans les journaux[1].

Un jour, un journal annonce qu'un groupe d'hommes, amis du maire de Montréal[2], ont décidé de lui faire faire son buste. Un nom d'artiste était déjà

1. Il s'agit sans doute d'Albert Laberge.

2. Médéric Martin, maire de Montréal de 1914 à 1924 et de 1926 à 1928.

143

choisi pour l'exécuter mais ce n'était pas celui de Maupas. Quelque temps (après), on apprend que Maupas avait été chargé de bustifier le maire en question et ce soir-là, Maupas était au théâtre Saint-Denis en tuxedo, tout à fait rayonnant et recevait des compliments de plusieurs personnes qui l'entouraient. C'était la gloire enfin, mais non sans lendemain moins drôle. Lorsque le buste fut terminé, coulé en bronze et qu'il voulut se faire payer, ce fut autre chose. Il a été en cour et a perdu le tout : son procès, les frais du buste et le fruit de son travail. Ce buste d'ailleurs (était) tellement mauvais. Malgré la bêtise du comité d'avoir choisi Maupas, ils ont fini par être plus malins que lui et l'ont roulé. Ce fut le dernier morceau de sculpture que fit Maupas et soyez certain que l'art n'en souffre pas du tout.

Charles De Belle
1873-1939

*Né en Hongrie de père français et de mère hongroise,
Charles De Belle quitte son pays natal à douze ans pour habiter
chez une tante à Anvers, en Belgique. C'est là qu'il découvre
le dessin et la peinture. En 1889, il poursuit ses études à Paris
auprès du peintre hongrois Munkaczy. Il s'établit à Londres
à l'âge de vingt ans ; commence alors pour lui une carrière où
alternent les périodes fastes et les périodes de dénuement. Après
un séjour de dix-huit ans à Londres, il immigre au Canada en
1911. Célèbre pour ses pastels, Charles De Belle expose chez
Scott, Watson, Johnson, Jacoby, Eaton, à l'Art Association
et chez de riches particuliers. (ARCA 1919)*

Cet artiste que ses admirateurs ont appelé le
peintre-poète[1] (l'est) en effet par ses tons de gris, de
jaune, de bleu, de vert, mais tout ça estompé avec des
contours imprécis où la forme indécise, qui n'est pas
vraiment une forme, vient tellement en contradiction
avec les traditions de la peinture. L'on ne saurait
trouver d'où vient la lumière, et en plus, l'absence de
dessin, car sans doute, si De Belle avait dessiné, fait
des contours précis, il n'aurait pas obtenu les effets
poétiques proclamés par ses admirateurs. Et nous
croyons fort que le peintre De Belle ne pourrait pas
faire autrement, même sorti de ses pastels de petite
dimension. Lorsqu'il a voulu peindre un portrait, une
figure grandeur nature, De Belle reste un peintre des
plus ordinaires. Ce qui l'a amené à faire trop de ces
pastels d'enfants, de bébés, de petites figures de
femme, avec toujours le même (   ) et trop souvent
le contour si peu indiqué que l'on ne saurait

[1]. Allusion au
qualificatif qu'Albert
Laberge a donné au
peintre et qu'il a repris
dans le titre de sa
monographie, *Charles
De Belle, peintre-poète.*

145

comprendre leur mouvement qu'il n'a peut-être pas compris lui-même. Alors ses effets poétiques obtenus par des truchements diminuent beaucoup la valeur de son art pour ceux qui préfèrent des contours et une forme plus définis.

De Belle, à un moment donné, a eu une assez grande vogue. De nombreuses familles anglaises plutôt riches l'ont encouragé, ont acheté de ses pastels mais comme ses pastels (ne) peuvent supporter qu'un voisinage pâle, il est à craindre qu'ils sont plutôt faits pour des chambres de jeunes filles.

Ce peintre-poète, toujours comme disent ses admirateurs, a certainement une mentalité de poète dont la tête (n') est sur les épaules que pour trouver parfois un beau vers, mais en dehors, il n'a aucun sens pratique. Que dites-vous de De Belle tirant le diable par la queue et élève une grosse famille[2]? Un jour, dans un moment de misère où il n'avait pas de pain, les artistes lui souscrivent une somme de $ 600.00 pour lui venir en aide, lui donner le nécessaire. De Belle va avec cette somme acheter un diamant chez un gros bijoutier pour offrir ce bijou à Madame Charles De Belle. Il y a là certainement un désintéressement des choses utiles de la terre qui est bien la mentalité de l'artiste, mais combien tout de même exagéré[3]. Et à côté de ça, il y a des moments où il ne pèche pas par sa trop grande sobriété qui l'éloigne alors de la distinction de l'artiste. Tout de même, avec tous ses défauts, il faut avouer qu'il fut un bel artiste.

2. Il avait sept enfants.

3. Albert Laberge rapporte plusieurs anecdotes de ce genre.

William Henry Clapp
1879-1954

*Né à Montréal de parents américains, William H.
Clapp étudie avec Brymner de 1900 à 1904. Il passe ensuite
quatre ans à Paris où il fréquente l'Académie Julian, Colarossi
et La Grande Chaumière. À son retour en 1908, il remporte
le prix Jessie Dow pour une peinture intitulée* Le jardin espagnol *qui illustre bien l'influence de l'impressionnisme et
surtout du pointillisme.*

*En 1915, il peint deux ans à Cuba avant de s'installer
définitivement à Oakland, en Californie. Conservateur du
Musée d'Oakland, il dirige également une école d'art qu'il a
fondée. Par ailleurs, il est membre de la Society of Six, groupe
de peintres qui diffusera le Post-impressionnisme aux États-
Unis. Le Musée des beaux-arts du Canada possède plusieurs
œuvres de Clapp. (ARCA 1911-1919)*

Ce peintre a préféré se déraciner de son pays
natal en s'éloignant vers les pays aux ciels bleus verdâtres, à Los Angeles quelque part par là, je ne sais
pas[1], trouvant peut-être le sol natal ingrat aux artistes
ou n'ayant pas le bon goût de (le) trouver beau et de
faire sa vie ici.

Ayant étudié en France, à son retour ici, on sent
qu'il est attiré par ses peintures qu'il fit ici avec ses
tons où la lumière enrichit les tons de la nature par
des couleurs vives; dans son ensemble, (sa peinture)
avec une belle pâte a des effets d'une belle richesse.

Il a fait des paysages, des figures, et toujours
avec la même richesse qui faisait de lui un beau coloriste mais aussi un coloriste aux tons criards qui

1. Dans un premier
temps, Laliberté avait
écrit «en Floride ou au
Mexique, quelque part
par là», puis, il a rayé
Floride et Mexique et
a écrit dans la marge,
«ou plutôt à Los
Angeles.»

s'éloignent tout à fait des grisailles distinguées de certains peintres beaucoup plus grands par le style et la distinction. Il y a là question de tempérament mais tout différent.

William Clapp, *La moisson*. (Musée du Québec)

Arthur Rozaire
1879-1922

Le paysagiste Arthur Rozaire est né à Montréal. Il y suit des cours au Conseil des arts et manufactures et à l'Art Association avec Brymner et Cullen. L'influence de ce dernier semble avoir été prédominante. Il se fixe à Los Angeles en 1917 mais continue d'envoyer des tableaux aux expositions de Montréal. Il meurt en 1922 à l'âge de 43 ans. On trouve de ses œuvres dans la plupart des musées canadiens. (ARCA 1914)

Celui-ci, un adorateur du soleil comme son compatriote Clapp, s'est éloigné de son pays natal pour les mêmes causes que ce dernier (ne) se trouvant (pas) suffisamment appréciés pour faire leur vie ici. Ce peintre avait à peu près le talent de coloriste de son copain Clapp.

Rozaire fit surtout des paysages où parfois dans ce paysage riche de lumière — il faut s'entendre, la lumière que les peintres mettaient à ce moment-là — parfois, il y plaçait une figure comme tache pour balancer la composition. Mort là-bas, plutôt jeune, en Californie.

John Young Johnstone
1887-1930

Natif de Montréal, John Johnstone étudie d'abord avec William Brymner avant de poursuivre sa formation à Paris, à l'Académie de la Grande Chaumière où ses maîtres sont Pau, Castelruche, Simon et Ménard. Johnstone se serait installé à Cuba quelques mois avant sa mort en 1930.

Fidèle exposant aux Salons de l'Art Association et de la Royal Canadian Academy, Johnstone est représenté dans plusieurs collections publiques au Canada. (ARCA 1920).

Ce peintre d'origine irlandaise très prononcée avait du talent. Ses paysages et ses petites maisons peints la première (partie de sa vie) et dans les bons moments de cette partie de sa vie, nous promettaient des choses d'un beau peintre. Mais hélas, le goût qu'il avait de noyer ses chagrins à l'aide d'un liquide trop fort qui fait perdre la raison, l'a habitué à se noyer l'esprit et la santé trop souvent. Lorsque sa mère était malade, son amour filial pour sa mère lui était un prétexte et lorsqu'elle fut morte, son chagrin de l'avoir perdue lui était encore un prétexte. Enfin on peut dire qu'il a avancé sa fin de tout par ses bêtises car il s'est attiré, paraît-il, un coup de poignard dans le dos. Il avait laissé Montréal car, à cause de son caractère aigri par ses bêtises encore, il était arrivé à détester presque tous les artistes et aussi personne ne recherchait ce peintre échauffé par l'alcool. Il parlait presque toujours de se battre et il en voulait davantage aux Anglais.

Alors ses beaux moments comme peintre furent assez courts. (C'est) la raison pourquoi il a fait peu en proportion de son beau talent au début.

Georges Delfosse
1869-1939

Originaire de Mascouche, Georges Delfosse arrive à Montréal avec sa famille à l'âge de douze ans. Son talent précoce pour le dessin incite ses parents à lui faire suivre des leçons de l'abbé Chabert. Il étudie également avec Brymner et Dyonnet. Ses premières commandes datent de 1885 et dès 1888, il expose à l'Art Association. Peintre religieux au début de sa carrière, il participe à la décoration de la cathédrale Marie Reine-du-Monde et des églises de Saint-Félix de Valois, de Saint-Henri de Mascouche et du Sault-au-Récollet. Il gagne aussi sa vie comme portraitiste avant de devenir «le peintre du Vieux Montréal». En 1908, il épouse la fille du compositeur Alexis Contant et part pour la France. Il travaille à l'atelier de Bonnat et également avec le peintre Harlamoff. En 1914, il entreprend un second séjour en Europe que la guerre écourte.

Delfosse avait une égale maîtrise du crayon, du pastel et de l'huile. Il a laissé une œuvre considérable dispersée tant dans les collections privées que dans bon nombre de musées.

Ce peintre commença par avoir du mérite et ensuite (par) acquérir de la vogue, de la valeur surtout chez le clergé dont il exécuta beaucoup de travaux pour eux, pour décorer leurs églises. Ensuite est venue la Dépression qui empêcha le clergé de faire des dépenses en plus du juste nécessaire. Et là est venue aussi la dépression chez notre ami Delfosse qui fut plutôt dramatique pour la fin de sa vie[1].

J'ai parlé au début de son mérite. En effet, Delfosse déjà rendu dans sa pleine jeunesse, sans ressource, s'improvise peintre avec succès et fait face à des obligations de famille dont il était le soutien. Il est

1. En 1932, il eut un accident de voiture et, à partir de 1936, la paralysie le gagne progressivement.

151

vrai qu'il avait parmi ses parents une famille très bien et en relation avec la haute société, et les politiciens influents ne sont pas sans lui avoir aidé dans la marche vers la renommée et (avoir été) d'un grand secours du côté des recommandations chez les politiciens, comme ceux des grandes institutions[2]. Aussi, il fit plusieurs portraits à la satisfaction des intéressés qui le payaient. Bien entendu que si ses (portraits) avaient eu peut-être une plus grande valeur artistique, ces bonnes gens qui les donnaient à faire n'auraient peut-être pas été aussi satisfaits, car nous ne sommes pas certains que ces bonnes gens avaient vraiment du goût, des connaissances dans l'art de la peinture, et c'est là où il est permis d'en douter[3].

Delfosse avait des qualités comme peintre mais il avait encore de plus grands défauts qui tenaient à son esprit, à sa mentalité, à sa compréhension des choses qui dénotait de lui un esprit des plus ouverts à la compréhension des choses de l'art. Charmant homme dans la force du mot, une belle honnêteté d'artiste à tout point de vue, mais pas du tout original, trop correct; (il lui) manque trop de souplesse pour faire un grand artiste. Un homme peut bien avoir tous les défauts du monde, s'il a le génie de l'art, nous n'aurions rien à lui reprocher du côté de ses œuvres. Mais ceci n'est pas le cas de Delfosse. Alors il faut le traiter comme un homme ordinaire que ses défauts, ses qualités, la valeur de ses œuvres restent toujours dans la moyenne des peintres. Lui avoir donné un conseil en disant: «Faites donc un peu moins sale votre peinture, elle y gagnerait énormément.» Lorsque je parle ici des conseils que Delfosse n'aurait probablement pas acceptés, je fais allusion à sa prétention peut-être aveugle. Et voici un fait qui le prouve: lors d'un voyage qu'il fit à Paris, à son retour il déclare qu'après avoir vu les peintures de là-bas, il avoue que sa peinture est aussi bien que celles qu'il a vues là-bas. Voilà pour le moins une faiblesse chez lui.

Delfosse a fait avec assez de succès des vieilles maisons historiques de la province. On peut le

2. Allié aux familles Mount, d'origine écossaise, Munro et de Lotbinière-Harwood.

3. Olivier Maurault dans *Charles de Belle et Georges Delfosse* regrette que ce dernier ait tant travaillé sur commande, trop rapidement.

Georges Delfosse, *Musique de chambre*. (Photo A. Kilbertus. Collection
Galerie Bernard Desroches)

compter pour le peintre des vieilles choses de la province.

Il a fait des portraits, nous avons dit plus haut, et à ajouter à cela, quelques figures drapées souvent moins heureuses. Et en homme trop honnête pour voir des audaces qui touchent la moralité, et dans sa naïveté, il n'a rien vu de mauvais dans le portrait en pied de Madame Delfosse debout qui semblait nous dire : «Me voilà, prenez-moi donc.» Ou alors la jeune fille en chemise de nuit, les jambes écartées, assise en face de la cheminée dont les flammes brûlent le combustible en même temps que le désir d'amour, de la chair, la jeune femme tenant dans (sa main) le billet doux de son amant. J'ai déjà cité deux autres cas comme ça où l'honnêteté complice avec la naïveté leur ont fait faire des choses plus suggestives et qui écrasent le côté, annulent le côté art.

La plus belle chose religieuse que j'ai vue de Delfosse est aux Incurables[4], mais sans jeu de mots, là je ne ris pas. Car le peintre qui a peint ça connaissait son métier. C'est une belle chose. Malgré tout il faut reconnaître sa valeur et c'est tout pour lui.

4. L'hôpital des Incurables, dirigé par les sœurs de la Providence, a été détruit par un incendie en 1923. La peinture de Delfosse, *Notre-Dame des Sept-Douleurs*, se trouve aujourd'hui dans la chapelle de l'hôpital du Sacré-Cœur, à Montréal.

Jean-Baptiste Lagacé
1868-1946

Jean-Baptiste Lagacé, après avoir suivi des cours avec Dyonnet, s'engage dans l'art de l'illustration. Au tournant du siècle, il est l'un des illustrateurs attitrés de la Revue Canadienne. *En 1919, il expose des pastels et des aquarelles à la Bibliothèque Saint-Sulpice. Professeur, conférencier, historien de l'art, Lagacé, animé d'un sentiment patriotique et préoccupé d'éducation populaire, est le président du Comité chargé d'ériger à Carillon et au Parc Lafontaine, les deux monuments commémoratifs à Dollard des Ormeaux qu'Alfred Laliberté réalisera en 1920. De plus, il conçoit chaque année, les chars allégoriques des défilés du 24 juin.*

Le notaire Victor Morin, le journaliste Émile Vaillancourt, Alfred Laliberté et Jean-Baptiste Lagacé sont à l'origine du groupe La Rosse-qui-dételle *qui se réunit à partir de 1923.*

1. Il a fait ses études au Collège Sainte-Marie et a obtenu une maîtrise ès arts de l'Université Laval et une licence ès lettres de l'Université de Montréal.

2. John Ruskin (1819-1900), critique d'art, sociologue et écrivain anglais. *Les peintres modernes* (1843-1860) et *Économie politique de l'art* (1857) ont eu un certain retentissement.

(Il a été) élevé et (a) grandi à l'ombre de l'église Notre-Dame recevant de son entourage une bonne éducation, instruction et principes qui le guidèrent durant toute sa vie[1]. Tout jeune déjà, il nourrissait des ambitions d'idéaliste, le goût de l'art. Il nous faudrait presque l'appeler le Ruskin canadien[2]. En effet, l'ami Lagacé a commencé jeune à prêcher le bon goût, à éveiller son entourage à observer les belles choses de la nature telles qu'un beau coucher de soleil, un bel arbre, un ruisseau, le bruit de l'eau coulant à travers les roches qui correspondaient à des sons musicaux. Avec une belle culture d'homme de lettres et un esprit que pourrait avoir un fils de Voltaire, en mieux les principes religieux, une imagination à remuer les idées à la pelle, dont les trois quarts ne sont pas réalisables et que lui-même ne ferait pas beaucoup d'effort pour réaliser, car le coup des lancer à ceux qui voulaient les entendre lui demandait moins de travail et d'effort que de les réaliser lui-même. C'est là où je lui (fais) un petit reproche, c'est qu'il en promet beaucoup plus qu'il a l'intention d'en faire. Pas très généreux (pour) un travail qui ne paie pas. C'est ce qui lui a fait dire un jour au sujet de dessins faits pour la Saint-Jean-Baptiste: «Le patriotisme, on me paiera pour me (le) faire dessiner.»

Je parlais plus (tôt) de ses ambitions de jeune. Un jour, en passant en face de l'Université de Montréal qui était l'Université Laval[3], il rêvait d'avoir un jour une chaire afin de mieux prêcher ses aspirations sur l'éducation de l'art du peuple canadien. Enfin, ce rêve, il l'a réalisé non pas qu'il a transformé et éduqué vraiment le peuple, mais il a vraiment contribué, poussé à la roue de la machine tellement lourde et encrassée qu'elle n'est pas encore (près) d'être rendue au-dessus de la montée de l'éducation de l'art. Tout de même, (nous) lui devons quelque chose, même pour le si petit succès obtenu.

Lagacé comme artiste, il a plutôt le goût que la force du métier. Il a suivi et reçu des leçons du professeur Dyonnet au Monument national sans avoir été un prodige comme élève. Il en a profité par après. Son œuvre la plus considérable est bien les dessins qu'il fait des chars allégoriques pour les processions de la Saint-Jean-Baptiste à tous les ans depuis longtemps. Il s'agit de dessins de vingt à trente chars tous les ans, qu'il fait très bien d'ailleurs et sa culture intellectuelle lui est (d') un grand secours[4].

Il fit aussi un vitrail pour l'église Notre-Dame à Montréal[5]. Lagacé, comme tant d'autres, il lui a fallu enseigner ici et là, faire des conférences sur l'art à plusieurs endroits, à l'Université, au Monument national, à l'École des Beaux-Arts de Montréal pendant plusieurs années, et par une injustice de la part du directeur et du secrétaire de la Province, il fut remplacé par une créature du directeur, un jeune. Ceci a bien affecté notre ami dans les premiers temps,

3. L'Université de Montréal était affiliée à l'Université Laval. Ce n'est qu'en 1919 que l'Université de Montréal est devenue une institution autonome.

4. À propos du défilé de 1928, on lit: «Les élégantes aquarelles des chars de Lagacé ont été publiées à de nombreuses reprises, avant et après le défilé, dans *La Presse*, le *Montreal Herald*, dans le programme souvenir qu'avait publié la Société Saint-Jean-Baptiste, dans le recueil publié à cette occasion par la Brasserie Dow et dans *L'oiseau bleu*, le magazine pour enfant de la Société Saint-Jean-Baptiste», *L'illustration de la chanson folklorique au Québec des origines à la bonne chanson*, Musée des beaux-arts de Montréal, 1980, p. 94.

5. Peints en camaïeu, les cartons des vitraux de l'église Notre-Dame, ont été exécutés par la maison Chigot, de Limoges.

mais il finit, je suppose, par oublier ce si peu récon-
fortant succès, car on l'avait en même temps (accusé
ou traité) de nullité, ce qui était une injure à lui
adresser comme récompense des services rendus à la
cause de l'art dans la province de Québec. Surtout
avec sa prétention en nous disant certainement trop
souvent qu'il est un homme cultivé et que les autres
ne le sont pas, ceci est un de ses défauts qui lui a
souvent joué des mauvais (tours), car des paroles de
ce genre sont souvent blessantes pour celui qui se voit
visé. Mais, avec ses petits défauts qui tiennent parfois
à la mentalité de femme, avec tout ça, il mérite toute
notre admiration et notre estime car il fut un honnête
homme sincère et un idéaliste distingué.

Charles Walter Simpson
1878-1942

C'est à l'Art Student League de New York que Charles W. Simpson va poursuivre sa formation après avoir étudié à Montréal auprès de Brymner, Dyonnet et Cullen. Comme illustrateur au Star, *il doit beaucoup à Henri Julien avec qui il travaille. En 1902-1903, il est illustrateur au* Halifax Chronicle. *Il expose des marines, des paysages et des dessins aux Salons de l'Art Association de 1909 à 1932 et à ceux de la Royal Canadian Academy de 1922 à 1935. Simpson a été peintre aux armées en 1914-1918.*

Old Montreal With Pen and Pencil *de Victor Morin et* The Spirit of Canada, *un luxueux album commandité par le Canadien Pacifique en 1939 à l'occasion de la visite royale, contribuent à sa réputation de même que la série de peintures de villes américaines exécutée entre 1928 et 1938 pour le* Ladies Home Journal. *(ARCA 1913, RCA 1920)*

Par la quantité de dessins, d'illustrations et de reconstitutions des places, des rues de Montréal et d'autres villes importantes du Canada, on pourrait classer cet artiste plutôt comme illustrateur.

Naturellement, il a aussi fait des figures mais surtout des figures drapées, mais elles ont toujours un caractère de décoration, d'illustration. Il va sans dire que c'est avec ses dessins, (ses) illustrations qu'il a gagné sa vie et aussi, il les fait bien. Nous sentons qu'il n'est pas à ses débuts; nous savons aussi qu'ils lui sont bien payés. Nous ne savons pas si nous devons le blâmer d'avoir fait si peu de peinture sérieuse, car il y a encore la lutte pour la vie qui est importante mais

qui empêche si souvent de belles choses de se produire. Simpson est trésorier du R.C.A. depuis
longtemps[1]. C'est déjà une preuve qu'il a une certaine
valeur et que surtout il sait diriger ses pas lorsqu'il
s'agit d'obtenir une gloriole ou une commande, chose
qui rapporte. Ceci diminue peut-être sa valeur car on
pourrait le croire plus homme d'affaires que grand
peintre, car de l'opinion de plusieurs artistes, il n'est
pas un bel artiste. Tant pis.

1. De 1922 à 1941.

Raoul Barré, À *«L'oiseau bleu»*. (Collection Atara et Murray Marmor)

Raoul Barré
1874-1932

Raoul Barré est né à Montréal. Il suit des cours de peinture sous la direction du Frère Hector, au Mont Saint-Louis. À l'âge de dix-sept ans, il part pour Paris et étudie à l'École des Beaux-Arts et à l'Académie Julian avec, entre autres, Jean-Paul Laurens. Dans le Registre des copistes au Louvre, on relève le nom de Raoul Barré en 1895, en 1903 et en 1908; il collabore aussi à de nombreux journaux humoristiques. Puis il s'installe à New York, où il vivra vingt-cinq ans se consacrant au dessin animé dont il est un pionnier. Raoul Barré signe également des bandes dessinées pour La Patrie, *intitulées* Les contes du Père Rhault. *Il revient à Montréal à la fin des années vingt, publie un album satirique* En roulant ma boule *(1927) et se remet à peindre. Il expose à l'Art Association de 1928 à 1931 et à la Royal Academy en 1929. Il est mort à Montréal à l'âge de cinquante-huit ans.*

Celui-ci a presque toujours (vécu) en dehors du pays. Je ne me souviens pas l'avoir rencontré. Cependant, je me souviens d'un beau portrait de femme exposé à l'Art Gallery, rue Sherbrooke[1].

Nous avons vu bien peu de ses choses ici à Montréal de sorte que peu le connaissent ou l'ont connu, car je ne sais pas s'il est encore vivant, malgré qu'il serait excessivement vieux s'il vivait encore.

1. Il s'agit probablement du portrait de Mme Elzéar Roy exposé à l'Art Association en 1929.

Edward Finlay Boyd
1878-1964

E.F. Boyd a fait carrière aux États-Unis, mais il est né à Montréal. En 1902, il s'inscrit à l'Académie Julian, dans l'atelier de Jean-Paul Laurens. Des voyages en Espagne, en Italie et en Afrique du Nord complètent sa formation. Après un séjour de quatre ans en Europe, il revient à Montréal et travaille au Montreal Star. *Ami de W.H. Clapp, il partage ses goûts de coloriste comme le révèlent les toiles qu'il expose. De 1912 à 1916, il habite New York où il enseigne à l'Academy of Industrial Art. En 1916, il rejoint un groupe d'artistes installé à Westport. À partir de 1922, et pendant vingt ans, il enseigne pendant l'année scolaire à New York et l'été en Nouvelle-Angleterre ou à Baie Saint-Paul où finalement il aura une maison. Avec René Richard, il parcourt la région qui lui inspire des huiles, des pastels et des aquarelles. En 1973 l'Université du Connecticut a présenté une rétrospective de ses œuvres.*

Celui-ci, un peintre, allait suivre les cours de dessin et de peinture au Conseil des arts et métiers sous la direction d'Edmond Dyonnet, en même temps que moi en 1897 et 1898. C'était, je me souviens bien, un grand garçon bien bâti et sympathique. Son talent n'avait rien d'extraordinaire, comme la moyenne des élèves à ces cours. Qu'est-il devenu depuis? Nous n'avons pas vu son nom depuis des années.

Il a passé à peu près inaperçu; c'est le sort de beaucoup. Beaucoup d'appelés, mais peu d'élus.

Henri Fabien
1878-1935

Henri Fabien étudie trois ans avec Brymner à Montréal avant de s'embarquer pour la France en 1899. Il fréquente les académies Colarossi et Julian où il s'inscrit dans les ateliers de Benjamin Constant et de Jean-Paul Laurens. Après un séjour en Bretagne, il revient au Canada en 1902. Il entre comme dessinateur à La Presse. *De 1905 à 1935, il est fonctionnaire aux Affaires indiennes à Ottawa. Il expose régulièrement aux Salons de Montréal et de Toronto. En outre, il donne des leçons de peinture et de sculpture et collabore au* Devoir.

C'est un peu en contradiction avec celui qui porta (ce nom) qui n'a pas toujours fait bien.

Fils de fabricant de glacières de Saint-Henri, (il) avait un père qui pouvait assez facilement lui payer les frais d'un voyage à Paris pour étudier la peinture[1]. Alors, Henri Fabien partit pour Paris avec sa belle barbe blonde, car à cette époque on portait encore la barbe celui qui en avait. Et ici, à Montréal, en parlant de Fabien, on disait «le second Raphaël». Je ne sais pourquoi, car le grand peintre de la Renaissance italienne ne portait pas de barbe, mais en revanche nous serions portés à croire qu'il avait beaucoup plus de talent. Et je peux avancer tout ça sans contredit, le temps est là pour le prouver qui l'a élu parmi les dieux de l'art. Donc, l'ami Fabien rendu à Paris avec sa barbe et son beau physique plein de jeunesse et de promesse pour les exploits de Cupidon. Et là, paraît-il, d'après les rapports des copains de son temps, il

1. Son père, C.P. Fabien a été maire de Sainte-Cunégonde pendant trois ans.

161

nous semble qu'il s'est plus occupé de Cupidon que de son art.

Au bout de quatre ans là-bas, le père commençant à se fatiguer de faire vivre son fils là-bas, lui demanda de revenir au Canada et ce fut un moment assez dramatique pour notre ami Fabien. Revenir au Canada, en somme, avec rien, ce n'était pas possible. Alors, il s'est (mis) à travailler de toutes ses forces, mais bien diminué au point de vue physique et si peu préparé au point de vue étude de son art.

Il va sans dire que l'exposition qu'il fit de ses œuvres à son retour à Montréal n'était pas bien fameuse. Alors la froideur de ses compatriotes pour l'encourager, se rendant bien compte du peu de valeur de Fabien, ne fut pas des plus roses pour lui. Mais méritait-il davantage lui à qui, jusqu'à ce moment-là tout lui était tombé du ciel? Il en avait abusé et ces abus-là se payent comme les autres. Changeant son fusil d'épaule, il se marie et obtient un poste de rond-de-cuir au Département indien à Ottawa[2]. Et là, il s'est mis à travailler la peinture, la sculpture et même l'architecture. Mais c'est la peinture qui l'intéressa le plus. Et en même temps, notre ami Fabien écrivait des articles, des critiques d'expositions d'art ici. Ceci lui permettait de talocher des artistes qui lui semblaient injustes et qui faisaient le beau temps et le mauvais temps à la Art Gallery, rue Sherbrooke à Montréal. Il commençait à chercher une personnalité et c'est dans ce chemin de ( ) qu'il a cherché longtemps sans rien trouver. Comme essai, il peignit un paysage où il voulut imiter la nature le plus exactement possible au point qu'un jour, un de ses paysages exposé à la Art Gallery, on trouva au bas de la toile cette carte disant: «Ne marchez pas sur le gazon.» Seulement, notre ami ne se découragea pas, il continua à peindre avec autant d'acharnement. Il faut lui rendre justice qu'il eut parfois de belles qualités de courage. Et si plus tard des assoiffés de l'École de la déformation ont essayé de (faire) tomber Fabien dans ses expositions, ils sont responsables pour une grande (part) de sa mort prématurée car, au moment où on

2. De 1905 à 1935, il a été traducteur.

a voulu le (faire) tomber, (il) faisait beaucoup mieux que les jeunes qui ont voulu le (faire) tomber ne feront jamais[3].

Fabien était un ami que j'estimais beaucoup et je le salue dans son œuvre car il avait aussi du courage en face parfois des injustices.

Dans sa meilleure époque de sa carrière d'artiste, Henri Fabien a fait des portraits, surtout son portrait (est) bien[4]; des figures drapées de jeunes filles, bien aussi. Mais il a peint bien davantage des danseuses dans tous les mouvements. Là je trouve qu'il en faisait peut-être de trop grandes dimensions pour l'intérêt qu'elles nous suscitaient. Là il a peut-être manqué de mesure en faisant beaucoup de frais pour exécuter les mêmes erreurs de ses danseuses[5].

3. Dans une lettre à Alfred Laliberté datée du 13 février 1935, Henri Fabien déplore la sévérité de la critique à son égard.

4. Le Centre de recherche en civilisation canadienne-française de l'Université d'Ottawa conserve deux autoportraits d'Henri Fabien: un de 1897 et l'autre de 1935.

5. La série des danseuses date des années trente.

William Edward Hunt
1891-1955

Né en Angleterre, il est arrivé au Canada dans sa jeunesse. D'après Albert Laberge, Hunt est journaliste, peintre et botaniste. Pendant plusieurs années, il est rédacteur au Witness, *journal protestant qui occupait une place importante parmi les journaux anglophones de Montréal. Il signe ses articles du pseudonyme de Kepell Strange et en 1916, il publie un recueil de vers et de poèmes en prose* Pœms and Pastels *chez William Briggs à Toronto. Il a exposé à l'Art Gallery ses sujets préférés : des fleurs et des paysages.*

Peintre de paysages d'automne qui se prêtent assez cependant à faire beau. Mais celui-ci n'est pas arrivé à dépasser la moyenne de beauté. D'ailleurs, nous n'avons jamais vu beaucoup de choses de lui. Il serait à croire, (vu) son absence dans les démonstrations d'art qu'il est mort depuis longtemps ou qu'il a changé de métier.

Joseph Charlebois
1872-1935

Fils de Charles-Théophile Charlebois qui avait décoré le vieil Hôtel de Ville de Montréal, Joseph Charlebois étudie à Montréal, à Paris et à New York. Illustrateur, caricaturiste et enlumineur, il collabore à La Presse *où il signe des caricactures sous le pseudonyme de Basili. Il publie des albums de caricatures et, en 1911, un album de dessins comiques :* La bêche ou les assimilateurs en action. *Il travaille dix ans à New York comme illustrateur pour la firme Hayes and Robinson.*

Cet enlumineur avait aussi un esprit et un jugement assez justes. Et comme ici le besoin pour l'enluminure se fait rarement sentir c'est seulement dans de rares circonstances, la visite d'un roi ou d'une reine[1], où quelques rares adresses enluminées forçaient notre ami Charlebois à travailler plus que ses dispositions au travail, car je crois connaître qu'il avait un assez bel esprit mais moins ardent pour le travail.

Si je ne me trompe, il fut au service de l'Hôtel de Ville de Montréal pour dessiner. Mais je ne sais trop ce qui lui est arrivé, il alla vivre plusieurs (années) aux États-Unis. Et là, il (fit) un second mariage malheureux et après beaucoup d'ennuis, il revint à Montréal et fut de nouveau professeur de lettrage au Conseil des arts, école préparatoire. Aujourd'hui mort depuis quelques années, relativement jeune.

Un de ses fils[2] (a connu) le succès assez avantageusement je crois, car le père n'a pas fait grand chose dans sa vie.

1. Entres autres, l'adresse à Edouard VII (1902), à Georges V (1911) au Prince de Galles (1919) à la reine Mary (1935).

2. Roland Hérard Charlebois a été directeur de l'École des Beaux-Arts de Montréal, de 1945 à sa mort en 1957.

Henri Richard
1879-1938

On sait peu de choses de la formation artistique et de la carrière d'Henri Richard si ce n'est qu'il occupe pendant quelques années l'ancien atelier de Georges Delfosse. Il traverse péniblement les années de la Crise et meurt dans le dénuement en 1938.

Dans un article du Petit Journal *du 3 novembre 1963, Émile Falardeau énumère une soixantaine de noms de personnes, membres du clergé, professionnels, hommes politiques, hommes d'affaires qui auraient acheté des toiles de Richard.*

Photographe de son métier en premier lieu mais sa grande ardeur (était) de ne rien faire. Parfois les clients étant venus se faire photographier désiraient ensuite recevoir les épreuves au plus tôt, c'est ce qui forçait Monsieur Henri Richard de travailler plus et plus vite qu'à son goût.

Un jour, il abandonne le métier de photographe pour faire de la peinture. Enfin là il pouvait travailler quand il serait bien disposé et, bien entendu, quand l'inspiration le commanderait. Mais comme ces inspirations-là viennent bien rarement chez le paresseux de nature, notre peintre jouissait des délices des grands philosophes à sa façon qui sont satisfaits pourvu qu'ils ne bougent pas. Heureusement pour lui encore qu'il avait l'appui de sa mère qui ne s'est probablement jamais vantée d'(avoir) donné naissance à un fils qui fût si inutile sur la terre. Il y avait une exaltation chez lui qui le rendait encore assez sympathique. Il y avait là le côté acteur dans la manière de déclarer des amitiés sincères d'après lui, à votre deuxième rencontre avec lui, avec des accents d'acteur.

Nous ne sommes pas bien certains si son esprit était bien équilibré. Il est vrai que s'il avait été un grand peintre, l'on dirait, c'est un grand artiste, donc son esprit doit être ce qu'il faut. Un jour il me disait: «Moi, je n'ai pas de richesse; mon capital, ce sont mes amis.» Je trouve que son capital était bien douteux comme base financière. En plus, nous croyons qu'il exagérait beaucoup le nombre de ses amis et c'est par l'influence de ses nombreux amis qu'il s'appuyait pour décrocher les nombreuses commandes qui n'ont toujours existé que dans son imagination. Toujours bien mis, on aurait dit un seigneur riche dont l'affectation de ses paroles nous faisait penser à une époque française où la galanterie ou les protestations d'amitié ou d'amour nous paraîtraient aujourd'hui bien fausses.

À certain point de vue, il avait son originalité en plus (d'être) un charmant homme; malgré tout, il avait une mentalité d'artiste qu'il faut lui concéder, et s'il n'a produit rien qui vaille, c'est bien dû à sa paresse. Car en art, comme en toutes choses, il faut au moins quatre-vingt pour cent de travail, il reste vingt pour cent pour le talent mais n'étant pas développé par le travail, il reste presque nul. Et voilà pour notre ami Richard.

J.C. Nuckle

Le nom de J.C. Nuckle figure au catalogue du Premier Salon de la peinture et de la sculpture, au Club Saint-Denis en 1911. On croit qu'il aurait passé une partie de sa vie aux États-Unis, probablement dans la région de Boston.

Celui-ci malgré la consonance anglaise de son nom, sa mentalité, son langage étaient tout à fait canadiens-français. Au point de vue peintre, je le classerais tout de même au-dessus d'Henri Richard malgré que la différence n'est pas grande. Celui-ci, un bohème aussi, peut-être plus que l'autre, mais un bohème qui n'a jamais été gâté par, je suppose, aucun des bonheurs de la terre. Bon type mais n'ayant pas la souplesse de faire les frais de nous attirer vers lui comme amitié. Il va sans (dire) qu'il avait peu d'admirateurs, pas davantage car la fortune, la réputation jouent toujours un grand rôle pour attirer les admirateurs et les admiratrices. Car son aspect physique et sa tenue ne réflétaient pas la fortune chez Nuckle. Ses qualités, ses défauts: des qualités comme homme et peintre il en avait mais surtout comme peintre, pas assez, et des défauts, pas assez non plus pour faire un peintre original et intéressant. L'ardeur au travail, pas assez, l'imagination, pas assez non plus.

Nuckle a été étudié à Paris mais là comme ailleurs, ils ne peuvent donner du talent, du tempérament à celui qui n'en a pas. Supposons que cet artiste en a eu un peu, le pourcentage n'a pas été fait; alors le peu de sel mis dans la soupe pour lui donner du goût n'a pas eu d'effet. Nuckle est mort jeune, dans la cinquantaine par là. C'est curieux comme ces gens qui ont peu produit, qui ont peu travaillé meurent plutôt plus jeunes que les autres. C'est donc prouvé que le travail seul n'use pas la santé et souvent la maintient.

Edgar Contant
1883-1944

Edgar Contant travaille avec Horne Russell et Ludger Larose puis avec Charles Maillard quand il fréquente l'École des Beaux-Arts. Collaborateur de son beau-frère, Georges Delfosse, il a surtout fait du portrait. Il expose à l'occasion à l'Art Association et à la Royal Canadian Academy. En 1930, il participe à l'exposition organisée par la Canadian Steamship Lines.

1. Alexis Contant (1858-1918), compositeur et organiste aux trois églises Saint-Jean-Baptiste de Montréal, de 1874 à 1898, de 1903 à 1911, et à l'église actuelle de 1915 à 1918. Edgar était l'aîné de ses sept enfants.

2. Il a joué avec J.J. Gagné et a fait du violoncelle les dix dernières années de sa vie. Il a été l'ami de musiciens comme le violoncelliste Gustave Labelle et le compositeur Guillaume Couture.

Fils du musicien et compositeur Alexis Contant[1], on peut dire qu'il est né d'une famille d'artistes. Lui-même est un grand admirateur de musique et souvent, pour se reposer, il joue du violoncelle[2].

Edgar a en effet la mentalité de l'artiste et l'amour de la peinture. Il lui (suffit) d'avoir un petit succès en peinture ou financier pour qu'il nourrisse tout de suite dans son imagination des projets merveilleux qu'il ne réalisera jamais d'ailleurs, car son manque de mesure l'empêche de voir les choses qui sont réalisables et celles qui ne le sont pas. S'il est riche la veille dans son imagination, il devient pauvre le lendemain en face de la réalité.

Pour concevoir et réaliser de belles choses en peinture, il sait bien manier la couleur, je parle de méthodes qui sont tout à fait du métier, il lui manque de (voir) juste dans les proportions, dans les formes. Il a longtemps suivi et reçu des leçons de bons peintres, mais on n'a pu lui apprendre ce que son manque de talent l'empêchera toujours de savoir, et son cerveau n'a pas la souplesse pour le diriger et lui (faire) comprendre les envolées de l'art. Son esprit ne va pas plus loin que les choses qu'il finit par apprendre.

Edgar Contant avait probablement un idéal de faire de belles choses dans la vie, mais il s'est (coupé) pour ça presque tous moyens en se créant lui-même jeune des obligations qui lui ont de bonne heure coupé les ailes. Obligé de bonne heure à faire de la sollicitation pour gagner sa vie et celle de sa famille[3]. Et voilà le charmant homme qu'est Edgar Contant aux prises avec la lutte pour la vie et probablement jusqu'à la mort maintenant.

Si l'ami Edgar que j'estime n'avait pas un si bon caractère, je dirais (que) sa vie est un drame, mais non, c'est une nature soumise à tout ce qui peut arriver.

3. Il était vendeur en papeterie.

171

Paul A. Caron
1874-1941

Paul A. Caron reçoit sa formation avec Brymner, Dyonnet et Cullen. Il est dessinateur à La Presse *de 1897 à 1908, par la suite, il y reste comme pigiste. En 1903, il participe à la Première exposition annuelle des dessinateurs et caricaturistes canadiens. Au fil des années, il devient le peintre par excellence des scènes de rue, des vieilles maisons et des paysages du Québec. En 1931 et en 1936, il remporte le Prix Jessie Dow pour ses aquarelles qui sont très recherchées des collectionneurs. Il expose régulièrement pendant trente ans et ses œuvres se retrouvent dans les collections publiques du Canada. (ARCA 1939)*

Son nom est bien canadien-français, mais je crois qu'il a vécu assez longtemps avec l'élément anglais pour avoir imprimé quelque chose d'assez marqué dans son langage, sa mentalité et son allure[1]. Cependant il reste toujours un grand amoureux des choses de la campagne du Québec. C'est là qu'il prend tous ses sujets, des scènes d'hiver, mais il a surtout fait et abuse du sujet (du) cheval attelé à un berlot à la porte d'un magasin ou d'une auberge, avec une couverture rouge sur le dos du cheval. Tout ça est vrai mais ce que je trouve moins vrai, ce sont parfois ses ciels qui ne sont pas des ciels canadiens, en suivant un autre peintre canadien qui abuse lui aussi des chevaux attelés à un voyage de billots ou de bois de chauffage, et ses ciels, toujours les mêmes bleus verdâtres avec un petit nuage jaune au centre, tout ça est faux[2]. Et bien Paul Caron semble abuser du même moyen de plaire aux acheteurs afin de

1. Il a fait ses études au Lower Canada College.

2. Voir A.S. Coburn.

172

vendre, aussi il vend. Ces sujets lui rapportent tout son pain; il les fait bien et il en a tant fait qu'il (peut) peut-être les faire les yeux fermés.

La lutte pour la vie est peut-être encore là pour pousser un artiste à faire des choses moins sérieuses qu'il pourrait faire probablement. Paul reste quand même un peintre habile et sensible qui le classe parmi les bons peintres mais pas plus[3].

3. Cette dernière phrase a été rajoutée par la suite.

Frederick Simpson Coburn
1871-1960

Coburn est né à Upper Melbourne dans les Cantons de l'Est. Comme la majorité de ses contemporains, il commence par suivre des cours du Conseil des arts et manufactures. Il fréquente la Carl Hecker School of Art de New York avant de poursuivre sa formation en Europe, à Berlin en 1891, à l'École des Beaux-Arts de Paris en 1892, et à Anvers où il étudie avec Julian de Vriendt et habite pendant vingt ans. Il revient toutefois fréquemment au Canada et il a un atelier à Montréal en 1916. En plus d'être peintre, Coburn est illustrateur. Pour la maison Putnam de New York, il illustre les œuvres de Dickens, de Tennyson, de Pœ ainsi que sept livres du Dr. W. H. Drummond, dont The Habitant *qui connaîtra beaucoup de succès. (ARCA 1921, RCA 1928)*

Ce charmant homme qui cause français aussi bien que la plupart de nous Canadiens-français a dû vivre assez longtemps en France. Je crois même qu'il a marié une Française[1]. Il a commencé sa carrière d'artiste par faire des scènes d'intérieur de la campagne du Québec. Il a même illustré de ses scènes dans des livres[2].

Plus tard, il s'est mis à faire des choses de la campagne, mais des scènes d'hiver, des voyages de billots traînés par deux chevaux, un blanc et un rouge, au milieu d'un beau paysage de neige où l'on voit des sapins, parfois des érables avec un beau ciel bleu verdâtre et un petit nuage au centre. Une année, il met le rouge à droite et une autre année, à gauche. L'ami Coburn changeait la couleur de ses chevaux je suppose pour pas qu'on l'accuse de toujours présenter

1. Coburn a épousé Malvina Scheepers, peintre d'origine belge.

2. En plus des livres de W.H. Drummond, il a illustré, *Noël au Canada français* de Louis Fréchette.

Frederick -S. Coburn, *Symphonie d'hiver*. (Musée du Québec)

la même toile au Salon. En cela, il commettait une erreur car un habitant de la campagne qui (connaît) le caractère des chevaux vous dira qu'un cheval dompté pour aller à droite ne va pas à gauche ensuite. Au point de vue de peinture, ceci n'enlève pas la beauté des tons, de la couleur, mais au point de vue vérité, ça n'y est pas.

Comme son copain Caron[3], parce que ses scènes se vendaient bien, il en a abusé tellement que les juges appelés à refuser ou à accepter les peintures qui se présentent à la Art Gallery ont déjà menacé de refuser les toiles de notre ami Coburn s'il ne changeait pas de sujet. Il en a fait, il en a fait de ces «times» de chevaux à charroyer le bois, il en a fait trop. Tout de même, un beau paysage de Coburn, c'est beau, c'est bien fait, c'est reposant, avec sa pâte assez riche et belle, mais lorsque vous en avez vu deux ou trois, vous avez vu tous les autres.

Assurément, cette répétition diminue beaucoup la valeur des paysages. Alors, avant qu'il ne soit trop tard, il changea son fusil d'épaule et dans des circonstances curieuses, juste après la mort de sa femme[4], il s'est mis à peindre des figures (de) femmes drapées et parfois nues; elles sont bien exécutées d'ailleurs comme tout ce que fait Coburn. On peut y trouver quelques faiblesses de proportion et de valeur, mais dans l'ensemble, elles ne sont pas mal et même bien. En somme, Coburn avec ses répétitions, ses faiblesses reste encore un bel artiste, un beau peintre.

3. Voir Paul Caron.

4. En 1956.

Émile Vézina
1876-1942

Natif du Cap Saint-Ignace, Émile Vézina étudie à Sainte-Anne-de-la-Pocatière. À la mort de sa mère, un oncle l'emmène vivre en Illinois, ce qui lui permet d'étudier à l'Art Institute de Chicago, de 1891 à 1895. Vers 1900, il s'installe à Montréal dans un atelier qui deviendra L'Arche, *lieu de ralliement des jeunes peintres et écrivains. Il travaille comme caricaturiste et publie ses dessins dans* Le journal, Le Nationaliste *et* L'Action.

À la mort de son père, un héritage lui permet de faire un long voyage en Europe et en Afrique du Nord. Il en rapporte de nombreux dessins, portraits et paysages. Il publie un recueil de caricatures, L'éclat de rire *et aussi des poèmes. En 1918, il reçoit un second héritage et fait un second voyage. Il poursuit sa carrière de peintre et expose à l'occasion. Des revers de fortune assombrissent la fin de sa vie et il meurt dans le dénuement.*

Voilà un type d'artiste aux gestes et aux accents de femme assez curieux. Je dirai peut-être plus bas des faits assez drôles dont je fus témoin. Pour le moment, parlons de la valeur du peintre. Car en effet, Emile Vézina a essayé de faire plusieurs ( ) dans le domaine de l'intellectuel[1]. Il a fait des vers sur la Grèce très bien[2]. Il a écrit des articles de critique d'art assez bien, même bien tapés. Il a fait des petits bustes tel que celui d'Henri Bourassa par exemple moins bien. La peinture est l'art peut-être de sa prédilection, du moins, il en a fait bien davantage et parfois de grande dimension, des portraits, des peintures religieuses. Mais il (lui) manque toujours la force du mâle. Il est très renseigné car il a voyagé pour se

1. Le fonds Vézina conservé au Centre de recherche en civilisation canadienne-française comprend, entre autres, un brouillon de pièce de théâtre et des poèmes.

2. *Le Parthénon*.

renseigner. Il est bien dommage que sa culture intellectuelle ne lui profite pas davantage car Vézina a toujours tiré le diable par la queue pour vivre[3]. C'est un dilettante, un bohème dont la tenue (est) tellement négligée qu'(elle) en fait un type malpropre et probablement le plus grand bohème du Canada chez les artistes. On me dira que ses moyens ne lui permettent pas d'être mieux comme tenue, nous pourrions répondre non, c'est dans sa nature d'être comme ça. C'est un gueux, un fils de Voltaire fielleux. Mais s'il possédait du génie, tout ça n'aurait pas d'importance car l'humanité profiterait de la beauté de ses œuvres. Car une grande personnalité a toujours un autre côté de la médaille moins beau; l'une ne va pas sans l'autre, paraît-il. Malheureusement, ce n'est pas le cas de Vézina qui a peut-être des défauts sans avoir le génie.

J'arrive maintenant au fait mentionné plus haut. Un jour, Vézina arrive au studio de Suzor-Côté et j'étais là. Nous (nous) préparions tous les deux pour revenir au Canada[4]. Vézina était venu en France pour visiter les endroits où avaient vécu les grands écrivains français tels que Flaubert et autres de même valeur, et il avait fini sa randonnée; il se préparait lui aussi pour revenir au Canada. Quand il apprit notre départ à nous aussi, nous nous sommes entendus pour faire la traversée sur le même bateau. Alors, dans ce bateau aux cabines à quatre lits, Suzor prit le lit du bas d'un côté et moi, le lit du haut du même côté; le lit du bas de l'autre côté était pour mettre nos frusques et la guitare de Suzor; et l'ami Vézina, le lit du haut du même côté. Durant la traversée, il nous amusait avec ses gestes de femme, le matin assis sur le bord du lit avec les yeux tournés à l'envers. Alors il nous disait: «Mais c'est effrayant comme ça dure longtemps», avec son geste de femme qui veut donner une petite tape. Tout ça, ça pouvait encore aller. L'ami Vézina est descendu à Québec pour aller (voir) son père, en bas de Québec. Et nous, rendus à Montréal, c'est là où la surprise nous attendait. Cet ami Vézina avait fait pipi dans le lit tout le long de la traversée et son liquide (   ) avait coulé, il va sans

3. Ses tentatives dans l'immeuble ont été désastreuses.

4. En 1907.

177

dire, sur le lit du bas. L'on trouva la guitare de Suzor toute décollée avec une senteur repoussante. Ce fut presqu'un drame pour Suzor voyant sa guitare qui avait servi à tant d'ouvertures, à des préparations de moments d'amour. Voyez la grande déception pour lui. Vézina était loin de soupçonner d'avoir fait tant de tort à l'ami Suzor.

Joseph Jutras
1894-1972

Originaire de Montréal, Joseph Jutras suit des cours au Monument national à partir de 1915. Il étudie le dessin avec Joseph Saint-Charles, le modelage avec Henri Hébert et pendant trois ans, avec Elzéar Soucy.

Étalagiste, commis voyageur, fabricant de parfum pendant neuf ans, il ne peut guère se consacrer à la peinture qu'à ses moments de loisirs, comme il l'écrit lui-même. Il se joint alors aux peintres de la Montée Saint-Michel auquel son nom est désormais associé. Il écrit des notes sur ce groupe, des articles sur des peintres, dont René Béliveau, et une biographie inédite d'Emile Vézina. «À 78 ans, écrit-il en 1972, je peins avec le même enthousiasme qu'à 20 ans.» Il a surtout fait du paysage à l'huile et au pastel.

Sans doute cet artiste a commencé et essayé de faire de l'art avec l'idéal et l'espoir de faire de belles choses durant sa vie, mais il a dû être déçu comme celui dont le malheureux réveil l'empêche de continuer son rêve. Oui, Jutras (a) fait quelques efforts pour (au) moins être reçu, accepté à exposer ses œuvres, si l'on peut appeler ça des œuvres, mais (il a) toujours été repoussé par un jury sans pitié pour les choses médiocres. Leur raison est que pour maintenir un niveau d'art à ces expositions, il faut choisir les meilleures et refuser les mauvaises. C'est ce qui a fait mettre notre ami Jutras en colère un moment donné, en disant par la voix des journaux qu'il allait fonder un Salon des artistes indépendants, et nous n'en avons plus entendu parler. Sa colère s'est passée dans l'impossibilité d'exécuter son projet de

179

Salon d'indépendants en ne trouvant pas suffisamment d'artistes qui pouvaient le suivre, le seconder, presque tous (étant) sans initiative, sans argent, sans influence et va sans dire sans prestige.

Il faut avouer que la qualité des peintures de Jutras auraient bien été dans leur cadre dans un Salon d'indépendants, non par des audaces curieuses, au contraire, par le faible caractère, la faiblesse du dessin, la faiblesse de l'harmonie des couleurs, enfin, il manquait ce qu'il faut pour avoir une personnalité. Il a probablement fait de la peinture après, mais toujours sans succès artistique; peut-être en a-t-il retiré quelqu'argent?

Alors déçu du résultat de sa peinture, il entreprit de fabriquer des parfums[1] dont la marque était «Faites-moi rêver» et je ne suis pas certain que personne en ait rêvé tant que ça. Là encore, il a peut-être nourri des ambitions de faire beaucoup d'argent et là nous ne savons pas vraiment si notre ami Jutras négligeait de bien surveiller son affaire ou s'il avait à son service des employés moins intéressés à faire prospérer l'entreprise Jutras que de le pousser à la faillite[2]. Aussi, c'est ce qui est arrivé. Son parfum manquait de qualité pour se maintenir en vogue auprès du client. Sa carrière artistique ratée, sa carrière dans l'industrie, ratée aussi.

1. Il faisait dessiner ses étiquettes et sa publicité par Massicotte et avait aussi recours aux services de Duguay. «Cet après-midi, fini une annonce pour un nouveau parfum qu'un ami, J. Jutras, doit mettre en vente prochainement: *Parfum boule de neige.*» Rodolphe Duguay, *Carnets intimes* (1920) p. 99.

2. La Crise de 1929 mit fin à son entreprise.

Onésime-Aimé Léger
1881-1924

Onésime-Aimé Léger fréquente le Conseil des arts et manufactures avant d'étudier en Belgique, en 1904-1905. Dès 1908, il expose à l'Art Association et à partir de 1909, on le retrouve illustrateur à La Presse. *Il fait en outre du dessin commercial et de l'illustration de manuels scolaires. Léger appartient au groupe des Peintres de la Montée Saint-Michel.*

La peinture de Léger s'inspire d'événements tragiques de l'histoire ou traduit des états d'âme douloureux. Les titres de ses œuvres en témoignent : L'automne, La dernière étincelle, La vie est parsemée de ronces et d'épines, Sans asile, *etc.*

Ce petit bonhomme tout grêle avait du talent, du tempérament. Il fut mon élève en modelage au Conseil des arts et métiers. Étant donné sa corpulence si frêle, il ne pouvait pas avoir de force musculaire, mais il trouvait moyen d'y mettre de la couleur, de la chaleur dans la sensibilité de la forme et avec un sentiment qui valait bien l'équivalent de la force musculaire en art.

Léger a exposé avec succès sa sculpture à l'Art Gallery, *La mère et l'enfant*. Le comité chargé de faire les achats des œuvres d'art pour le compte du Fédéral lui avait proposé d'en faire l'acquisition si Léger voulait la faire couler en bronze et celui-ci ne trouvant pas moyen de le faire, je crois que l'offre est restée sans réponse. Il y avait, en effet, un beau sentiment dans ce groupe de deux têtes, de la mère et de l'enfant.

Léger a aussi fait de la peinture et toujours avec le même tempérament où se dégage un beau sentiment. Cependant, il nous faut classer: ces choses, malgré tout le bien que nous en disions, restent dans le domaine des plus belles et grandes promesses qui pouvaient nous faire espérer de voir plus tard des œuvres pleines de beauté signées de Léger. Mais hélas, toutes ces belles promesses n'ont été que des promesses, car Léger pour noyer des déboires de fortune ou plutôt des chagrins d'amour, s'est enfoncé trop dans cette mer de boue où tout s'enfonce en avalant trop de ce liquide poison qui raccourcit la vie à tant d'hommes pour qui l'attrait dû aux sensations empoisonne le monde et l'empoisonnera jusqu'à la fin des temps.

Alfred Beaupré
1884-1957

Dans son article sur Les peintres de la Montée
Saint-Michel, *Olivier Maurault écrit : « Il (Onésime Legault) s'y rend aussi en compagnie du dessinateur Beaupré, dont tout ce que je sais est qu'il alla s'établir à Los Angeles et y épousa une Polonaise. »*

En 1908, il expose au Salon du printemps de l'Art Association, une huile intitulée Première romance *; en 1909,* La jeunesse de la terre *pour laquelle il demande 300 $, prix comparable à ceux des toiles de Suzor-Côté. En 1910, il présente une* Nature morte *et en 1914, une peinture :* Conquest of a Cavern. Stone Age.

Je me souviens de ce peintre en herbe que j'ai rencontré au temps de la première jeunesse. Ses cheveux commençaient à grisonner, mais de bonne heure, je crois. Ce n'était pas le fait cependant d'avoir trop travaillé, trop produit, car (pour) Beaupré, comme pour les trois quarts des Canadiens, la trop grande ardeur au travail n'est pas le plus grand défaut. C'est souvent ce qui empêche d'avoir les premières places au soleil.

183

Narcisse Poirier
1883-1983

Né à Saint-Félix-de-Valois, dans le comté de Joliette, Narcisse Poirier a seize ans quand il vient à Montréal suivre des cours de dessin, de peinture et de modelage au Monument national. Pendant quelque temps, il peint des tableaux d'église avec Suzor-Côté. En 1920-1921, on le retrouve à l'Académie Julian dans l'atelier de Jean-Pierre Laurens en même temps que son compatriote Rodolphe Duguay. De 1902 à 1931, il expose tous les ans (sauf en 1921 et en 1926) à l'exposition du printemps de l'Art Association. En 1932, il remporte le premier prix avec Le temps des sucres. *Il tient quatre expositions à la bibliothèque Saint-Sulpice, dans les années vingt. À l'occasion de la première exposition des Peintres de la Montée Saint-Michel, à la galerie Morency, en 1941, il présente vingt toiles, puis environ cent cinquante aux expositions de 1942, aux galeries Morency et l'Art français.*

Celui-ci son vrai titre d'artiste serait le peintre aux natures mortes. C'est ce qu'il a exposé le plus souvent à la Art Gallery. Il a aussi fait des paysages d'hiver mais qui ressemblaient tellement à tant d'autres beaucoup mieux que les siens.

Il faut d'abord avouer que Narcisse Poirier a gagné son pain une partie de sa vie à finir au «air brush» des portraits agrandis pour *La Presse*, tout ça à bon marché, à la portée des moyens du peuple. Nous comprenons alors que, supposons qu'il eût beaucoup de talent, ce qui n'a jamais été prouvé, son travail presque opposé à l'art était bien propre à l'anéantir complètement.

Poirier a aussi été mon élève de modelage, mais il n'avait pas la nature d'un sculpteur avec sa nature plutôt faible[1]. Je me souviens encore de ses mains minces, sans force, ses doigts rouges, maigres, minces, sans force, avec un caractère timide, sans bruit, sans audace, une bonne nature sans doute, peut-être trop même pour faire un bel artiste.

Comme il a été déjà dit, si à défaut de génie, pour avoir le tempérament d'un artiste, il faut au moins être nerveux et fort; la force peut servir à avoir un beau métier. L'imagination d'un nerveux dirigée par un beau cerveau, voilà déjà quelque chose qui peut conduire à faire de belles choses.

1. Narcisse Poirier a pourtant vécu cent ans.

Lorenzo De Nevers
1877-1967

Lorenzo de Nevers est né au Québec, à Baie-du-Febvre. Vers 1892, sa famille immigre aux États-Unis, à Central Falls (Rhode Island). Son frère Edmond (1862-1906), journaliste et essayiste, lui propose de venir le rejoindre à Paris. Il fréquente les Beaux-Arts et l'Académie Julian. Dès 1900, son nom apparaît parmi les copistes du Louvre où il reproduit vingt-six tableaux de 1900 à 1907, des Boucher, Flandrin, Greuze, Huet, Murillo, Rembrandt, entre autres. Il passe quinze ans à Paris. À son retour en 1914, il a des ateliers à Providence, à New York, où il habite dix-sept ans, à Woonsocket (R.I.) où il meurt à 89 ans.

Une de ses toiles d'inspiration religieuse Le Christ de la résignation *(1920) a été fréquemment reproduite et diffusée. Il a laissé 3000 tableaux, des portraits surtout et plusieurs de ses œuvres ornent des édifices publics en Nouvelle-Angleterre.*

1. Sur ses listes de noms d'artistes, Alfred Laliberté a toujours inscrit Henri de Nevers plutôt que Lorenzo de Nevers.

2. *Scènes de la vie de bohème* d'Henry Murger (1822-1861) publié en 1849.

Il s'agit ici d'un peintre qui a passé presque toute sa vie à Paris. C'est là que je l'ai connu d'ailleurs, un peu plus âgé que moi. De Nevers[1] est probablement plus un copiste que vraiment un beau peintre. Il lui manque pour mériter ce titre d'abord le travail; je ne crois pas qu'il (soit) très ardent au travail, tout en étant un honnête homme, même un homme charmant. Il a aussi la mentalité du bohème de Murger[2]. Vivre sans beaucoup travailler, voilà le rêve. Il a bien peu d'imagination, et peu nerveux, il ne sent pas le besoin de produire d'autant plus qu'il n'aurait probablement pas le talent de produire de belles (choses). Nous n'en (avons) jamais vu. Il a fait quelques portraits, il y a trois ou quatre ans. Les journaux nous ont appris qu'il avait peint le portrait du président actuel des États-Unis[3]. Il nous donnait l'impression d'être peint comme tous les portraits faits sans personnalité. La question la plus curieuse est (de) savoir comment il est arrivé à décrocher cette commande, si c'en est une, lorsqu'on songe à la quantité de peintres aux États-Unis, et je sais qu'il y en a des bons parmi. Il nous faudrait concéder beaucoup d'habileté de la part d'Henri de Nevers pour faire marcher des influences. Il est vrai que ceci sort un peu du cadre de la valeur de la peinture du peintre.

Rendu ici à Montréal depuis quelques années, nous n'avons encore rien vu de lui qui pourrait le relever au point de vue de valeur et probablement jamais nous le verrons.

3. Il s'agit de F.D. Roosevelt. En marge Laliberté a écrit: 1939. Ce tableau fait antérieurement, a été exposé à l'Exposition universelle de New York en 1939 et a été offert par la suite au Pape Pie XII.

Georges Latour
1877-1946

Originaire de Valleyfield, Georges Latour fréquente l'école de Sainte-Cunégonde et par la suite, le collège de Valleyfield. Tout en travaillant comme commis à la banque Jacques-Cartier, il suit des cours du soir au Conseil des arts et manufactures et à l'Art Association. Vers 1898, il entre au journal La Patrie *comme illustrateur. En 1903, il est au nombre des exposants de la First Annual Loan and Sale Exhibitions of the Newspaper Artist's Association. Il quitte* La Patrie *après quelques années pour passer au service de la Mortimer Press Co. et de la Grip Photo Engraving Co. Engagé ensuite par* La Presse, *il assume la responsabilité du service de la rotogravure pendant de très nombreuses années. Pierre Landry dans* L'apport de l'Art nouveau aux arts graphiques, au Québec, de 1898 à 1910, *écrit: «Pour le journal, Latour est probablement l'artiste qui utilisa le plus le modern style.»*

Georges Latour a également illustré Les contes vrais *de Pamphile Lemay (1907),* Louis Hébert et sa famille, *de l'abbé Couillard-Després,* Fleurettes canadiennes *d'Oswald Mayrand (1905). On trouve aussi ses illustrations dans des revues comme* La revue populaire.

Au service du journal *La Presse* comme dessinateur depuis les débuts de sa carrière d'artiste, mais une carrière d'artiste assez ingrate au point de vue de l'art qui, par un tas de choses incompatibles avec l'art lui enlève tout moyen d'en faire, car il faut surtout marcher d'après le mot d'ordre donné pour arriver au but, c'est-à-dire que ça rapporte au journal. C'est en somme une institution commerciale où le vrai sens de l'art et du beau est mis de côté pour le sens pratique pour ce qui rapporte le plus et attire le plus de lecteurs et comme le peuple est la majorité, donc, il faut faire pour plaire au peuple.

Tout de même Latour[1] est certainement le dessinateur qui a passé (le plus de temps) au journal de *La Presse*, après bien entendu Albéric Bourgeois avec son Bonhomme Ladébauche[2].

L'ami Latour fait aussi de la peinture; nous (en) voyons assez souvent sur la première page en couleur de ce journal[3]. Elles sont loin d'être merveilleuses. Il faut aussi soupçonner que l'imprimerie de cette page en couleur ne rend peut-être pas justice aux peintures de Latour. Seulement, Latour travaille, étudie en suivant des cours de peinture dans différentes académies dans un but, je crois, d'étudier le moyen de faire mieux. Ceci reste toujours louable et à l'honneur de notre ami Latour.

1. Dans son manuscrit, Laliberté avait écrit «Joseph Latour» au lieu de Georges Latour, en tête de son article.

2. Voir Albéric Bourgeois.

3. Le supplément de *La Presse* du samedi était illustré en couleur.

Alfred Laliberté
1878-1953

Alfred Laliberté est né à Sainte-Élisabeth-de-Warwick, dans les Bois-Francs, et c'est vers l'âge de quinze ans que se manifestent ses aptitudes pour la sculpture. Grâce à l'intervention de Napoléon-Charles Cormier, négociant à Plessisville et conseiller législatif, il s'inscrit au Conseil des arts et manufactures à Montréal. À la fin de ses études, son bienfaiteur met tout en œuvre pour qu'il puisse étudier à Paris. Une souscription publique lui permet de fréquenter l'École des Beaux-Arts de Paris où il s'inscrit dans les ateliers de Gabriel-Jules Thomas et d'Antoine Injalbert. Durant son séjour, il expose huit œuvres au Salon dont l'une, Jeunes Indiens chassant, *lui vaut une mention honorable. Le retour à Montréal est difficile et sa carrière ne débute vraiment qu'avec la commande des sculptures des Pères Marquette et Brébeuf, ce qui fait l'objet d'un second séjour à Paris (1910-1911).*

La longue carrière d'Alfred Laliberté est jalonnée de commandes de monuments commémoratifs, dont les plus connus sont ceux de Dollard des Ormeaux, *des* Patriotes *et de* Louis Hébert, *et d'œuvres en terre-cuite, en marbre, en plâtre ou en bronze inspirées du terroir ou de l'allégorie. Entre 1929 et 1932, il réalise l'importante collection du Musée du Québec sur les métiers, coutumes et légendes. Laliberté s'adonne également à la peinture et à l'écriture, ce qui nous vaut aujourd'hui une source d'information importante sur sa vie, son œuvre et son époque. Artiste prolifique, Alfred Laliberté a laissé une œuvre abondante et éclectique. (ARCA 1912, RCA 1922)*

Monsieur moi, votre humble serviteur, et par cet en-tête j'ai l'air d'avoir l'intention de parler de moi à mon tour. Seulement, je suis un peu dans la gêne de recommencer, car j'ai tellement parlé de moi en parlant des artistes de mon temps et avec ça, est-ce que je suis bien de mon temps? Lorsque j'y pense, j'en doute un peu car j'aime si peu un tas de choses, des inventions de mon temps ou plutôt des inventions des temps modernes[1]. Et ma sculpture, en comparaison de l'école ultra-moderne de la déformation, la mienne se trouve bien démodée. Mon esprit, si j'en ai, ma tête, si je la tiens au milieu des épaules, avec la barbe au menton, n'est certainement pas à la mode; mais vous comprenez, il m'a fallu tant de temps pour me faire une tête à peu près convenable. Je ne veux pas changer. Est-ce que j'y gagnerais? Veuillez me croire, je dis tout ça sans effort de modestie et quand vous entendrez vanter, ça sera toujours sans effort de modestie de ma part. Que voulez-vous, c'est ma nature.

Mais parler de ma naissance, que je suis venu d'en-bas, d'en-haut et sorti de la cuisse de Jupiter, personne ne le croirait et les dénigreurs auraient vite fait de proclamer: «Il est fils de bûcheron, sa volonté, son amour pour le travail est déjà une preuve qu'il est de basse naissance[2].» Et après tout, ça me fait ni chaud, ni froid. Ce qui compte dans la vie, c'est de pouvoir l'organiser à peu près à son goût, faire les choses qui nous plaisent. Lorsque je dirai que j'ai produit au-dessus de 700 choses en sculpture[3], vous allez croire que j'ai bien travaillé comme un mercenaire. Et bien moi, je dirais non, je me suis bien amusé à faire ce que vous appelez du travail parce que (ce) fut un besoin de distraction, comme le besoin de manger, excepté que celui-ci nourrit la bête et l'autre nourrit le cerveau.

Vous dire que j'ai fait beaucoup de peinture et mauvaise par-dessus le marché, je n'en suis pas convaincu moi-même qu'elle est mauvaise[4]. Ce qui est plus grave et peut (être) inguérissable de vantardise, c'est que je crois avoir une personnalité. Encore là, c'est un besoin lorsque je compris que la muse de la sculpture et la muse de la peinture sont deux sœurs qui se tiennent et marchent la main dans la main[5].

1. L'industrialisation au détriment de l'homme a été l'objet de réflexion et aussi une source d'inspiration pour le sculpteur dans les œuvres comme *L'ère de la mécanique*, *Le triomphe de la mécanique*, *L'esclave de la mécanique* où la machine est représentée comme une broyeuse d'hommes.

2. Cf. son autobiographie *Mes souvenirs*.

3. En 1950, dans le *Relevé* de ses œuvres, il mentionne 925 sculptures mais on croit aujourd'hui qu'il y en aurait plus de mille.

4. Il a peint cinq cents tableaux.

5. Les deux Muses de la peinture et de la sculpture ont fait l'objet de sculptures et de tableaux.

6. Il changera les titres; *Mémoires* deviendront *Mes Souvenirs* et *Mille Réflexions* s'intituleront *Pensées et réflexions*.

J'ai entrepris d'écrire, voilà une audace pour un type qui n'a pas appris à lire ni à écrire. D'abord, mes *Mémoires*, les *Mille Réflexions*[6], *L'art et les artistes*, *Les artistes de mon temps*, et c'est dans une des pages de celui-ci que je suis à vous faire ma confession. Soyez certain, je ne vous dirai pas les fautes qui sont tout à fait contre moi, le monsieur moi, si vous voulez.

Pour continuer ma confession, je n'ai aucun (regret) des fautes commises, et par conséquent, je reste sans espoir de pardon. Si je vous disais qu'en plus des 700 choses tripotées en terre glaise, j'ai tripoté bien d'autres choses itou, et si je vous disais tout, vous diriez : «Cet homme se vante, c'est un monstre ou un imbécile.» Je ne proteste pas contre le dernier, car il me place au même niveau de tant d'autres que j'ai traités d'imbéciles, et la punition d'être en leur compagnie m'est plus grande et dépassera de beaucoup celle de l'enfer, lieu de jouissance tant louangé dans les sermons religieux. Je n'ai pas encore pu vous dire tout le bien que je pensais de moi-même et tout le mal que je pense des autres. N'est-ce pas encore là un grand sacrifice de ma part?

Je vous ai (dit) la quantité de choses exécutées; vous pourriez peut-être répondre : «C'est beaucoup, mais il vaudrait peut-être mieux une quantité moindre et une qualité meilleure; faire moins, mais bien.» Ceci ressemblerait à la chanson qui dit : «Je ne sais faire qu'une chose, mais je la fais bien.» Mais le mot bien, au point de vue de la vérité est relatif. Supposons que deux groupes, à égale prétention de bien juger, sont chargés de juger une œuvre, et cinquante pour cent la trouve mauvaise et cinquante pour cent la trouve bien. Où est alors la vérité? Elle reste toujours relative. Le temps seul probablement est vrai.

Si plus tard on dit : «Laliberté est un sculpteur qui a eu beaucoup de succès», ça sera faux. J'ai concouru assez souvent pour les projets de monuments, mais (je fus) aussi souvent battu par des sculpteurs que je croyais parfois moins habiles que moi. Et mes maquettes parfois choisies n'ont pas été sans être difficiles, ou il m'a fallu faire marcher les influences, lorsque je le pouvais, de sorte que tout est travail, lutte sur la terre[7]. Celui qui peut se vanter que tout lui est tombé du ciel, celui-là doit être rare; nous devons le classer parmi ceux dont le gros pourcentage de chance est venu à sa rencontre.

Dans les expositions, j'ai parfois reçu des compliments par des amis, des admirateurs, mais ce n'est pas toujours juste. Probablement les plus vraies, ce sont les critiques des indifférents et souvent les essais d'éreintement; mais comme je crois avoir les reins solides, je ne fus pas éreinté. Tout ça est dit en passant, sans effort de modestie de ma part.

Des monuments, j'en ai fait plusieurs mais aussi de mauvais parmi ces plusieurs. Il y en a que j'aurais voulu recommencer, mais les moyens pour ça (   ) et là j'appris qu'un sculpteur ou un peintre qui fait une mauvaise chose exposée au public est mauvaise pour toujours, car on ne peut jamais les recommencer. Elles sont là et plaident contre nous. C'est comme un homme qui a déjà eu des démêlés avec la cour. Son dossier est toujours là et la moindre faute qu'il fait ensuite, lorsqu'on veut le condamner, on a toujours recours au dossier antérieur.

Le monument de Louis Hébert à Québec dont les proportions ne sont pas bien: le piédestal est trop lourd pour la statue de Louis Hébert. Il m'aurait fallu agrandir la statue du premier cultivateur ou rapetisser le piédestal et les moyens m'ont manqué après coup.

Les statues de Brébeuf et de Marquette ont de l'envolée mais trop pour être placées dans des niches à la façade du Palais législatif à Québec. Dites que je ne suis pas généreux pour moi, mais je ne l'ai pas été davantage pour les autres artistes.

À propos des disproportions du monument Louis Hébert à Québec, j'ai fait le contraire comme erreur pour le monument Dollard, au parc Lafontaine. Lorsque le tailleur en granit[8], chargé de l'installation du piédestal, eût terminé de placer les pierres du piédestal et voulut procéder à l'installation du groupe en bronze, la base (se) trouvait trop petite pour placer le groupe. On m'appelle au téléphone en me disant ce qui en était. Je pars alors avec une scie

7. Cf. *Mes souvenirs*, p. 81-84; la thèse d'Aline Gubbay, *Three Montreal Monuments: An expression of Nationalism*, et la thèse de Michel Nadeau, *Alfred Laliberté et la commémoration au début du XXe siècle.*

8. Il s'agit de Georges Tremblay.

à fer sous mon bras. Je n'ai pas besoin de vous dire la réception qui me fut faite en arrivant sur les lieux. Je vis là tout un monde consterné; c'était une véritable catastrophe. En me voyant avec ma petite scie, les rires, les propos ironiques à mon adresse n'ont pas manqué, mais sans rougir, sans faiblir, j'ai fait le tour du monument. Je les ai consolés en disant que cette erreur pouvait se corriger en expliquant comment: en enlevant une lisière de bronze dans le bas du groupe, en diminuant vers le haut du bronze qui allait s'appliquer au fût. C'est ce qui fut fait le jour suivant et tout alla pour le mieux. Je vous avoue que le premier moment en voyant l'erreur sans le faire voir, je fus embarrassé moi-même. Et après l'installation, tout (est) rentré dans l'ordre. Personne n'aurait pu s'apercevoir du problème qui aurait pu être très ( ) pour moi et le comité[9].

9. «Ce matin, vers 8 hres, allé faire un tour au parc Lafontaine. On était en train d'enlever une petite partie du monument Dollard afin de l'ajuster. On opérait au gaz. Laliberté, le sculpteur de l'œuvre y était présent.» Rodolphe Duguay, *Carnets intimes*, 17 juin 1920, p. 93.

Quelques semaines après, j'ai invité le comité, l'architecte et quelques autres amis à un goûter, assez bien préparé. Séance tenante, Lagacé, qui fut président du comité, avec son sarcasme habituel a ouvert la discussion (qui) était de savoir si l'architecte avait fait la base trop petite ou si l'homme à la petite (scie), l'auteur du groupe, l'avait fait trop grand. Et tout ça discuté avec humour et sarcasme. À la fin, tout le monde partit content, mais sans savoir lequel des deux, l'architecte Alphonse Venne ou le sculpteur (était) le plus coupable.

Plus tard, sans être une erreur, je fus appelé à faire des changements aux statues qui entourent le tombeau du monument Laurier, au cimetière d'Ottawa. La composition de ce monument est comme ceci: les figures en avant sont la province de Québec et la province d'Ontario. Le comité voyant que j'avais donné à la province d'Ontario une allure plutôt vache, a décidé qu'il me fallait absolument changer cette figure qui personnifiait la province voisine. L'honorable Rodolphe Lemieux avait compris que j'avais voulu me venger en donnant cette allure à la province voisine pour les misères de certains membres du comité anglais de l'Ontario. Il y avait beaucoup de vrai dans cette allusion de Rodolphe Lemieux.

Alors la figure de l'Ontario qui était en avant est maintenant en arrière; une autre province l'a remplacée[10].

Avant la Dépression, vers 1926 ou 1927 par là, un comité s'était formé en vue d'ériger un monument à la mémoire des Patriotes de 1837, au Pied-du-courant, à Montréal. Je fus chargé de l'exécution. Le tout terminé, est venu le jour de l'inauguration qui se trouvait le 24 juin, le jour également de la Saint-Jean Baptiste. Logiquement, j'aurais dû être sur l'estrade à écouter des discours patriotiques que je déteste entendre d'ailleurs. Mais des amis sachant que j'étais un grand amoureux du beau, de la femme, — c'est une des raisons qu'il est resté célibataire: il n'a jamais pu se spécialiser, — je fus nommé pour juger les chars allégoriques qui n'existaient pas à cette procession du 24 juin[11]. Mais en revanche, il y avait des landaus et assises dans ces landaus, des femmes, des femmes. Et à cette époque-là, la mode était aux jupes courtes. Alors je me suis trouvé à juger des jambes de femmes. Que de jambes, que de jambes, mon Dieu! Et la quantité de jambes que j'ai vue là a probablement retardé (   ) en prolongeant mon état de célibataire indéfiniment. Et il suffirait que l'on me joue un autre tour comme celui-là pour que je me décide à passer le reste de mes jours dans le célibat. Ici la décence m'empêche de me vanter de mes ambitions pour toutes les jolies convoitises que je n'ai jamais eues. Je comprends que ceci n'est pas très clair, mais interprétez-le du mieux que vous le pouvez en ma faveur pour compenser les autres faveurs que je n'ai pas eues.

Les derniers monuments, depuis et durant la Dépression éternelle, sont au nombre de trois. Le père C. Beaudry, en face du séminaire de Joliette[12]. Celui-là a été payant, je veux dire que mon travail a été payé. Les deux autres pour Plessisville[13], mon patelin, mon travail a été fait à titre gracieux et sans regret. En plus, à l'inauguration de l'un, je fus invité à prononcer un discours[14] et j'en ai évité un deuxième probablement en évitant d'être présent à la fête du dévoilement.

10. Cf. *Mes souvenirs*, p. 89-90.

11. Cf. *Mes souvenirs*, p. 97.

12. *Le monument du père Cyrille Beaudry* a été inauguré le 21 octobre 1936.

13. *Le monument de Messire C.E. Bélanger* (1932) et *le monument de Jean Rivard (1935).*

14. Le texte de ce discours d'inauguration du *monument de l'abbé Bélanger* est inséré dans *Mes souvenirs* de la page 106 à 114.

15. Laliberté termine sur cette phrase qui semble inachevée, et il tire une ligne.

Je suis rendu maintenant à la soixantaine et toujours aussi amoureux du Beau, du Beau, partout où il se trouve. Je termine ici l'historique de mes bêtises, et plus tard lorsque je serai plus sage[15].

Alfred Laliberté, *L'auteur*.

Marc-Aurèle Fortin
1888-1970

Né dans le village de Sainte-Rose qu'il a si souvent peint, Marc-Aurèle Fortin est l'élève de Ludger Larose à l'École du Plateau et celui de Dyonnet au Monument national. Il exerce divers métiers à Montréal et à Edmonton avant de partir aux États-Unis pour étudier à Boston, à New York et à l'Art Institute de Chicago. Après cinq ans, en 1914, il revient au Québec, et peint à Sainte-Rose et à Montréal. De 1920 à 1934 date la période des paysages aux grands ormes et les scènes du port de Montréal. Après la mort de son père en 1934, il voyage dans le sud de la France et en Italie attiré par la couleur et la lumière. Ce qu'il a appelé la manière noire et la manière grise caractérise les tableaux des années trente-cinq et trente-six. Il expose chez Eaton, à l'Art Association et reçoit le prix Jessie Dow, en 1938. Charlevoix, l'Île d'Orléans, la Gaspésie et les Laurentides sont les régions où il peint pendant une dizaine d'années. En 1942, il expose à la galerie l'Art français. Le propriétaire Louis Lange jouera un rôle important dans la diffusion de son œuvre. À partir de 1955, la maladie puis la cécité ralentissent progressivement son activité. En 1964, la Galerie nationale du Canada présente une rétrospective de son œuvre. Depuis 1982, le Musée Marc-Aurèle Fortin, à Montréal, expose sa collection permanente et celles des collectionneurs privés. (ARCA 1942)

Fils d'un juge. Je signale ici en passant qu'il est fils de juge, c'est bien pour faire une comparaison avec d'autres fils de juges qui ont aussi étudié l'art de la peinture au Canada[1]. Mais aucun d'eux n'est arrivé à la hauteur de Marc-Aurèle Fortin en originalité, en personnalité puissante, car il est sans contredit le paysagiste d'été le plus curieux, le plus

1. Laliberté fait allusion à Charles Gill et à Jobson Paradis, tous deux fils de juges.

197

original, le plus personnel des peintres du Québec actuellement. Pour celui qui a connu et suivi l'ami Fortin depuis ses débuts, il y a eu une transition dans sa peinture mais peut-être moins visiblement dans sa peinture que dans la tenue de sa personne.

Car, il ne faut pas oublier que Fortin dans la première partie de sa carrière de peintre était le type d'artiste le plus bohème de la province de Québec. Nous étions parfois des semaines sans rencontrer Fortin. Où était-il? Nous n'avons jamais cherché à savoir d'autant plus que nous le connaissions pour un parfait honnête homme et qu'il nous était impossible (de penser) qu'il eût fait quelque chose d'assez grave pour mériter des punitions de la justice. Alors tiens, un beau matin, on rencontrait Fortin tout déboutonné, sale, malpropre. Il nous donnait l'impression d'avoir couché sur la corde à linge ou à la belle étoile, ou en-dessous d'un wagon. À ce moment-là, sa peinture ressemblait un (peu) à la peinture allemande par sa lourdeur, par sa nature peu sensible et plutôt brutale. Tout de même, il se dégageait déjà malgré tout une certaine puissance, peut-être due à toute absence de raffinement. Nous parlons là de Fortin à l'époque où il était sans le sou, et son studio était dans une petite chambre dans un foyer, quelque chose comme ça[2].

2. «Une fois nous le vîmes peignant dans la salle d'opération désaffectée de l'ancien hôpital Notre-Dame, devenu, comme l'on sait, pension bourgeoise pour jeunes gens, une autre fois, dans un corridor de cette Maison Saint-Joseph.» Jean Chauvin, *Ateliers*, p. 153.

Quand le trop grand besoin d'argent se faisait sentir, il vendait quelques-unes de ses toiles pour quelques piastres. Véritablement, elles valaient quatre fois plus que ça. Je connais plusieurs amis qui ont su profiter (pour) faire l'acquisition pour $ 5.00 de toiles pour lesquelles Fortin demanderait maintenant $ 100.00. Fortin manquait aussi de mesure et (avait) quelque chose de paysan lorsqu'il le pouvait et avait l'avantage.

Un jour, je voulais au moins une toile de Fortin car je commençais à ce moment-là à me faire une collection de peintures de peintres canadiens-français et anglais. Alors (pour) deux petites choses qui étaient seulement de belles promesses, il me demanda $ 40.00. C'était trop pour la dimension et la valeur de cette petite toile de neige, et comme j'avais pour principe qu'on ne doit pas marchander chez un artiste, l'ami

198

Marc-Aurèle Fortin, *Maison sous la neige*. (Photo A. Kilbertus. Collection particulière)

Fortin en a profité et c'est certainement la preuve de son manque de mesure, de raffinement, de souplesse. Les nécessités de la vie l'ont forcé à offrir sa peinture à des profiteurs et à son tour, il profitait de la délicatesse d'un copain, d'un artiste probablement le seul qui a voulu accrocher de ses peintures chez lui. J'ai fait par la suite l'acquisition de d'autres peintures, pastels et aquarelles, mais jamais directement avec lui afin d'avoir le champ libre et d'être moins à cheval sur des principes qui furent la cause que je fus roulé la première fois[3].

Je ne suis pas sûr si tous les défauts de nature et de mentalité mentionnés plus haut de Fortin ne sont pas la cause pour une grande part, de sa personnalité. Car, la mesure, la proportion des choses, Fortin n'en tient pas compte. Il suffit pour nous (en) convaincre de regarder un de ses paysages où il a voulu placer comme tache, une figure ou une vache quelconque. Fortin ne copie pas ce qu'il voit, non, ce qu'il voit lui suggère de peindre suivant son instinct du moment qu'il veut plus décoratif et (avec) plus d'effet.

À la Art Gallery, Fortin a eu beaucoup de mal à habituer le jury à accepter des peintures pour être exposées là[4]. Sa peinture si en dehors des traditions, des principes de l'art, bien mal reçue dans les débuts, finit par être mieux vue. Et pour ça, l'école de déformation ultra-moderne est venue en aide à Fortin, car, en réalité, la peinture de Fortin était encore plus logique que l'autre. Et depuis ce temps-là, il augmente toujours sa réputation de paysagiste puissant.

Nous avons parlé au commencement de deux transitions, la deuxième est que Fortin qui était un des plus grands bohèmes par la tenue négligée de sa personne a visiblement changé de tenue, par sa vie adoucie par des revenus laissés par son père. Après ça, Fortin s'est acheté un habit et un chapeau, et le tout convenablement. Fortin bohème hier, le voilà presque monsieur aujourd'hui. Fortin de stature imposante, à peu près dans la soixantaine, est loin d'avoir fini son œuvre. Il a tout de même donné la mesure de son talent. Nous aurons d'autres paysages de lui, mais peut-être pas mieux que ceux déjà vus de lui.

3. Albert Laberge servait alors d'intermédiaire.

4. Il y a exposé pour la première fois en 1912.

Clarence Gagnon
1881-1942

De 1897 à 1900, Clarence Gagnon étudie avec William Brymner, à l'Art Association, et en 1904 et 1905, il est élève de Jean-Paul Laurens à l'Académie Julian. Au début de son séjour à Paris, il se consacre principalement à la gravure et à l'eau-forte. À son retour en 1909, il découvre Charlevoix, source d'inspiration d'une grande partie de son œuvre. Pendant de très nombreuses années, Gagnon fait la navette entre son atelier de la rue Falguière à Paris et ceux de Montréal, de Baie Saint-Paul et de l'Île d'Orléans.

Clarence Gagnon a connu un succès fort enviable. L'utilisation fréquente de ses œuvres à des fins d'illustration a largement contribué à leur popularité. La plupart des collections publiques du Canada possèdent de ses œuvres. (ARCA 1910, RCA 1922)

Voilà un peintre qui a eu un gros pourcentage de chance dans sa carrière d'artiste. D'abord, c'est déjà une belle chance d'avoir eu son talent, car du talent il en a sans contredit. Mais encore une grande chance en plus d'avoir amplement pu profiter de la première, je veux dire de son talent. Car je suis certain que beaucoup d'artistes moins chanceux que lui n'auraient pas pu arriver avec le même talent, se faire la réputation de Gagnon de premier plan. Expliquer tout, je ne le pourrais pas puisque je mets tout ça sur le dos de la chance, et la chance ne s'explique pas. Ce que j'appelle la chance, ceux dont les principes ancrés chez eux, formés par des sermons du haut de la chaire et qui les empêchent de chercher plus loin appellent ça eux le destin, en croyant qu'un homme qui est né

Clarence Gagnon, *Danseuse espagnole* (Musée du Québec)

pour un petit pain a un petit pain. Il a beau faire ce qu'il voudra pour en avoir un gros, ça sera peine perdue pour lui. J'ajoute que le principe est très mauvais parce qu'il enlève toute volonté de l'homme de se relever à son premier insuccès. Et tout ceci m'amène à penser et à affirmer que j'ai rencontré et connu des gens pour qui on se sent attiré à leur offrir la première place et le plus beau morceau sans s'expliquer pourquoi et si c'est son mérite ou sa valeur qui lui valent ces honneurs.

Gagnon était plutôt d'une moyenne taille, l'aspect plutôt efféminé, avec une voix de garce qui parle du nez, avec le type de maître d'école. Et avec toutes ces imperfections, on l'écoute lorsqu'il dit quelque chose, et il a l'habileté de se faire des amis et les garder longtemps comme admirateurs qui lui offrent toujours la place vide au premier rang; d'après eux, elle lui est due.

Gagnon étant à peu près de mon âge, c'est ce qui me permet de connaître ses débuts lorsqu'il recevait des leçons, des conseils de Brymner à la Art Gallery, et d'Edmond Dyonnet, au Conseil des arts et métiers, au Monument national. Il peut dire que ces deux professeurs mentionnés plus haut ont été pour beaucoup dans la formation de sa carrière artistique.

La première toile où Gagnon a commencé à se faire remarquer fut une Carmen à la jupe rouge, cette toile devenue la propriété de la maison Henry Morgan. Je l'ai (vue) encore, il n'y a pas bien longtemps. Je suis sous l'impression que nous avons bien exagéré la valeur artistique de cette peinture[1]. Mais la chance en faveur de Gagnon commençait déjà à se faire sentir[2]. Ensuite, il traversa en Europe où il devient presque déraciné du Canada[3]. Là-bas, il fit des eaux-fortes, et encore il s'est acquis une belle réputation. On l'a placé parmi les quatre ou cinq meilleurs aquafortistes de l'Europe. C'est déjà beaucoup. Revenu au Canada, il s'installa pour quelque temps à Baie Saint-Paul[4] où il fit une quantité de petites pochades avec une pâte bien mince et des ciels souvent trop foncés, les valeurs (n'étant) pas toujours bien observées mais qui, dans l'ensemble, avaient toujours

1. Cette toile intitulée *Danseuse espagnole* (1908) appartient au Musée du Québec.

2. «Elevé dans l'aisance et favorisé très tôt par le succès, Clarence Gagnon ne connut guère les affres de la nécessité et son atelier de l'avenue Falguière était un des plus sompteux de Paris.» Paul Dumas, *L'Information médicale et paramédicale*, Montréal, le 6 janvier 1976.

3. «Il y vécut la majeure partie de sa vie, ne retournant au Canada qu'à de courts intervalles. Il y reviendra définitivement peu avant la guerre de 1939.» Paul Dumas, *op. cit.*

4. La maison de Clarence Gagnon deviendra celle du peintre René Richard par la suite.

un cachet artistique. Quelques toiles de plus grande dimension, des paysages d'hiver où le soleil jouait un grand rôle dans l'effet et les tons du paysage, cependant parfois bien exagérés jusqu'à en faire des tons vulgaires tellement tapageurs. Il a illustré *Le silence blanc*[5], seulement sa peinture (aurait) pu servir à n'importe quoi tout en étant décorative, de même que le dernier livre édité de *Maria Chapdelaine* peut-être plus appropriées[6] celles-là de toutes ces choses.

Gagnon pour continuer sa chance, sa bonne fortune mentionnée plus haut, tout en travaillant et vivre comme il l'entendait[7], finit par recevoir les héritages de deux côtés: du côté de sa dernière femme[8] et aussi du côté de son père[9]. Et voilà Gagnon toujours chanceux.

5. *Le grand silence blanc* de Louis-Frédéric Rouquette, Mornay, Paris, 1928.

6. *Maria Chapdelaine* de Louis Hémon, Mornay, Paris, 1933.

7. En marge, Laliberté reprend: «Il sut tirer son profit en travaillant peu et vivre comme il l'entendait.»

8. Lucile Rodier qu'il épousa en 1919.

9. Alphonse E. Gagnon, gérant de la minoterie Ogilvy.

Alfred Faniel*
1879-1950

Jean Alfred Faniel est né à Verriers en Belgique. Il étudie à l'Académie des Beaux-Arts de Liège sous Évariste Carpentier et Adrien de Wit. En 1903, il arrive à Montréal et travaille comme dessinateur commercial principalement pour le Canadien Pacifique. Il expose régulièrement à l'Art Association de 1912 à 1922. On retrouve aussi son nom parmi les exposants à la bibliothèque Saint-Sulpice, en 1918. Pendant des années, il sera le décorateur attitré pour les productions des Variétés lyriques.

On peut voir les œuvres de Faniel dans les édifices publics, les collèges, les couvents et les églises. On lui doit entre autres, la peinture des Martyrs canadiens, *à l'église de l'Immaculée-Conception de Montréal.*

Ce peintre d'origine belge, je crois, est au Canada depuis longtemps mais (sans) avoir pu cependant se faire une réputation de grand artiste. Il n'a jamais exposé que je sache dans nos expositions du printemps[1] là où l'artiste peut mesurer sa valeur avec les autres.

Quelques-uns dans son entourage ou amis, des admirateurs, dont on peut mettre en doute les connaissances en art, ces personnes ont déjà dit beaucoup de bien de Faniel.

Il a fait plusieurs décors de théâtre, ce qui est un peu à part du grand art. Dans le grand art, il a fait un panneau historique pour le chalet de la (montagne) et ma foi, ce panneau n'est pas plus mal que plusieurs autres collés aux murs du même chalet d'artistes dont on dit beaucoup de bien[2].

1. Il a exposé 23 tableaux de 1911 à 1922.

2. Au chalet du Mont-Royal, le tableau de Faniel s'intitule *Jacques Cartier sur le Mont-Royal.* Les autres artistes qui ont exécuté les panneaux décoratifs au cours de l'année 1931, sont: Baudot et Cerceau, Adrien Hébert, Marc-Aurèle Fortin, Octave Bélanger, Georges Delfosse, Robert Pilot, Raymond Pellus, Thurstan Topham, W.H. Taylor, Edwin Holgate. Paul-Émile Borduas a réalisé les cartes historiées.

* Titre du manuscrit: «Faniel, décorateur».

203

Elzéar Soucy
1876-1970

Né à Saint-Onésime, dans le comté de Kamouraska, Elzéar Soucy arrive à Montréal à l'âge de neuf ans. Il s'initie à la sculpture avec un ami de la famille, Arthur Vincent qui, à cette époque, travaille au baldaquin de la cathédrale. Il passe trois ans comme apprenti dans l'atelier des sculpteurs Lefrançois et Laperle. Il étudie au Conseil des arts et manufactures. Dyonnet, Saint-Charles, Vincent, sont ses professeurs. Comme tous les sculpteurs sur bois gravitent autour de Philippe Hébert, il a probablement étudié avec lui. Soucy fréquente également les ateliers de fabricants de meubles.

En 1898, il entre à l'atelier de George Hill avec qui il collabore pendant une quinzaine d'années. En 1912, il se porte acquéreur de l'atelier de Hill et pendant de nombreuses années, il dirige de dix-huit à vingt mouleurs et sculpteurs sur bois. En 1923, il expose une cinquantaine d'œuvres à la biliothèque Saint-Sulpice. En 1924 et 1925, il séjourne en France et en Belgique et tient une deuxième exposition en 1929. Il enseigne à l'École du meuble de 1928 à 1950.

Ayant commencé comme ornemaniste à modeler, pour les architectes, des modèles pour sculpter ensuite sur pierre ou alors pour être reproduits en plusieurs ( ) en plâtre pour les intérieurs des constructions de même que des sculptures sur bois, car en ce moment-là, il se faisait encore de la sculpture sur bois. Il en fit même pour le parlement d'Ottawa lorsqu'ils le reconstruisirent au temps de la guerre de 1914[1].

Soucy est professeur de modelage au Conseil des arts et métiers depuis peut-être 1910 et il a toujours

1. Avec huit autres sculpteurs, il a travaillé pendant cinq ans aux sculptures sur bois de la Chambre des communes.

204

(fait) depuis ce temps là le métier de sculpteur sur bois[2]. Mais il a dépassé de beaucoup ce métier. Car, (dans) un concours surtout où il fut choisi pour l'exécution du monument Laflèche à Trois-Rivières, Soucy m'avait passé par-dessus la tête dans ce concours : qu'il ait fait agir des influences, c'est bien possible, mais tous les concurrents avaient le même avantage. Ce qui compte, c'est que son projet était assez bien pour être défendu et appuyé. Quant à la valeur du monument une fois exécuté, (elle) est plus discutable. Suivant son talent, son tempérament plutôt ordinaire, il ne pouvait pas (y mettre) une grandeur, une sensibilité, une force qu'un sculpteur de tempérament et (de) carrière pouvait y mettre. Malgré tout, son monument est aussi bien que plusieurs autres dans la province de Québec[3].

Comme physique, Soucy n'a pas beaucoup l'aspect d'un artiste. Grand de taille, sa figure, tout en étant la figure d'un brave homme garde toujours une certaine empreinte d'un métier où le rêve de l'art qui finit par donner un certain caractère à l'artiste dont le cœur et l'âme se sont donnés pour son art de faire de belles choses, ce caractère n'a pas eu le temps d'opérer ce changement et faire cette auréole autour de Soucy, mais c'est un homme digne d'estime.

Elzéar Soucy a aussi fait quelques bustes même bien. Je me souviens encore de celui de l'honorable Henri Auger, en ce temps-là échevin, mais aujourd'hui ministre de la colonisation du gouvernement du Québec sous Duplessis. Il a aussi exposé souvent à la Art Gallery[4], des figures, des têtes sculptées sur bois assez intéressantes.

Elzéar a aussi un frère, sculpteur sur pierre surtout celui-là ; il est à la tête de l'équipe de sculpteurs qui continue à parfaire la sculpture sur pierre au parlement d'Ottawa[5].

2. Il a été professeur au Conseil des arts à partir de 1914.

3. Le monument de Mgr Laflèche à Trois-Rivières a été dévoilé en 1925.

4. Il a exposé de 1916 à 1936 au Salon de l'Art Association et de 1915 à 1935, à celui de la Royal Canadian Academy.

5. Il s'agit de Cléophas Soucy.

Albéric Bourgeois
1876-1962

Albéric Bourgeois avait l'intention de faire carrière aux États-Unis quand, en 1904, le propriétaire de La Patrie, *Israël Tarte, lui propose un emploi. C'est dans ce journal qu'il crée le personnage de Timothée. Il entre à* La Presse *en 1905 et y restera jusqu'en 1954. Chroniqueur, illustrateur, caricaturiste, il est l'auteur du «Père Ladébauche», de «Baptiste» et de «Catherine», personnages qui ont connu une immense popularité auprès des lecteurs. Albéric Bourgeois a été également scripteur pour la radio.*

Albéric Bourgeois,
Alfred Laliberté.

Ce petit bonhomme à la tête chauve, aux yeux pétillants d'esprit ombragés par des lorgnons qu'il porte depuis que je le connais. À l'emploi de *La Presse* depuis les trois quarts de sa vie, je crois, il est le dessinateur du Père Ladébauche qui est son œuvre. Il lui faut du souffle pour donner une page où il fait les dessins, le texte plein d'esprit à la hauteur de la compréhension du peuple.

Ses dessins de caricature sont toujours basés sur les événements du jour en politique. En même temps, il touche tous les sujets avec une ironie amusante et toujours sans commettre de libelle ou du moins s'exposer à se faire taper sur les doigts. Ceci demande une certaine souplesse de la part de notre ami Bourgeois. Mais c'est dommage que son œuvre se trouve par le fait même à se placer à un certain niveau plus bas que le grand art. Mais il a bien gagné sa vie. Pourra-t-il espérer davantage pour sa postérité?

E. Louise De Montigny-Giguère
1874-1969

Louise de Montigny-Giguère est née à Laprairie. Elle suit des cours avec Brymner de 1914 à 1917. De 1919 à 1921, elle est l'élève d'Alfred Laliberté au Conseil des arts, et à l'École des Beaux-Arts en 1924-1925. Pendant près de vingt ans, elle expose au Salon du printemps de l'Art Association, principalement des plâtres et des terres cuites. Parmi ses bustes, celui de la sénatrice Cairine MacKay Wilson (1930) est sûrement le plus connu. L'allégorie est une fréquente source d'inspiration comme l'indiquent les titres de ces sculptures : Seule, magnifiquement seule, Les délaissés, La neige, Les deux fleurs, Son rêve, L'attente. *Tout comme pour son maître Laliberté, la guerre lui inspire ses dernières œuvres. Avec Rita Mount, elle a partagé un atelier chez Laliberté pendant quelques années.*

Il nous semble (que) tout ce qui touche le nom de Montigny sont des gens de race pur sang, et Madame de Montigny en question est un bel exemple de ce que j'avance, à mon avis.

Mariée jeune à l'homme qui l'abandonna plus tard (et) la laissa aux prises avec la vie. Rendue à l'âge dépassant la première jeunesse, (elle) entreprit de tout apprendre ce qu'il fallait pour gagner sa vie dans les bureaux et y réussit, et étudier en même temps la peinture, la sculpture. Ces deux arts furent le rêve de sa vie, le délassement et les compensations des luttes de la vie, qu'une autre, moins courageuse qu'elle, aurait bien bas sombré dans la médiocrité de tous les côtés.

Elle fut presque le soutien de ses deux enfants et de ses petits-enfants. Avec son intelligence et son courage, elle est arrivée à se placer comme fonctionnaire au parlement à Ottawa.

Elle a fait plusieurs bustes pas mal du tout, entre autres, le buste de Mme Wilson, femme sénateur, et les têtes de sa famille, de ses petits-enfants. Et plusieurs figures, de petits bibelots faits parfois dans le but de vendre pour aider au nécessaire de la vie, car la lutte pour la vie est toujours (au) premier plan.

Son rêve aurait été d'avoir un chez-elle afin de mieux travailler aux choses de l'art qui fait partie de son rêve. Voilà du courage.

Cœur-de-lion MacCarthy
1881-1979

Né en Angleterre, Cœur-de-lion MacCarthy arrive au Canada avec sa famille vers 1885. Son père, sculpteur de renom, se charge de sa formation et l'associe à ses travaux. Entre 1900 et 1913, aux expositions de la Royal Canadian Academy, il présente surtout des bustes. En 1918, il quitte l'atelier de son père à Ottawa et s'établit à Montréal. En 1921, il sculpte le monument aux héros de la Grande Guerre, à Trois-Rivières, et un autre, à Knowlton, en 1923. Il est aussi l'auteur du monument à la mémoire des employés du Pacifique Canadien, à Montréal. En 1937, il sculpte le buste de la reine Victoria pour le Sénat.

Étant fils de MacCarthy d'Ottawa, l'auteur du monument Champlain d'Ottawa[1], Cœur-de-Lion n'est pas en harmonie avec le caractère de l'homme qui le porte. Charmant homme de sa nature et inoffensif, où il était dangereux, c'était pour décrocher le contrat d'un monument aux soldats morts à la Grande Guerre de 1914. Il en a fait plusieurs mais autant il en a fait, autant il y en a de mauvais. Et chose curieuse, les comités ont toujours tombé dans le panneau. Ils s'apercevaient après que le monument exécuté était mauvais, mais c'était trop tard, le monument était inauguré, payé, plus rien à faire.

Au dévoilement du groupe fait par MacCarthy dans la salle d'attente à la gare du C.P.R. à Montréal, dans les discours prononcés à cette fête, on avait ignoré le nom de MacCarthy et l'épouse du sculpteur en colère de voir qu'on n'avait pas prononcé le nom de son mari, même une fois, dans tous les discours,

1. Voir Hamilton Plantagenet MacCarthy.

alla protester auprès du comité d'un crime d'un tel oubli; mais le comité se voyant poussé au bout déclara alors que s'il avait ignoré le nom de son mari, c'était pour ne pas lui faire du tort en mettant son nom à un monument aussi mal réussi. Vous voyez là l'humiliation de l'épouse apprenant que son mari faisait des horreurs[2].

2. Le monument aux employés du Pacifique Canadien dans le hall de la gare Windsor à Montréal a été inauguré le 28 avril 1923.

Nous comprenons alors que si le fils (a reçu) son éducation sous la direction de son père et qu'il a cherché après à développer plus le sens des affaires, les moyens de décrocher un contrat au détriment des études faites sous la direction d'un enseignement sérieux de la sculpture, nous ne devons pas être étonnés de la valeur trop discutable du fils.

Il a eu plusieurs monuments où le revenu de tout ça aurait (dû) lui faire une petite fortune ou du moins profiter de tout davantage. Non, MacCarthy avait (la manie) de changer souvent de studio où il dépensait de l'argent pour (en) mettre un vieux plus confortable, qu'il louait de préférence, et changeait après quelque temps pour remettre le nouveau studio plus confortable et la même folie s'est renouvelée trop souvent.

Et lorsqu'il exécutait une figure, il moulait lui-même ses figures, le contraire des autres mouleurs. Il coulait les figures et retouchait la forme avec du plâtre, là, il gâtait probablement quelques morceaux avec son retouchage en plâtre, ce qui est des plus difficiles et des plus ingrats et par le fait, ses figures (étaient) trop lourdes pour la fermeté de la matière. Le plâtre était toujours cassé, abîmé dans le transport et les frais de transport lui coûtaient très cher et il lui fallait beaucoup de travail pour réparer ou payer pour les faire réparer. En plus, le fondeur lui chargeait cher et il ne s'avisait pas de chercher à le faire couler à meilleur compte. Et pour racheter sa maladresse, avec sa voiture un jour, dans une ruelle, il tua un homme. (Il eut) des démêlés avec les tribunaux et tout ça sans suite de sorte que MacCarthy, forcé de se cacher assez longtemps, sortit de sa cachette plus pauvre qu'avant d'avoir eu tant de monuments à exécuter et après avoir travaillé comme un diable. Dans sa prétention, il n'aurait jamais accepté un conseil pour son bien. Voilà où mène le départ d'une fausse direction.

Alonzo Cinq-Mars
1881-1969

Poète, journaliste, traducteur et sculpteur, Alonzo Cinq-Mars est né à Saint-Édouard-de-Lotbinière. Il entreprend à Québec des études de droit qu'il se voit obligé d'abandonner pour gagner sa vie et fait ses débuts dans le journalisme vers 1900-1901. Il devient par la suite chroniqueur parlementaire pour La Presse *et correspondant québécois pour* La Patrie; *il sera d'ailleurs éditorialiste à ce journal jusqu'en 1962. C'est en 1920 qu'il commence à suivre des cours de modelage à l'École des Beaux-Arts de Québec sous la direction de Jean Bailleul. Ses bustes et médaillons des hommes de lettres, des artistes, des musiciens et hommes politiques lui ont valu une certaine réputation.*

Alonzo Cinq-Mars a joué un rôle important dans le monde des lettres aussi bien par son œuvre que par son rôle de diffuseur de la poésie québécoise. Il est un des membres fondateurs de la Société des arts, des sciences et lettres et de la Société des poètes.

Homme de lettres, il commença au journalisme pour devenir fonctionnaire traducteur au Fédéral[1]. Lorsqu'il était au service du journalisme à Québec, il se trouva un violon d'Ingres. Ce violon, caressé comme passe-temps probablement, est devenu, je crois, son instrument chéri, sans négliger sa profession d'homme de lettres, parce que c'est surtout elle qui lui donne son pain. C'est important.

L'École des Beaux-Arts de Québec ayant pris un certain élan, il y suivit les cours de modelage. Depuis ce temps-là, il profite du savoir appris pour faire de la sculpture, pour modeler les profils en médaillon, la

1. Il a été traducteur au *Journal des débats* à partir de 1925.

tête des hommes déjà dans l'histoire dans plusieurs domaines de l'intellectuel au Canada[2]. J'ai vu de ses médaillons: sans être des chefs-d'œuvre, ils ne sont pas mal, surtout celui de Pamphile Lemay est très bien[3]. Cinq-Mars est un homme charmant et sympathique.

2. Édouard Doucet, *Les médaillons d'Alonzo Cinq-Mars*, Montréal, Lidec, 1968.

3. Pamphile Lemay (1837-1918), poète, conteur et romancier, traducteur et conservateur de la bibliothèque du Parlement à Québec.

Herbert McRae Miller
1895-1981

C'est après la guerre de 1914-1918 où il fait son service en France qu'Herbert Miller suit des cours au Monument national avec Franchère. Il poursuit sa formation à l'Art Student League de New York en dessin, en peinture et en anatomie. Il revient à Montréal en 1925 et entre dans l'atelier de Laliberté à l'École des Beaux-Arts. Avec C.W. Simpson il se forme à l'art commercial, au lettrage et à l'illustration, ce qui lui permet de travailler dans la publicité de 1925 à 1955. À la retraite, sur les conseils de son ami F.S. Coburn, il se remet à la peinture dans la région de Sainte-Agathe où il habite jusqu'à sa mort. (ARCA 1944, RCA 1955)

Ce gros garçon assez sympathique à la tête grisonnante de bonne heure je crois, n'est pas vraiment un sculpteur de carrière[1]. Son métier est plutôt dessinateur dans l'art commercial. C'est avec celui-ci qu'il gagne sa vie. C'est ce qui l'empêche de suivre assidûment mes cours de sculpture à l'École des Beaux-Arts de Montréal.

Assez bon élève, il fit parfois des morceaux assez bien pour être exposés à l'Art Gallery[2] et parfois avec succès. Surtout sa dernière tête de vieux à barbe n'était pas mal du tout[3]. Nous attendons ce qu'il va produire plus tard. Vu la lutte pour la vie lui aussi, nous ne pouvons espérer énormément de merveilles de sa part.

1. Il a effectivement fait carrière comme dessinateur mais c'est comme sculpteur qu'il est reçu à la Royal Canadian Academy.

2. Il a exposé à partir de 1928. Le Musée des beaux-arts du Canada possède un bronze intitulé *October Light*.

3. Il s'agit probablement de *Retrospect*.

214

Rita Mount
1888-1967

C'est probablement avec son cousin Georges Delfosse que Rita Mount commence à peindre bien que sa véritable formation se fasse auprès de William Brymner. Élève douée, elle se distingue dans les classes d'été de Maurice Cullen et obtient une bourse de deux ans de l'Art Association. Elle se rend alors à Paris où elle étudie le modèle vivant à l'Académie Delecluse, et aussi le portrait, avec Bornet du Cercle international des Beaux-Arts. En 1918, elle part pour New York et s'inscrit à l'Art Student League.

Fidèle exposante à l'Art Association et à la Royal Canadian Academy, Rita Mount tient une exposition solo en 1934 à l'Art Association et en 1943, le Musée provincial organise une rétrospective de son œuvre. Pendant une vingtaine d'années, elle a beaucoup peint en Gaspésie. (ARCA 1939)

Voici un tout petit bout de femme dont la stature ne va même pas à la hauteur d'une taille moyenne, mais dont le talent et le tempérament dépassent de beaucoup sa taille. Il est vrai que le talent ne réside pas dans le volume des muscles et la longueur des os.

Fille de feu le docteur Mount, une famille honorable, notre femme peintre fut bien élevée et reçut une bonne éducation[1]. Elle choisit de bonne heure comme apostolat l'art de la peinture. Elle a produit beaucoup de paysages d'été, des marines, des barques attachées au rivage d'une mer parfois assez belle. Elle fit aussi des scènes d'hiver et parfois un cheval attelé à un berlot; seulement celui-ci ressemblait quelque

1. Son père, le docteur Edmond Mount, était grand amateur d'art.

215

peu à d'autres qui ont même abusé du sujet[2]. Ses paysages d'été, des grands champs avec tous les tons qui constituent des champs, couleur de la moisson, des foins, des prairies et l'on voit ces tons limités par la séparation des lots de chaque cultivateur qui forment un grand tapis couvrant la grande dimension d'une contrée de la campagne. Tout ça est peint avec une assez belle pâte et largement, (ce) qui place notre petite Canadienne-française parmi les bons peintres et probablement la meilleure des femmes de sa nationalité. Elle fit son éducation artistique à la Art Gallery sous la direction de Brymner.

Rita Mount, *Rivière La Malbaie*. (Photo A. Kilbertus. Collection Galerie Bernard
Desroches)

Georges Tremblay
1878-1939

Né à Cap-à-l'Aigle, dans Charlevoix, Georges Tremblay passe sa jeunesse à Montréal, suit des cours au Conseil des arts et manufactures et va à Chicago quelques mois pour étudier. Il travaille ensuite au Vermont avant de s'installer définitivement à Iberville en 1909. Georges Tremblay y a une entreprise de tailleurs de pierre qui emploie jusqu'à dix-huit personnes. Il se serait mis à modeler dans les années vingt.

Les trente ans de collaboration d'Alfred Laliberté et de Georges Tremblay se doublaient d'une grande amitié.

Jeune garçon en 1897 par là, il suivit des cours de modelage au Conseil des arts et métiers sous la direction d'Alexandre Carli, professeur de ce cours. À ce moment-là, il travaillait déjà de son métier de tailleur en granit pour un patron entrepreneur d'épitaphes et de construction. Quelques années après, il laissa le Canada pour aller aux États-Unis pas loin des frontières[1]. Il revint au Canada quelques années après avec son épouse et là[2], il s'installa pour travailler à son compte à Iberville et il demeura là la dernière moitié de sa vie. À mon retour de Paris, lorsque je commençai à faire mes premiers monuments, bien entendu, Tremblay est venu m'offrir ses services pour le travail de mes piédestaux en granit. Comme je compris tout de suite qu'il était un tailleur habile, consciencieux, honnête, il tailla alors tous mes piédestaux[3].

Vint la Dépression où tout fut changé. Plus rien à faire pour les monuments car il ne s'en faisait plus; les épitaphes pour les cimetières, presque plus non

1. Il a travaillé au Vermont, à Barry, reconnu pour sa carrière de granit.

2. Il avait rencontré sa femme à Barry et se marie en 1910.

3. G. Tremblay a également taillé les marbres de Laliberté.

217

4. Il avait été très affecté par la mort de sa femme survenue en 1930.

5. Le curé Charles Cormier.

6. Il est mort de silicose.

7. L'incendie eut lieu en 1938.

8. Voir Émile Brunet.

plus. Alors Georges Tremblay, plus rien à faire pour lui. L'inquiétude, l'ennui s'emparèrent de lui et pour s'occuper à quelque chose, pour chasser l'inquiétude, l'ennui[4], il se mit à modeler des profils de têtes d'après des photographies et pour ça, il modela la tête des membres de sa famille, des amis, des parents éloignés, le curé de sa paroisse[5]. Et il venait me faire voir son modelage pour que je (lui) donne des conseils. Enfin, il est arrivé à avoir une certaine habileté qui le rehaussait de beaucoup au-dessus du tailleur de granit. En plus, (ça) lui aidait moralement à passer la triste époque pour lui qui minait sa santé, étant déjà usé un peu par son travail de métier qui encrasse les poumons, le foie par la poussière venant de la pierre[6].

Lorsque le Collège de Saint-Hyacinthe fut détruit par les flammes[7], on demanda à Tremblay de (modeler) quelque chose d'après un dessin esquissé par un des Frères du collège en ruine; il désirait avoir la silhouette du collège dans cette pierre à la mémoire des 45 victimes du désastre.

Alors, il travailla de toutes ses forces. Mais (le nombre) des gens intéressés au monument (n'étant) pas assez considérable, (ils) décidèrent de prélever une souscription et là, ils récoltèrent une somme assez rondelette, après quoi, ils organisèrent un concours. L'ami travaillait son affaire avec acharnement en préparant trois maquettes qu'il venait me faire corriger comme pour ses médaillons.

Émile Brunet[8], sculpteur, ici à Montréal pour cause de santé, mais tout de même assez en santé pour faire marcher ses influences, a présenté une pauvre maquette banale, bien inférieure à la maquette de Georges Tremblay. Brunet a emporté en disant qu'il n'était pas possible qu'il se fasse passer par-dessus la tête par un tailleur en granit, lui qui avait vécu 20 ans à Paris. Alors il y eut des disputes assez graves et l'un des plus ardents pour Brunet parlait plus fort et a emporté la palme pour Brunet. Le comité a avoué après avoir commis une erreur mais il était trop tard, le contrat était signé. Et Tremblay avait reçu le plus grand choc de déception de sa vie et qui a avancé sa mort.

Cet homme était trop honnête et bon pour vivre vieux; bon de cette bonté qui juge les autres comme lui et trop honnête pour avoir la souplesse dans les affaires lorsqu'il s'agit de lutter avec ses semblables, et trop rigide dans ses principes pour faire vraiment un artiste. Sensible, il aimait la musique. Renseigné plus qu'un tailleur en granit, il s'intéressait à tout mais toujours avec une droiture trop rare pour vivre longtemps à notre époque.

Il avait commencé son monument de famille qu'il n'a pas pu achever. Le peu qu'il restait à faire, je l'ai fait en mémoire de sa loyauté à mon égard[9].

9. Le Christ en bronze du monument, au cimetière d'Iberville, a été volé en 1978 de même que le buste du curé Cormier.

Antonio Leroux
1880-1940

1. Voir Arthur Vincent.

2. Dans la bibliothèque d'Alfred Laliberté, nous avons trouvé un livre ayant appartenu à Antonio Leroux: *Modernized Methods in the Art and Practice of Lettering for Commercial Purpose* de William Gordon, Cincinnati, Ohio, 1918. Sur la page de garde, on lit: «J. Antonio Le Roux, 221 Boyer, Montréal, Fête Dieu, 26 mai 1921».

Ce rondelet garçon instruit et renseigné suivit les cours de modelage au Conseil des arts en même temps que moi en 1897 et 1898. Comme j'étais ignorant sur tout, j'ai profité de son instruction pour me renseigner tout de même un peu en proportion de ma préparation à comprendre. C'est lui qui me permit d'approcher Arthur Vincent, sculpteur[1]. Car Leroux travaillait (avec) lui à ce moment-là à l'exécution du baldaquin pour la Cathédrale de Montréal. Leroux a toujours été un grand amoureux de l'art. S'il n'a pas réussi à faire (quelque chose) d'intéressant, la faute en est à son manque de talent, car il a fait tout ce qu'il a pu. Car, à la fondation de l'École des Beaux-Arts à Montréal, étant déjà au milieu de sa deuxième jeunesse, il suivait encore les cours de dessin et de peinture[2]. C'est ce qui me fait dire que l'éducation et l'instruction ne sont pas suffisantes pour faire un artiste: il faut le tempérament.

Napoléon Savard
1870-1962

Napoléon Savard est né dans Charlevoix, à Cap-à-l'Aigle. Comme plusieurs autres illustrateurs, il fait ses débuts chez Burland et Co. où il travaille pendant quatre ans après quoi, il passe cinq ans au journal Herald *de Montréal avant d'entrer au service de* La Patrie.

Le Monde illustré *du 30 juin 1900 reproduit une de ses compositions inédites et en 1903, il présente douze dessins à l'exposition de la Newspaper Artists' Association.*

Je me souviens de ce jeune homme sympathique[1] dans le temps (qui) commençait à faire partie du groupe de dessinateurs qui ont gagné leur vie au service des journaux, *La Patrie*, *La Presse*. Ils ont peut-être oublié leur idéal pour leur pain. Lorsqu'un artiste commence jeune à se créer des obligations qui entravent toujours la réalisation d'un idéal, c'est le sort qui est le lot de la plupart des jeunes artistes en herbe qui n'ont pas la volonté de résister aux tentations de mouvements qui les enchaînent jusqu'à la fin de leur vie.

1. Il a étudié à la Société des arts et au Conseil des arts et manufactures.

Adélard-Émile Charron
1878-1945

Le registre d'inscription des élèves dans les ateliers de peinture de l'École des Beaux-Arts de Paris mentionne qu'Adélard-Émile Charron, né à Ottawa en 1878, est inscrit dans l'atelier de Gérôme le 31 octobre 1903. Le dossier individuel de l'étudiant contient une lettre de présentation d'Hector Fabre et également une «lettre d'autorisation à travailler dans les galeries» signée Jules Lefebvre et datée du 13 octobre 1913.

L'annuaire d'Ottawa mentionne son nom en 1891-1892 et en 1902 et 1904.

Un petit bonhomme plutôt très brun, débrouillard traversa à Paris et là, avec beaucoup d'audace et un esprit commercial, en 1905 ou 1906, il entreprit de faire le portrait du pape d'après des photos. Il va sans dire qu'il ne pouvait pas prétendre, malgré son audace, que le pape viendrait poser pour lui. Voyez déjà toutes ces idées biscornues. Le fond de ça était de faire le portrait n'importe comment et de le vendre à quelque amoureux du pape, le chef de l'Église, dont la peinture ne pouvait pas faire autrement (que) de trouver un acheteur. Ensuite, on le perdit de vue.

Vingt ans plus tard, il arrive chez moi avec son grand garçon pour me vendre une police d'assurance. Il a réussi d'ailleurs par égard à notre ancienne rencontre à Paris. Ce peintre raté était maintenant un agent d'assurance.

Les peintres de la Montée Saint-Michel

Ernest Aubin (1892-1963)
Joseph Jutras (1894-1972)
Jean-Onésime Legault (1882-1944)
Onésime-Aimé Léger (1881-1924)
Élisée Martel (1881-1965)
Jean-Paul Pépin (1897-1983)
Narcisse Poirier (1883-1983)
Jean-Octave Proulx (1890-1970)

Plutôt que des préoccupations esthétiques communes, c'est le goût de la peinture, l'amitié et un lieu, la Montée Saint-Michel, qui réunissent ces peintres. Ni peintres du dimanche, ni autodidactes, ils ne peuvent toutefois se consacrer entièrement à la peinture. Tous ont étudié soit au Monument national, soit à l'École des Beaux-Arts, soit à l'Art Association.

Recherchée pour la beauté de ses paysages, ses boisés et son décor champêtre, la Montée Saint-Michel attire tous les peintres de l'époque; les peintres de la Montée y resteront fidèles pendant près de trente ans (1907-1936). L'Arche, ce grenier-atelier qu'Émile Vézina avait habité et que le groupe des Casoars avait repris, deviendra l'atelier des peintres de la Montée. Le groupe est sorti de l'anonymat à l'occasion d'une exposition à la Galerie Morency en 1941, pour retomber ensuite dans l'oubli.

Mgr Olivier Maurault dans une brochure des Éditions des Dix, Montréal, 1941, a écrit l'historique de ce groupe de peintres et semble leur avoir donné toute la portée du rôle joué dans la peinture en proportion de leur talent, de leur tempérament. Il (y) a

223

même quelques anecdotes amusantes, l'histoire de la vache par exemple. Son geste est bien louable venant de la part du recteur de l'Université de Montréal[1].

Voici les noms de chacun qui forme ce groupe : E. Aubin (1892), J. Jutras (1894), J.O. Legault (1882), O.A. Léger (1881-1924), E. Martel (1881), Pépin (1897), N. Poirier (1883), J.O. Proulx (1890). De ces huit noms au début, avant la mort prématurée de O.A. Léger, il en reste sept encore vivants.

Léger que j'ai connu pour avoir été mon élève, sous un aspect petit, frêle, avait du talent et du tempérament. Je l'ai eu comme élève ; il dessinait, peignait et modelait. Ses œuvres étaient même remarquées à la Art Gallery, car il a exposé maintes fois. Je me souviens d'un groupe en sculpture, *La mère et l'enfant* dont il fut question de faire l'acquisition par la commission pour acheter des œuvres d'art pour le gouvernement, au temps du sénateur Boyer. Il aurait fallu que le groupe fût en bronze. Malheureusement, il était en plâtre, car on n'expose pas des plâtres dans un musée et comme il était très difficile de le faire couler ici à ce moment-là. Alors, voilà la cause pourquoi cette œuvre ne fut pas un succès complet[2].

Donc, il en reste sept. Aubin que l'on admet comme étant le chef du groupe. J'ai bien connu celui-ci de même que Poirier, les deux ont été mes élèves de modelage au Monument national et ensuite à l'École des Beaux-Arts lors de sa fondation en 1922. Les deux avaient une certaine habileté d'après le modèle vivant, mais dire qu'ils étaient sculpteurs, je ne le crois pas. Ils savaient, je suppose, que les deux Muses, les deux sœurs marchaient main dans la main. Le modelage ne pouvait pas leur faire de tort dans le dessin et la peinture qu'ils étudiaient en même temps[3].

Mais Poirier était déjà plus pratique et (il) a trouvé le moyen de vendre ses peintures et il en a vendu beaucoup à des prix très bas, mais il (faut) croire qu'il y a trouvé sa vie et assez de profit. Si je ne me trompe pas, il a trouvé le moyen d'avoir deux propriétés, ce qui est déjà beau pour un peintre de la Montée Saint-Michel[4].

1. Mgr Olivier Maurault (1886-1968). Historien et homme de lettres, membre de plusieurs sociétés savantes, recteur de l'Université de Montréal de 1934 à 1955, éditeur des *Cahiers des Dix* de 1941 à 1966. Amateur d'art, il est à l'origine des expositions à la bibliothèque Saint-Sulpice. Ses livres comme *Marges d'histoire*, *La Paroisse*, *Propos et portraits* sont des sources d'information précieuses sur la vie culturelle de Montréal.

2. Voir Onésime-Aimé Léger.

3. Voir Ernest Aubin.

4. Voir Narcisse Poirier.

J. Onésime Legault, *Vint l'orage. St-Elzéar.* (Photo A. Kilbertus. Collection Galerie Bernard Desroches)

J'ai aussi rencontré Pépin[5] chez son oncle Jean-Baptiste Lagacé, à Saint-Zotique. J'avais l'impression qu'il prenait des conseils et peut-être plus de leçons de son oncle. Il me paraissait être à ses débuts.

Je connais aussi Jutras et celui-là comme plusieurs autres a essayé plusieurs moyens de gagner sa vie: des parfums qu'il n'a pas réussis au point de vue finance. Les artistes n'ont pas une mentalité préparée pour l'industrie ou les affaires[6].

Je n'ai pas connu les autres tels que Legault[7], Martel[8], J.O. Proulx[9], mais il est certain que ceux-ci avaient un idéal et une bonne nature pour avoir travaillé en harmonie avec les autres qui étaient aussi de bonnes natures. Tous ont rêvé de faire de belles choses et quelques-uns parmi eux ont dû dans les débuts avoir des reproches, des menaces même de la part des parents car les papas ne sont pas toujours en état de comprendre et d'apprécier ce que le fils sera plus tard, peut-être plus humain, plus grand qu'en faisant le même métier de père en fils; celui-ci fait de l'art, chose bien inutile pour le matérialiste, car il n'y a pas beaucoup d'argent pour les débuts mais c'est pour cela qu'il faut le feu sacré et ça devient en somme une vocation et si avec tout votre travail, votre espoir, vous n'arrivez pas le premier aux honneurs, à la fortune, vous avez eu la philosophie de vous contenter de peu et si les choses que vous avez voulu faire belles ne sont pas parmi les plus belles, vous avez fait votre possible. Vous avez façonné votre âme, votre nature à être bonne et sensible, émue, devant un beau paysage, un beau coucher de soleil, en entendant une belle musique, devant une belle chose. Soyez fiers de vous, vous êtes déjà bien au-dessus du commun des mortels. Avec ça, Mgr Maurault nous dit que vous avez eu du bonheur à travailler ensemble; c'est déjà bien beau. Beaucoup de mortels n'en ont jamais eu autant. Car l'homme dans le monde qui trouve sa vie avec un travail suivant son idéal, sans faire de mal à personne, en faisant de belles choses autant qu'il le peut, est un homme heureux autant qu'il se peut[9].

5. Il aurait étudié avec Laliberté au Monument national entre 1912 et 1918.

6. Voir Joseph Jutras.

7. Jean-Onésime Legault, élève de Franchère, de Dyonnet et de Brymner, a peint des paysages et des portraits. A l'exposition des peintres de la Montée Saint-Michel en 1941, il expose une vingtaine de toiles. Il a fait de l'illustration pour l'Oratoire Saint-Joseph, la Banque canadienne nationale et La Sauvegarde.

8. Élisée Martel, le peintre animalier du groupe.

9. Estelle Piquette-Gareau poursuit, depuis quelques années, des recherches sur ce groupe de peintres.

Claire Fauteux
1890-

Née à Montréal, Claire Fauteux s'inscrit dès l'âge de dix-sept ans au cours de l'Art Association. Elle travaille avec Brymner et Cullen, plus tard avec Pilot et Lismer. En 1917, elle expose à la bibliothèque Saint-Sulpice. Boursière en 1921, elle devient l'élève de Guillaumat chez Julian, et de Maurice Denis. Elle a également l'occasion de peindre plusieurs mois en Italie. Elle expose régulièrement à l'Art Association de 1912 à 1929 des portraits et des paysages. Établie à Paris, elle est faite prisonnière par les Allemands et est internée pendant quatre ans à Besançon. Elle rapporte de ce séjour des croquis dont elle fera des peintures. Elle revient au Canada en 1947 et l'École des Beaux-Arts de Montréal lui confie une classe sur les techniques de l'huile et de l'aquarelle. Elle expose à l'Art français en 1947 et en 1969 au Centre culturel de Verdun.

Jeune fille, elle semblait avoir du talent. Dans ses paysages, il y avait de grandes promesses. Elle a pourtant traversé là-bas pour étudier et on ne revit presque plus sa personne ni ses peintures[1].

Il y a quelques années, on (lui) a donné l'intérieur du Cercle universitaire[2] à décorer sous forme de frise et elle n'a pas compris du tout le sens de la décoration avec des montagnes d'un gros vert émeraude, avec des personnages quelconques où l'harmonie est tout à fait absente. C'est raté, voilà le mot, et si elle a eu du talent, elle ne l'a pas manifesté là et ceci est contre elle pour toute sa vie.

1. Encore aujourd'hui, Claire Fauteux continue à peindre et à dessiner.

2. Le Cercle universitaire de Montréal était alors situé rue Sherbrooke est. La murale qu'elle y avait peinte décorait la salle à manger.

226

Jules Leprohon
1877-1949

Descendant d'une famille de sculpteurs sur bois, Jules Leprohon est né à Québec et étudie à Montréal au Conseil des arts et manufactures. Il fait partie d'équipes de sculpteurs et d'ébénistes qui travaillent pour les églises. Il est l'auteur, à Montréal, de l'autel de sainte Thérèse, à l'église Notre-Dame et de la chaire de l'église du Sacré-Cœur. Pour les facteurs de pianos Willis et Lesage de Sainte-Thérèse, il sculpte des pattes de pianos à queue, et dans les résidences de Westmount, des mobiliers, des encadrements. Dans les années vingt, il donne des cours dans quelques écoles de la Commission des écoles catholiques de Montréal.

Sculpteur sur (bois) de père en fils jusqu'à la quatrième génération, si l'on tient compte que son fils André suit les cours de l'École des Beaux-Arts à Montréal où il donne déjà des promesses qu'il fera, lui, un artiste en faisant un art plus avancé que (celui) de ses grands-parents[1], tel que son grand-père Achille sculptant pour les églises et les bateaux dans le temps où sur les bateaux il y avait une figure en bois, sur les côtés en avant[2]. Son arrière-grand-père Louis sculptait lui aussi pour les églises et encore plus loin, Xavier Leprohon[3] exerçait le même métier. Ceci est assez curieux (et) mérite d'être souligné, et ceci nous renvoie à l'époque de l'apprentissage.

Revenons à Jules. Il a fait beaucoup de travaux de sculpture sur bois: la Bibliothèque municipale, la Salle du Conseil, l'Hôtel Royal York, le Parlement d'Ottawa. Il est assez difficile de le critiquer comme artiste parce que son métier se place un peu en dehors

1. André Leprohon, né en 1919, a été trente-deux ans au service de l'urbanisme de la Ville de Montréal.

2. Achille Leprohon travaillait plutôt pour les chemins de fer.

3. Il s'agit vraisemblablement d'un seul et même homme, Louis-Xavier Leprohon (1795-1876).

et en bas du grand art : il faut le prendre à son niveau. Jules Leprohon a suivi les cours de modelage en même temps que moi au Conseil des arts, sous la direction d'Alexandre Carli[4], professeur, après, nous nous sommes perdus de vue, moi à Paris, et à mon retour et à l'érection du monument Dollard au Parc Lafontaine, je l'ai revu là. Il avait déjà fait des travaux de sculpture sur bois et faisait probablement de l'argent puisqu'aujourd'hui, il roule l'automobile. Il n'y a pas beaucoup de sculpteurs qui peuvent en faire autant. Il faudrait peut-être dire que tous les métiers peuvent faire vivre son homme, à condition qu'on sache bien le faire.

4. Voir Alexandre Carli.

Berthe Le Moyne
1884-1958

Berthe Le Moyne étudie avec Brymner, Cullen et Pilot à l'Art Association. Avec deux autres de ses amies peintres, Rita Mount et Claire Fauteux, elle expose à la bibliothèque Saint-Sulpice, du 17 décembre 1916 au 15 janvier 1917. Elle présente vingt-sept œuvres, surtout des paysages et des marines. En 1920, c'est à Québec qu'elle expose, à l'Académie commerciale. Au début des années trente, elle suit des cours à l'Académie Julian, à Paris, et fait également un stage à Barbizon.

Elle a illustré les poèmes de Blanche Lamontagne et a réalisé une couverture pour La bonne parole, *revue de la Fédération nationale Saint-Jean-Baptiste. Une de ses œuvres, un profil de Dollard-des-Ormeaux, a souvent servi d'illustration.*

Je ne sais pas si c'est une descendante des Le Moyne d'Iberville, je me souviens tout de même que dans cette famille, ils aimaient le beau, les lettres, car une de ses sœurs écrivait[1]. Et de tout ça, on n'entend plus aucun bruit. À bien y penser, Mlle Berthe a peint si peu longtemps et si peu[2], je me demande si toutes ces promesses, ses aspirations existent encore et (si) le cimetière trouvé déjà à cet effet ne renfermerait pas une inscription se lisant comme suit: «Ils ont existé mais si peu longtemps. Pensons à eux tout de même en rappelant leur nom, ce qui est déjà quelque chose.»

1. Il s'agit de Georgette Le Moyne, qui fut présidente de la Fédération nationale Saint-Jean-Baptiste, amie de Marie Gérin-Lajoie, fondatrice de l'Institut Notre-Dame du Bon-Conseil.

2. Elle a eu un atelier pendant plusieurs années au parc Lafontaine.

229

Alice Nolin
1896-1967

*Née à Sorel, Alice Nolin a étudié dans les trois princi-
pales institutions d'art à Montréal et en particulier à l'École
des Beaux-Arts, avec Maillard, Fougerat et Alfred Laliberté.
Elle-même enseigne le dessin et le modelage au Conseil des arts
et métiers, puis à l'École des Beaux-Arts. Parmi ses œuvres,
on connaît des plaques commémoratives, des bas-reliefs et des
bustes dont celui d'Édouard Montpetit et d'Alfred Laliberté.*

Quelques années avant la fondation de l'École
des Beaux-Arts de Montréal, toute jeune fille encore,
elle suivait les cours de dessin au Conseil des arts et
métiers. En même temps, elle étudia la peinture
qu'elle négligea ensuite pour la sculpture et c'est en
sculpture qu'il faut la juger. Mlle Nolin n'a pas produit beaucoup et si toutefois elle a été amoureuse de
la sculpture, c'est aussi comme un sport. Étant fille
de Joseph Nolin, le dentiste, famille cultivée avec de
belles relations dans l'élite intellectuelle, avec ça ayant
une bonne dose de prétention, de snobisme, de pose,
de vantardise. Les gens qui sont gangrenés de ces
choses mentionnées plus haut ne sont jamais de
grands travailleurs. Ils veulent briller mais sans effort
ou leurs efforts consistent en des vantardises pour
faire beaucoup d'effets, qui n'ont pas de profondeur,
par conséquent (ils) ne peuvent aller loin et chez eux,
la sincérité (est) toujours délaissée pour l'intérêt. Sa
famille et elle pouvaient vous faire les plus belles fa-
çons possibles la veille dans le but intéressé d'avoir
votre influence pour leur obtenir une faveur et si cette
faveur ne tombait pas à leurs pieds comme une fleur,

la famille Nolin ne vous reconnaissait pas le lendemain et vous tournait le dos.

Mlle Alice a fait trois ou quatre choses qui dénotent un certain talent: la tête de son père, la tête de
Charles Gill, un buste de jeune fille fait à l'École des
Beaux-Arts, et un groupe d'amoureux se tenant par
la main était de son imagination assez heureuse.
Nommée professeur de modelage à l'école même où
elle a commencé, le Conseil des arts.

Orson Shorey Wheeler
1902-

Le sculpteur Orson Wheeler est né à Barnston, au Québec. À Montréal, il est l'élève d'Edmond Dyonnet et d'Elzéar Soucy. À New York, il étudie la sculpture au Cooper Union avec George Brewster. En 1929-1930, il fréquente le Beaux-Arts Institute of Design et le National Academy of Design. De retour à Montréal en 1931, il enseigne au Collège Sir George William, devenu depuis l'Université Concordia où il est toujours professeur. Membre de la Société des sculpteurs du Canada, Wheeler a exposé pendant trente ans à la Royal Academy, principalement des bustes. (ARCA 1939, RCA 1954)

Encore jeune d'âge et déjà assez habile comme sculpteur, il a, si je ne me trompe pas, fait ses études artistiques aux États-Unis. Revenu à Montréal depuis plusieurs années, il expose aux expositions du printemps et d'automne[1]. Il est même parfois juge pour la sculpture. Son métier assez moderne, consiste (en) des têtes, des figures, des têtes de chevaux. Tout ça fait avec un assez beau métier.

Mais ce sculpteur est encore trop jeune pour déjà avoir donné la pleine mesure de son talent, surtout qu'il me semble un travailleur. Il nous donnera plus tard de plus grandes preuves de son talent que je pense solide.

1. C'est-à-dire au Salon du printemps de l'Art Association et au Salon d'automne de la Royal Canadian Academy.

Doris Minette Judah
1887-1965

*Son apprentissage en dessin et en peinture se fait auprès
de Brymner et Dyonnet. C'est en 1915 qu'elle suit des cours
de modelage avec Alfred Laliberté. Après trois ans d'étude, elle
remporte une médaille d'or. En 1919, elle expose pour la première fois à l'Art Association. En 1923, elle passe une année
à Rochester; elle y poursuit ses activités de sculpteur et y enseigne le modelage. De retour au Canada, Doris M. Judah
partage ses activités entre la sculpture et son engagement social.
En 1930, elle suit de nouveau des cours à l'École des Beaux-
Arts et produit une cinquantaine d'œuvres jusqu'en 1940, année
où elle arrête de sculpter pour se consacrer au camp de jeunes
filles qu'elle avait fondé en 1935 à Orford.*

Épouse d'un professeur de l'Université McGill[1].
Jeune fille, je crois qu'elle suivait mes cours de modelage au Conseil des arts. Ensuite elle se maria[2] en
continuant toujours à modeler chez elle en cherchant
à faire quelque (chose) d'assez bien pour être acceptée
aux expositions à la Art Gallery, rue Sherbrooke. On
lui en refuse souvent, mais elle ne se décourage
jamais.

Et si je parle d'elle, ce n'est pas à cause de sa
grande valeur comme sculpteur, car elle (en) a si peu.
Je manque peut-être de charité en le disant, car nous
sentons que cette femme serait très heureuse de
pouvoir arriver un jour à faire de belles choses. Ce qui
est surtout remarquable chez elle, c'est le courage, la
persévérance, le grand amour pour le beau, la
sculpture qui me touchent et méritent toute mon estime. Et je me dis que si ceux qui ont du talent

1. Ernest Lionel
Judah a été professeur
à McGill de 1900 à
1943.

2. En 1912.

233

avaient autant de courage, de persévérance et d'amour de l'art, ils pourraient je crois faire des merveilles. Mais il y en a trop d'artistes en herbe dont l'amour du travail n'existe pas chez eux et ils passent leur vie à faire seulement quelque chose de médiocre tandis qu'ils ont du talent; avec du travail, (ils) feraient probablement des merveilles.

Yvan Jobin
1886-

Yvan Jobin a écrit : « J'ai d'abord étudié le dessin au Monument national, j'ai suivi des cours privés et fréquenté beaucoup d'ateliers d'artistes. » Pendant plusieurs années, il se consacre à la gravure sur bois et à la peinture décorative murale. Il enseigne vingt-six ans à la Commission des écoles catholiques de Montréal (CECM). À la retraite, il habite à Paris une dizaine d'années et expose cinquante-quatre œuvres à la galerie Les amitiés françaises *en 1956, surtout des paysages lunaires inspirés d'observations qu'il avait faites en astronome amateur. Il a également exposé à la galerie Morency de Montréal. Yvan Jobin est décédé en France, il y a une dizaine d'années.*

Peintre et dessinateur, professeur dans une école de la Commission scolaire de Montréal déjà depuis longtemps, un type avec une drôle de mentalité où la prétention (tient) une place assez importante. (Il) se figure toujours avoir trouvé quelque chose de neuf. Dans son aveugle ignorance et (ses) prétentions, il ne se doute pas que les choses qu'il croit avoir trouvées existaient même avant la naissance de son grand-père.

Un jour, il a proclamé au monde qu'il avait trouvé la ligne courbe qui devait révolutionner l'art de l'enseignement du dessin dans les écoles[1]. Sincèrement, il me semble que l'on ne sent pas encore les effets de cette merveilleuse trouvaille. Un autre trait qui s'harmonise très bien avec sa mentalité. Un jour, il y a au moins dix ou quinze ans, il déclara à un de mes amis qu'il venait de trouver une manière vraiment nouvelle de peindre : le pointillé et le (trait)

1. *Ligne droite ou ligne courbe? Cône au sphère optique?*, Montréal, Albert Lévesque, 1932.

235

apposé. Mon ami lui répond: «Mon cher Jobin, si vous voulez faire quelque chose de vraiment nouveau, mettez votre toile sur une chaise et mettez sur votre toile épais de couleur à même le tube de peinture et asseyez-vous dessus. Brassez-vous un peu le postérieur, vous allez gâter vos pantalons mais vous aurez fait au moins quelque chose de neuf.» Je crois que ceci indique suffisamment sa mentalité bien en harmonie avec la valeur tout en lui donnant le crédit de quelques têtes gravées sur bois et (des) paysages tout près d'être convenables. Donnons-lui au moins ce qu'il mérite.

Ernest Aubin
1892-1963

Ernest Aubin commence à peindre très tôt dans la Montée Saint-Michel et y attire plusieurs peintres, ce qui lui a valu d'être considéré comme «le père de la Montée». Il expose assez régulièrement aux Salons annuels de l'Art Association de 1915 à 1926 puis participe aux expositions de groupe des peintres de la Montée Saint-Michel. Il est dessinateur à La Presse *pendant de très nombreuses années. Ernest Aubin a peint toute sa vie et a laissé une œuvre considérable encore mal connue.*

Il est difficile de classer celui-ci qui étudia le dessin, la peinture et la sculpture[1] après avoir (fait) de la photo avec son père[2]. Mais il fit toutes ces choses sans grand succès. Cela tient probablement à plusieurs causes: la mentalité rapetissée par des principes mal appris, mal compris, une timidité, une soumission qui n'est pas du tout une soumission. Je me souviens lorsqu'il fut mon élève en sculpture, lorsque je lui faisais remarquer les défauts de sa figure, il avouait tout avec humilité ou il semblait se frapper la poitrine en disant, par ma faute, par ma faute, par ma très grande faute, et il continuait à faire la même erreur. Sa prétention rendait sa soumission fausse. Sous cette bonté en apparence se cachait parfois des révoltes mal digérées. Et voilà le résultat d'un artiste en herbe qui aurait peut-être pu l'être avec une autre mentalité.

J'ai la conviction que le talent ne se donne pas ou je n'en ai pas à donner. Pour avoir donné des leçons, des conseils à tant d'élèves, si peu ont réussi à faire de belles choses[3]. Et pour la plupart de ces

1. Très longtemps Ernest Aubin a suivi des cours du soir, d'abord au Monument national avec Saint-Charles, Franchère et Dyonnet entre autres, puis avec Brymner à l'Art Association et à l'École des Beaux-Arts de Montréal.

2. Fils de Benjamin Aubin, photographe et dessinateur.

3. Sur l'enseignement, voir *Mes souvenirs*, p. 157 et 169.

élèves, il faudrait peut-être un cimetière avec une petite inscription à la tête de chacun (rappelant) leur vie éphémère dans le domaine de l'art : ils ont existé mais de courte durée.

Ernest Cormier
1885-1980

Ernest Cormier a reçu sa formation en génie à l'École polytechnique de Montréal et sa formation spécialisée en architecture à l'École des Beaux-Arts de Paris dans l'atelier de Pascal. Le prix de Rome qu'il obtient du Royal Institute of British Architects en 1914 lui permet de séjourner deux ans à Rome. De retour à Paris, il participe à de grands chantiers puis rentre au Canada en 1919. À Montréal, l'architecte collabore au plan du Palais de justice (l'ancien) qui abrite aujourd'hui les Archives nationales et les conservatoires, conçoit les plans de l'Université de Montréal et de l'ancienne École des Beaux-Arts, rue Saint-Urbain. Sa maison, rue des Pins, caractéristique des années vingt, est aujourd'hui classée monument historique. À Ottawa, il réalisa l'édifice de la Cour supérieure du Canada. Ernest Cormier a exposé pendant trente ans. Il a joué un rôle important dans la diffusion de l'architecture moderne. (ARCA 1925, RCA 1932)

Architecte d'abord de sa profession, et aquarelliste probablement (pour) son violon d'Ingres et c'est surtout celui-(ci) qui doit entrer dans le cadre des *Artistes de mon temps*.

Car, comme architecte, il a commis l'architecture de l'Université de Montréal, près du cimetière, au versant du Mont-Royal, cette grande machine jaune qui a fait dire cette boutade en parlant de l'Université que c'était une grande dame qui montrait son derrière, et une autre tout près de celle-là, voulant aller plus loin, dit que c'est une dame qui montre son c... à tout point de vue. Là on touche à l'architecte en même temps à l'administration de la pauvre université.

239

Mais comme aquarelliste, c'est autre chose. Il a de la valeur, là on ne pourrait pas l'accuser de montrer son derrière, car les aquarelles nombreuses exposées à la Art Gallery nous montrent un aquarelliste habile qui connaît bien son métier[1]. Cependant, je ne serais pas certain que tout ce qui a été exposé a été fait sur place; je ne serais pas surpris que des cartes postales de l'Italie et d'autres pays auraient pu servir de modèle à quelques-unes[2]. Mais elles sont faites avec une (telle) maîtrise qu'il faudrait ne pas tenir compte d'aucun moyen pour y arriver. Et voilà pour le violon d'Ingres.

1. Il a exposé à l'Art Association de 1908 à 1933 et à la Royal Canadian Academy de 1914 à 1932.

2. Cormier est fréquemment allé en Italie.

Ernest Cormier, *Piazzetta à Venise*. (Fonds Ernest-Cormier. Centre canadien d'architecture/Canadian Centre for Architecture)

Joseph Poisson
1876-1951

Natif de Sainte-Élisabeth de Warwick d'Arthabaska, la même place que moi d'une distance de quelques arpents dans le bois. Il aurait pu (se) dire lui aussi fils de bûcheron, fils de la terre comme moi. D'ailleurs, il ne faut pas rougir de nos antécédents lorsqu'ils ont été braves. Je me souviens bien que lorsque je commençais moi-même à faire des bonshommes au couteau de poche, en ce temps nous étions rendus à Sainte-Sophie, le jeune Poisson, qui était à peu près de mon âge, était venu chez nous avec des sculptures qu'il avait sculptées au couteau de poche lui aussi, qui étaient aussi prometteuses que les miennes, sinon mieux que les miennes[1]. Et après ça, je suis venu à Montréal pour prendre les premières notions de sculpture et si mon souvenir ne me trompe pas, il était engagé chez un sculpteur ici et gagnait sa vie assez convenablement. Ensuite, je suis allé à Paris[2]. Ensuite, de retour à Montréal, je n'ai pas retrouvé ses traces et lui il m'a (   ) qu'il ne recherchait pas beaucoup les miennes car il lui (eût) été facile de les retrouver car les journaux parlaient de mon retour d'Europe et mes succès me faisaient déjà une place parmi les artistes et indiquaient où j'étais, surtout que j'avais (eu) une exposition de toutes mes sculptures[3]. Il lui aurait été bien facile de me trouver. Et moi peut-être avec tout mon succès, c'est peut-être ça qui l'a gêné. Cependant une grande sympathie m'attache à son sort qui est maintenant fini puisque je voyais sur *La Presse*, la semaine dernière, Joseph Poisson, sculpteur sur bois, décédé à sa demeure rue Mont-Royal laisse pour le pleurer une épouse et un enfant

1. Voir *Mes souvenirs*, p. 46 et 53.

2. Voir *Mes souvenirs*, p. 54-69.

3. Exposition qui eut lieu au Monument national en 1907.

241

ou deux, je crois. Voilà c'est fini. J'aurais pourtant été heureux que de son vivant il vienne frapper à ma porte; nous aurions pu causer de nos débuts de chacun de nous et après tout, nous étions du même sol, c'est quelque chose.

Edwin Holgate
1892-1977

C'est en 1901 qu'Edwin Holgate, né à Allandale en Ontario, arrive avec sa famille à Montréal. Très jeune, il commence à suivre des cours de Brymner, et à l'École d'été de l'Art Association, à Beaupré, il travaille avec Cullen. De 1912 à 1915, il fait un séjour en Europe, étudie à l'Académie de la Grande-Chaumière et voyage jusqu'en Ukraine. Il rentre au Canada par la côte ouest, ce qui ne manque pas d'avoir une influence sur son œuvre. En 1920, il se marie et retourne à Paris, pour étudier cette fois sous la direction d'Adolf Milman, expatrié russe. En 1922, il tient une première exposition solo au Montreal Art Club. En compagnie de Marius Barbeau et de A.Y. Jackson, il parcourt le nord de la Saskatchewan et de la Colombie-Britannique. Il enseigne la gravure à l'École des Beaux-Arts de 1928 à 1934. La carrière d'Holgate se partage entre l'enseignement et la peinture, la gravure, l'illustration et la décoration. Holgate a un atelier chez Laliberté de 1923 à 1928. (RCA 1954)

Celui-ci a manifesté de bonne heure des idées avancées en art moderne. Ces idées lui ont sans doute été dictées par son incapacité de faire bien comme les grands. (Il) fit d'abord partie du Groupe des Sept mais comme le mal se propage toujours beaucoup plus vite que le bien, pour venir à dire que le Groupe des Sept a fait beaucoup de petits, vingt-huit ou plus je crois (pour) finir par nier leurs parents pour suivre une voie un peu différente, mais guère mieux[1].

Dans cet état d'esprit, Holgate s'est acquis une belle réputation, c'est-à-dire (que) les amoureux de la peinture moderne, école de déformation, lui font

1. Holgate s'est joint tardivement au Groupe des Sept, en 1930, quand déjà le groupe commençait à se dissoudre.

243

beaucoup d'éloges. Mais je ne crois pas que les acheteurs lui en font autant en faisant l'acquisition de ses toiles. Il est vrai qu'à notre époque, les acheteurs n'existent plus parce que cette nouvelle école incompréhensible pour eux a contribué beaucoup à les dérouter.

Alors Holgate étant professeur de peinture à la Art Gallery devient par le fait même chef d'école[2]. Et sous une telle direction, nous attendons alors ce qu'il va sortir de beau. Maintenant que l'on a commencé à nier le bon sens, il n'y a pas à se gêner pour aller plus loin.

2. Holgate a été professeur à l'Art Association de 1934 à 1936 et de 1938 à 1940.

Robert Wakeham Pilot
1897-1967

Natif de Saint-Jean (Terre-Neuve), Robert Pilot arrive à Montréal lorsque sa mère épouse en secondes noces le peintre Maurice Cullen. Pendant la guerre de 1914-1918, il s'engage dans l'armée et sert outre-mer. En 1920, il retrouve son ami Holgate en France et s'inscrit dans l'atelier de Jean-Paul Laurens. L'été, les deux amis peignent en Bretagne. À son retour, en 1923, il prend un atelier chez Laliberté, atelier qu'il gardera jusqu'en 1940. En 1927, la galerie Watson organise sa première exposition solo. Cette même année, il retourne en Europe pour peindre et voyager en France, en Espagne et au Maroc. Ancien élève du Montreal High School, il exécute deux murales pour cette institution en 1930 et 1931. En 1935, il peint une autre murale pour le chalet du Mont-Royal. Pilot expose régulièrement des toiles, des paysages surtout, et des gravures qui sont très appréciées. En 1938, il est nommé professeur de gravure à l'École des Beaux-Arts. Il s'engage de nouveau dans l'armée en 1939 et combat en Angleterre et en Italie.

Deux fois récipiendaire du Prix Jessie Dow (en 1927 et en 1934), Pilot a été président de la Royal Canadian Academy de 1952 à 1954. (ARCA 1925, RCA 1934)

Ce bel artiste est le beau-fils de Maurice Cullen, le peintre des neiges des Laurentides.

La guerre de 1914 déclarée, Robert, jeune garçon, alla combattre au front. La guerre finie, il étudia à Paris durant quelques années la peinture. Revenu au pays, tout en étant un peu abîmé par les gaz de la guerre, il se mit à peindre afin de commencer sa carrière de peintre. Et avec la grande admiration pour son beau-père Cullen, nous comprenons facilement

1. Jean Chauvin dans *Ateliers* fait aussi allusion à l'attitude du jeune Pilot vis-à-vis Maurice Cullen.

qu'il subit l'influence de son aîné. Mais il comprit que son beau-père avait de la valeur mais que lui, s'il faisait la même chose, sa peinture perdrait beaucoup de valeur[1]. Alors, il fit tous ses efforts pour se défaire de cette influence et pour ça, il alla partout en province dans les coins les plus rustiques, la Gaspésie, la Baie Saint-Paul et plus loin encore où il va peindre des paysages d'été, d'automne, des scènes de campagne, des bœufs à la charrette ou des maisonnettes de pêcheurs, peignant une quantité de toiles pour en faire une exposition à l'automne ou plus souvent à l'hiver. Il a fait peu de paysages d'hiver pour moins s'exposer à ressembler à son beau-père et avec sa volonté, son travail, il est parvenu à se défaire de l'influence de son aîné. On a même dit qu'il peignait mieux que son beau-père, que sa peinture (était) plus fraîche, plus lumineuse avec une belle pâte, et il n'est ni vieille école, ni école moderne, je veux dire ultra-moderne. Ce qui le distingue de la vieille, c'est la lumière, les tons plutôt pâles, ce qui fait de lui déjà un beau peintre. Mais encore jeune, il est loin d'avoir fini son œuvre. Il me faut m'arrêter ici à cause de cela. Attendons.

Henri Hébert
1884-1950

Henri Hébert a fréquenté les mêmes ateliers qu'Alfred Laliberté à l'École des Beaux-Arts de Paris. Toutefois, il a aussi étudié à l'École des arts décoratifs. Une partie de son œuvre est d'ailleurs intégrée à l'architecture, résultat d'une étroite collaboration avec les architectes dont son ami Ernest Cormier. Il est chargé de cours de modelage à l'École d'architecture de l'Université McGill pendant une dizaine d'années. Hébert est l'auteur des monuments à Louis-Hippolyte Lafontaine *à Québec (1922) et à Montréal (1930) ; du* Monument aux morts *de la ville d'Outremont, de plusieurs bustes et bas-reliefs et de sculptures dont le style évoque l'art déco. (ARCA 1912. RCA 1922)*

Fils du sculpteur Philippe Hébert, sculpteur lui-même, il étudiait à Paris vers 1903 et (y) séjourna quelques années[1]. On peut dire de celui-là qu'il a eu beaucoup d'avantages étant le fils de son père qui avait les moyens de permettre à son fils d'étudier tout à son aise en profitant (de) la réputation de son père et que celui-ci, lorsqu'il parlait de son fils, disait qu'il avait beaucoup de talent et serait son successeur comme grand sculpteur au Canada.

Là je ne suis pas certain que le père ne (se) soit pas trompé un peu; le temps ne lui a pas tout à fait donné raison. D'abord pour plusieurs raisons. Henri (est) beaucoup plus prétentieux qu'il a de talent et plus paresseux qu'il a de talent. De toute sa vie il a fait de la sculpture, on pourrait dire, comme sport et il manifestait déjà sa paresse à Paris lorsqu'il étudiait. Il arrivait tard et partait de bonne heure du studio. Un citadin (à qui) tout sourit ou (qui) n'a pas besoin de

1. De 1898 à 1902 et de 1904 à 1909.

faire d'effort, sa vie assurée par l'argent que lui laissera son père et la réputation que lui a fait son père sans qu'il ait besoin de beaucoup s'en mêler.

J'ai dit beaucoup plus de bien du père que je vais en dire du fils, seulement le père le méritait, le fils ne le mérite pas. Ayant peu travaillé, il a produit peu. Je dois souligner en passant qu'Henri a des idées d'école moderne[2] qui, en somme, ne lui donnent pas plus de valeur car en ça, il a de nombreux devanciers. Cependant, je dois avouer qu'il a fait quelques bons bustes[3], celui de Jongers[4] surtout a de belles qualités. Un de ses admirateurs a dit qu'Henri cherchait à reproduire l'âme[5]. Si tel était le cas, on serait porté à croire que Jongers a une âme de brigand, de pirate des temps héroïques.

Il a fait trois ou quatre grandes statues: son Lafontaine à Québec est une horreur[6]; son Lafontaine (à Montréal) est un peu mieux mais loin d'être bien[7]. Ses deux autres grandes statues[8] sont mieux je crois, tout en ayant un caractère d'épaisseur, de lourdeur.

Monsieur Henri fait aussi des conférences. Là, il me fait l'effet de prêcher pour sa cause, d'essayer de combler un vide que sa paresse et son manque de talent l'empêchent d'éviter dans sa sculpture. Sa parole sentencieuse le fatigue moins que le travail de ses mains.

Et maintenant, vu son âge plutôt mûr et l'époque où le monde s'intéresse de moins en moins aux beaux-arts, nous ne pouvons attendre beaucoup de lui. Ou alors, attendons sagement.

2. On rattache son art au néo-classicisme et à certains aspects de l'art déco des années 25.

3. Entre autres, le buste de l'organiste Marcel Dupré, d'Édouard Montpetit, du journaliste Louis Francœur, de Sir Rodolphe Forget, de Narcisse Dupuis...

4. Daté de 1926. Voir Alphonse Jongers.

5. Allusion à l'opinion de Jean Chauvin dans *Ateliers*: «Ce qu'il cherche, c'est plus une ressemblance psychologique, c'est-à-dire, le reflet d'une âme.»

6. L'une des statues qui orne la façade de l'Assemblée nationale.

7. Au parc Lafontaine.

8. Laliberté veut-il parler du *Père Lefebvre*? d'*Abraham Martin*? de *Sir Rodolphe Forget*?

Charles Maillard
1887-1973

Charles Maillard est né à Tiaret en Algérie. Son nom est intimement lié à l'histoire de l'École des Beaux-Arts de Montréal dont il fut le directeur pendant vingt ans. Sa démission en 1945 qu'exigeaient les étudiants aux cris de : «À bas Maillard! À bas l'académisme» a signifié la fin d'une époque.

Portraitiste recherché et paysagiste, Maillard n'a exposé à l'Art Association qu'en 1921, 1923 et 1924, et sa première exposition solo date de 1971, alors qu'il avait quatre-vingt-quatre ans.

Ce peintre né en Algérie est ici au Canada depuis son âge tendre, je crois[1]. Étant canadianisé et en plus (à cause) du rôle qu'il a joué comme directeur de l'École des Beaux-Arts de Montréal, nous pouvons sans hésiter le compter comme artiste canadien de mon temps[2].

Comme je le dis plus haut, il est venu ici jeune mais avec son éducation artistique déjà presque complète[3]. Il a été à la guerre de 1914 servir son pays, la France[4]. À son retour, pour quelque temps, ce fut assez difficile. Il peignait un peu à la façon de ses maîtres sous la direction desquels il fit ses études artistiques. Je crois qu'il aurait été assez difficile qu'il en fût autrement car l'influence d'un patron pour un jeune ne s'efface pas tout de suite. Les artistes, les juges ici à la Art Gallery ne sont pas toujours tendres pour les jeunes; ils lui ont fait parfois des misères. Cependant, le portrait de cette époque de Mme Beaubien, la mère, est pourtant pas mal du tout avec

1. Charles Maillard est arrivé au Canada à vingt-trois ans.

2. Alfred Laliberté n'a pas retenu dans ses listes les noms de ses collègues français Emmanuel Fougerat, premier directeur de l'École des Beaux-Arts, et Robert Mahias.

3. Il a fréquenté quelques années les ateliers de Jules Lefebvre aux Beaux-Arts, de Tony Robert-Fleury et de Déchenaud à l'Académie Julian.

4. Dans Jean Chauvin, on lit : «Deux portraits, à ce moment, retiennent notre attention: deux portraits du soldat Maillard, par lui-même. Le peintre est ici tout casqué d'azur et là coiffé d'un passe-montagne. Au col de sa vareuse l'écusson du 7e génie, et sur sa poitrine la croix de guerre. Il porte une belle barbe noire, bien soignée, une barbe de permissionnaire.»

une belle distinction. Par hasard, à la fondation de l'École des Beaux-Arts de Montréal, il est engagé comme professeur et ensuite, comme directeur, après Fougerat[5]. Et là commence son rôle dans l'éducation des beaux-arts au Québec où il sut se faire apprécier du secrétaire de la Province[6]. Là, on l'a accusé de devenir très ambitieux en prenant trop de place dans la question d'art, à un moment donné, il faisait le beau temps et le mauvais. Mais à mon avis, le secrétaire était le plus coupable en lui facilitant les abus d'autorité en matière d'art tout en admettant que Maillard avait l'ambition facile à développer car il n'a jamais gâté les gens tant que ça.

Malgré ses défauts comme directeur, son indélicatesse propre à se faire détester des professeurs s'il ne fallait pas le subir, mais il faut avouer qu'il est travailleur et juste. Il est aussi un bon peintre aujourd'hui, portraitiste et paysagiste; ses peintures au temps des vacances le prouvent[7].

5. Professeur de 1923 à 1945, directeur de 1925 à 1945.

6. Athanase David.

7. Cette dernière phrase en marge semble avoir été ajoutée après coup.

Charles Maillard, *Nu couché*. (Musée du Québec)

Rodolphe Duguay
1891-1973

Né à Nicolet, Rodolphe Duguay restera toujours attaché à ce coin de terre, source d'inspiration de son œuvre. Obligé d'abandonner ses études et de travailler, il entend poursuivre son rêve: devenir peintre et aller à Paris. En attendant, il fréquente l'atelier de Delfosse et suit des cours au Monument national avec Saint-Charles, Paradis et Franchère tout en travaillant pour Xénophon Renaud, le décorateur d'églises. Sa rencontre avec Suzor-Côté en 1918 lui permet de profiter des conseils du peintre et d'exécuter des tableaux pour lui. De 1920 à 1927, il étudie à Paris chez Julian, Colarossi et à la Grande-Chaumière. Cette période est décrite dans ses Carnets intimes. *Au retour, il se retire à Nicolet où il peindra jusqu'à sa mort. Outre ses peintures, il a laissé des bois gravés, des fusains, des pastels, des lavis et des crayons.*

Celui-ci (est) établi à Nicolet depuis son retour de son voyage d'étude en Europe. Il avait commencé au Conseil des arts. Il a même peint quelque temps pour Suzor-Côté. D'après une bonne étude de Suzor, Duguay devait agrandir pour en faire deux grands panneaux et la peinture devait (être) posée suivant les indications des toiles de Suzor et Duguay à la satisfaction de son directeur et le résultat de ces deux panneaux malgré que Duguay en était pas tout à fait l'auteur. Mais le beau travail qu'il avait fait était plus qu'une promesse; il était déjà peintre. Mais à son retour de Paris, l'exposition qu'il fit à la salle Saint-Sulpice a été décevante par le côté terne, le manque de lumière, la peinture sale et le manque d'envolée et le manque dans les valeurs, les troisièmes plans qui

251

semblaient plus près de nous que le premier plan. En voyant ça, nous étions portés à croire qu'il n'avait rien appris à Paris, au contraire, il s'était encrassé.

Duguay a été élevé avec de bons principes, ce qui fait qu'avec son esprit de soumission, on lui a conseillé[1] de se marier et de faire poser sa femme comme modèle. C'était plus moral que de faire poser des femmes dont le danger guette toujours les artistes. Alors il se maria et ils eurent des enfants. Bien sûr, tout cela est probablement normal, mais le peintre par sa soumission, ses premiers pas, s'est créé des obligations. Et aussi, en s'installant à Nicolet où il n'y a pas d'ambiance artistique, que pouvait-il faire aux prises avec la lutte pour la vie de sa famille où il n'est pas permis de priver sa femme et ses enfants pour faire de l'art. Ce que j'avance là, il le sait lui-même maintenant. Sans avoir été témoin, je suis certain qu'il a eu des moments où il a senti qu'il ne pouvait pas aller loin dans le milieu et avec ses obligations, il a probablement la belle compensation de mener une vie normale avec une femme qui le comprend, étant elle-même une femme de lettres[2].

Duguay a déjà essayé d'avoir des relations avec des marchands de peintures de Montréal, mais il n'a pas réussi. Il n'expose jamais[3]. Ici on ne le connaît pas et il voudrait exposer, serait-il accepté? Bien sûr, dans les villes environnantes de Nicolet, on connaît probablement Duguay mais au point de vue art, ce sont des villages où les acheteurs de peintures, les mécènes ne doivent pas exister[4]. Tout de même, (ce) garçon mérite mon estime qu'il a depuis longtemps d'ailleurs[5].

1. En 1929.

2. Jeanne L'Archevêque-Duguay.

3. Après l'exposition de 1929, il faut attendre les quatre expositions à la Galerie Morency en 1940, 1941, 1942 et 1945. Les expositions à la fin de sa vie et surtout après sa mort seront plus nombreuses.

4. Grâce à Mgr Albert Tessier, de Trois-Rivières, Duguay a eu de nombreuses commandes de portraits et sa gravure a connu une grande diffusion.

5. Voir les *Carnets intimes* p. 77, 85, 86, 140, 141, 220.

Rodolphe Duguay, *Maison à la campagne*. (Photo A. Kilbertus. Collection Galerie Bernard Desroches)

Émile Brunet
1899-1977

Né à Huntingdon, Émile Brunet fait son apprentissage à Montréal auprès de son père, tailleur de pierre et statuaire. Il suit aussi des cours de modelage au Monument national avec Philippe Hébert et Alfred Laliberté, et de dessin avec Edmond Dyonnet. Une bourse lui permet d'étudier trois ans à Chicago où il travaille pour pouvoir partir en Europe (1924). Brunet, après ses études à l'École des Beaux-Arts de Paris, se partage entre son atelier de Paris et celui de Montréal. Parmi ses œuvres les plus connues mentionnons la statue de Sir Wilfrid Laurier au Square Dominion à Montréal, érigée en 1953, la statue du Frère André à l'Oratoire Saint-Joseph, en 1955, et la statue de Maurice Duplessis installée à Québec en 1976.

On a longtemps appelé celui-ci le jeune Brunet, sculpteur, mais il lui faut vieillir lui aussi comme les autres sculpteurs. Ayant commencé à suivre les cours de modelage au Conseil des arts vers 1908 et 1910, il était un grand garçon qui inspirait une certaine confiance. J'en parle en connaissance de cause, je fus son professeur pendant quelque temps. Je ne me proclame pas parce qu'il pourrait me faire honneur comme élève vu qu'il est arrivé à quelque chose, non ceci m'est bien égal, mais c'est pour mieux appuyer ce que j'avance à son sujet.

J'ai parlé plus haut de la confiance qu'il inspirait mais parfois bien trompeuse lorsque son intérêt était en jeu. Émile Brunet est un sculpteur habile; il connaît son métier mais sa sculpture est anonyme, il lui (manque) alors pour faire artiste, l'imagination et l'originalité. Il a de l'imagination, mais celle d'un

1. Il a reçu une médaille d'argent au Salon des artistes français en 1927.

2. En 1927.

3. Les quatorze bas-reliefs fondus en aluminium s'inspirant de la nature et de l'histoire québécoises; la grande porte, le fronton triangulaire et les trente-six blasons ceinturant l'édifice.

4. Le monument aux morts de Longueuil en 1924.

homme d'affaires qu'il met au profit et au service du sculpteur lorsqu'il s'agit de décrocher une commande payante. Car jusqu'à aujourd'hui, Brunet n'a pas exécuté autre chose que des commandes payantes. C'est ce qui est contre lui, (car) il n'a produit aucune figure de musée; il ne fait rien pour exposer non plus[1].

Il a fait quelques monuments, Sir Wilfrid Laurier, à Ottawa[2], les panneaux au haut du mur du Musée à Québec[3], un soldat à Longueuil[4]. Il en a aussi fait d'autres, mais très mauvais. Dans les concours de maquettes, il nous semble qu'il présente toujours la même maquette. Voilà encore une preuve que ses idées ne sont pas très fertiles. Fera-t-il d'autre (chose) de mieux? Nous attendons.

Charles Tulley
1885-1950

Londonien de naissance, Charles Tulley arrive au Canada en 1907. Il aurait étudié à Londres avec Gladwell et Muller, à Montréal, avec Coburn et Sherriff Scott.

En mai 1950, quelques mois avant sa mort, une rétrospective de ses œuvres a lieu au Cercle universitaire de Montréal, sous la présidence d'Alfred Laliberté.

Curieux comme peintre qui est surtout un aquarelliste, et dans ce sens de se contenter de peu, c'est un grand philosophe. Venu de l'Angleterre après la Grande Guerre de 1914, il s'installa à Longueuil dans une petite cabane qu'il construisit de ses mains. Il travaille peu et mène une vie bien peu coûteuse. Il vient à Montréal à bicyclette; il vient s'offrir aux artistes comme modèle. Il gagne quelque argent qui l'aide à vivre. Bâti robuste, tenue négligée, malpropre. De temps en temps, il vient ici à Montréal avec une aquarelle sous le bras qu'il essaie de vendre ou d'échanger pour une autre chose d'art. Il nous offrira une aquarelle de l'église Bonsecours pas mal du tout pour une statuette que l'on veut bien faire de lui-même[1]. Il aime le beau, la musique. Il parle sa langue d'une manière presqu'incompréhensible et se trouve heureux comme ça.

1. Le peintre y est représenté assis tenant sa palette. Cette sculpture se trouve au Musée du Québec.

Émile Lemieux
1889-1967

Émile Lemieux est né à Montréal et suit les cours du Monument national de 1904 à 1906. De 1907 à 1910, il étudie à Toronto, New York et Chicago. En 1911, il passe dix mois à Paris et s'inscrit aux cours de dessin de Charles Naudin à l'Académie Colarossi. À son retour, il expose à la Johnson and Copping Gallery. Il est nommé directeur artistique de la maison T. Eaton en 1911, poste qu'il occupera pendant de nombreuses années. Émile Lemieux a surtout fait du paysage.

Il traversa en Europe et à Paris vers 1910 pour étudier le dessin. Jeune à ce moment-là, il avait une tête sur les épaules qui ressemblait beaucoup à un Indien par son profil d'allure nerveuse et débrouillard. Il n'a pas été longtemps à Paris. Revenu à Montréal, il se plaça à la maison T. Eaton, aujourd'hui comme décorateur de vitrine du grand magasin avec un beau traitement. Il se ( ) un beau talent d'étalagiste de vitrine avec la compréhension vive de ce qu'il faut pour le commerce. Et il est certain qu'il va y passer le reste de sa vie à la maison Eaton. Entre temps, pour se distraire, je suppose, il peint des paysages d'été et d'hiver qu'il peint avec une maîtrise sans personnalité, car ses paysages ressemblent à beaucoup d'autres qui sont ses devanciers. Mais sa tête d'Indien d'autrefois est devenue par son embonpoint une tête de commerçant de même que sa mentalité.

Pierre Hamelin

C'est comme sculpteur qu'il entre dans le cadre des *Artistes de mon temps*, mais c'est surtout comme homme qui s'occupe de spiritisme qu'il est connu ou, du moins, mieux. Il a voulu faire de la sculpture; il a même présenté pour être jugée et exposée une figure d'assez grande dimension dont le métier était bête. L'idée et l'arrangement étaient aussi bêtes.

Il est venu quelque temps à l'École des Beaux-Arts suivre les cours de modelage, mais avec sa mentalité, il lui était impossible de faire rien de bon. Prétentieux avec ça. Ces gens-là n'acceptent pas de conseils et s'ils font semblant de les accepter, c'est que leur prétention, leur entêtement aveugle (leur) conseilleront de mieux les repousser après. Enfin, ce sont des gens enlisés jusqu'à la mort, qui ne peuvent laisser aucune trace[1].

1. Nous n'avons trouvé aucun indice à son sujet.

Adrien Hébert
1890-1967

Né à Paris, Adrien Hébert a fait la navette entre Mon-
tréal et Paris, selon les obligations de la carrière de son père,
Philippe Hébert. Saint-Charles, Dyonnet, Franchère et Jobson
Paradis ont été ses maîtres à Montréal, entre 1904 et 1906,
et Brymner entre 1906 et 1911. À l'occasion d'un séjour à Paris
(1912-1914), l'observation de la ville et la découverte des
Impressionnistes retiennent plus son attention que les leçons de
Fernand Cormon à l'École des Beaux-Arts. À son retour, il
commence sa longue carrière de professeur de dessin tout en
produisant une œuvre importante. Il joue un rôle actif dans la
vie culturelle de Montréal, collabore à la revue Le Nigog,
appartient à l'Art Club et au Pen and Pencil Club. Il expose
à l'Art Association, à la galerie Watson, au Cercle univer-
sitaire, au Musée des beaux-arts de Montréal ainsi qu'en
Europe. Adrien Hébert a laissé de remarquables images du
Montréal des années trente et quarante. (ARCA 1932, RCA
1942)

Ce peintre, fils de Philippe Hébert et le frère
d'Henri Hébert, le sculpteur, a eu toutes les chances
pour faire son éducation artistique. Il vécut à Paris,
revint et retourna tout à son aise[1]. Mais sa prétention,
comme celle de son frère Henri, leur fut souvent un
mauvais guide. Il m'est arrivé parfois de demander
à des artistes leur opinion sur Adrien Hébert. On me
répondait Adrien est prétentieux, imbécile, content
de lui-même.

Au retour d'un de ses voyages à Paris, il fit une
exposition de ses peintures à la salle Saint-Sulpice qui
était bien décevante[2]. Il eut des amis qui ont plaidé

1. Voir Henri Hébert.

2. En 1916.

258

Adrien Hébert, *Le souper à l'atelier*. (Musée du Québec)

sa cause en disant qu'on ne comprenait pas ici une tendance; en la voyant nous étions portés à croire que c'était une tendance à la mauvaise peinture, une sale peinture par les tons vulgaires, dont le noir, et l'épaisseur des troisièmes plans revenait forcément au premier plan, ce qui est déjà une grande erreur comme valeur et qui démolit toutes les qualités, s'il y en avait. Ses portraits n'étaient pas meilleurs. J'ai vu cependant quelques beaux dessins de lui[3].

Depuis quelques années, il semble s'être amélioré de beaucoup. Dans ses dernières expositions, dans ses paysages surtout, ceux de la ville de Québec sont beaucoup mieux, plus propres, plus lumineux. Il a fait beaucoup de peintures du port de Montréal, là, il est souvent moins heureux. Dernièrement, il faisait une causerie à la radio et pour quelques passages assez logiques et vrais, le reste fut d'un décousu navrant. Tous ces gens par leur causerie à la radio semblent vouloir combler un vide que leur manque de talent leur fait faire dans leur art.

3. De 1908 à 1963, il fournit des illustrations pour le périodique mensuel, *La Revue populaire*.

Albert-Henry Robinson
1881-1956

*Né à Hamilton (Ontario). À vingt ans il était déjà il-
lustrateur pour le* Hamilton Times. *De 1903 à 1906, il
fréquente les ateliers de Bouguereau et de Baschet chez Julian
et celui de Gabriel Ferrier à l'École des Beaux-Arts. De retour
à Hamilton, il enseigne quelques années et présente des œuvres
aux Salons de l'Art Association et de la Royal Academy dès
1908. Il retourne peindre en France et en Italie de 1911 à 1913.
Pendant la guerre, il travaille comme inspecteur de munitions,
puis dans les années vingt, il peint beaucoup dans Charlevoix
en compagnie de Jackson, de Hewton et de Clarence Gagnon.
Il est récipiendaire du Prix Jessie Dow en 1928. (ARCA 1911,
RCA 1921)*

C'est un peintre assez intéressant avec ses paysages, ses maisons, un cheval attelé à une carriole
semble passer par un tour de force, sur des glaces
emportées là par la débâcle d'une rivière que le dégel
a fait déborder et emporter les glaces dans tout le
village. C'est un peu de la déformation mais faite avec
une pâte tellement fraîche et lumineuse et une harmonie de couleurs qu'il se dégage de la distinction.

C'est un beau peintre sans doute mais qui n'est
pas très versatile, qui nous fait presque désespérer. Si
nous pouvions voir autre chose de lui que des amas
de glace! Il a trouvé une petite note tout près de la
personnalité et il n'osera pas sortir de là avec la
crainte qu'il ne pourra faire aussi bien.

Georges-Henri Duquet
1887-1967

Né à Québec, Georges Duquet suit les cours de Charles Huot au Conseil des arts et métiers de Québec avant de traverser à Paris en 1905. Il s'inscrit dans l'atelier de Jean-Paul Laurens chez Julian. Il est de retour en 1908 et est professeur à l'École des Beaux-Arts de Québec en 1922-1923. Boursier de la Province, il retourne en France en 1925. Il fréquente divers ateliers, voyage en Afrique du Nord et en Corse. Il revient au Canada en 1928.

Fils du bijoutier Duquet de Québec[1], (il) est venu à Paris lorsque j'y étais, à mon premier voyage[2]. Mais dès les premières semaines là-bas, il semblait nous faire comprendre qu'il voulait connaître Paris avant d'étudier, commencer par bien s'installer dans un joli petit appartement et faire la grasse matinée, se lever tard, se coucher tard. C'était une trop belle vie pour ne pas la continuer et pendant ce temps-là les semaines, les mois se sont si bien passés. Comment se décider après de travailler comme un pauvre diable? C'était bien difficile, et c'est comme ça que notre ami Duquet a passé son séjour à Paris[3] à travailler peu. Cependant, je crois qu'il avait du talent. Il a exposé une couple de fois à Montréal, à la Art Gallery[4]. Il a aussi fait un buste pour un monument en face du collège de l'Assomption[5]. Il avait du talent, mais il lui a manqué du travail, comme à tant d'autres.

1. Une peinture de Georges Duquet conservée au Musée du Québec représente la bijouterie familiale, rue Saint-Jean.

2. Le premier séjour de Laliberté en France va de 1902 à 1907, celui de Duquet, de 1905 à 1908.

3. «Pendant mon séjour, je travaillais ferme à l'atelier de Suzor-Côté...» Entrevue accordée à la revue *Le Terroir*, en octobre 1923.

4. Il a exposé de 1923 à 1928.

5. Duquet a aussi étudié la sculpture avec Félix Bonneteau, à Paris.

André Biéler
1896-

André Biéler est né à Lausanne (Suisse). Il vit à Paris quelques années avant que sa famille ne vienne au Canada en 1908. Il étudie à Woodstock (N.Y.) et à Paris avec Maurice Denis et Paul Sérusier. En Suisse, avec son oncle Ernest Biéler, il travaille surtout la peinture murale.

Il choisit de vivre à l'Île d'Orléans de 1927 à 1939 mais peint également dans les Laurentides. Animateur enthousiaste, André Biéler joue un rôle très important dans l'enseignement des arts à l'Université Queen's de Kingston (Ontario) de 1936 à 1964. De plus, il dote les entreprises de la ville d'œuvres importantes : murales, mosaïques, sculptures. L'œuvre d'André Biéler est représentée dans la plupart des collections publiques du Canada et dans plusieurs collections européennes. André Biéler habite toujours Kingston. (ARCA 1942, RCA 1959)

Ce peintre d'origine suisse est venu ici avec une santé chancelante, abîmée par la Grande Guerre, je crois[1]. Il pouvait à peine monter une côte. Il s'installa à Sainte-Famille de l'Ile d'Orléans. C'est là que je l'ai surtout rencontré. Brave garçon, avec une belle compréhension de l'art, il dessinait et peignait, quand sa santé lui permettait, des scènes d'habitant et le plus souvent, des têtes.

Il promettait d'avoir une belle personnalité plus tard. Mais le contact avec les artistes du Groupe des Sept lui a fait prendre une direction plus audacieuse en faisant de la peinture ultra-moderne à tel point qu'on lui refusait des toiles à l'Art Gallery tellement il avait perdu la tête avec sa peinture. Et depuis, il continue dans le même esprit, un peu plus, car il y en a beaucoup d'autres aussi audacieuses.

1. Il a été gazé au cours de la guerre 1914-1918.

Maurice LeBel, *Autoportrait*. (Musée du Québec)

Maurice LeBel
1898-1963

C'est sous la direction de Dyonnet, de Brymner et de Jean-Baptiste Lagacé que Maurice LeBel étudie la peinture et le dessin. À l'Art Student League de New York, il travaille avec William Bladen.

Maurice LeBel a consacré sa vie à l'enseignement. Il est rattaché à l'École supérieure Le Plateau, de 1929 à 1942 et enseigne également à l'École normale Jacques-Cartier. En 1942, il est nommé directeur de l'enseignement du dessin à la Commission des écoles catholiques de Montréal. Il excelle dans la gravure sur bois et il participe à la Première exposition de gravure sur bois à l'Art Association en 1924. En 1928, le Canadien Pacifique lui confie l'illustration d'un album. Dans ses envois aux divers Salons figurent aussi bien ses peintures que ses gravures.

Peintre de paysages et graveur sur bois. Professeur à la Commission scolaire comme dessinateur. A fait quelques bons paysages avec une vision de peintre et assez décoratifs.

Comme graveur sur bois, je le trouve moins bien. Des têtes pas très heureusement faites et une scène de cabane à sucre qui serait assez décorative, mais par les grosses fautes qu'il fait, on sent qu'il n'a pas bien vu ou observé ou qu'il ne connaît pas les choses de la campagne. Lorsqu'il attelle deux jeunes chevaux traînant un petit tonneau de bière pour ramasser l'eau d'érable, ce n'est pas vrai. La vérité est que les sucriers se servent plutôt d'un vieux cheval et traîne un gros tonneau qui peut contenir quelques cent gallons d'eau d'érable. Et la cordelle de bois rond et rien pour la tenir, ni poteau ni croisé, tout ça n'est pas vrai. Ce peintre, pourtant encore jeune, produit si peu que l'on se demande s'il fait quelque chose. Probablement rien.

Marguerite Lemieux
1899-1971

Marguerite Lemieux étudie en alternance à Montréal et à Paris. À Montréal, elle suit les cours de Franchère, Saint-Charles, Dyonnet et Laliberté; à Paris, elle travaille dans divers ateliers à l'Académie Julian, dont celui de Jean-Paul Laurens. Issue d'une famille aisée, elle fait de nombreux séjours en Europe. Elle expose à la bibliothèque Saint-Sulpice en 1927. Pendant de nombreuses années, elle donne des cours d'art décoratif et de métiers d'art dans son atelier de Montréal.

Voilà une femme dont la vie depuis l'âge tendre a été tissée d'illusions, de rêve, d'espérance et de souffrance physique; elle est souvent venue près de la mort.

Presque fillette encore, elle suivait mes cours de modelage au Conseil des arts et métiers. À ce moment-là donc, la maladie ne l'avait pas encore atteinte peut-être. On disait qu'elle ressemblait à la Joconde de da Vinci. Et là, la maladie commença à changer son physique en grandissant; lorsqu'elle se trouvait assez bien, elle étudiait le dessin, la peinture et moins la sculpture.

Plus tard, elle alla à Paris en compagnie de son frère architecte. Revenue à Montréal, elle voulut suivre les cours de l'École des Beaux-Arts de Montréal, mais (elle était) devenue prétentieuse avec un caractère un peu rébarbatif qui n'allait pas avec les manières boches du directeur de l'École du temps. Alors, elle cessa et ouvrit un studio où elle enseignait plusieurs petits métiers tels que l'étain repoussé mais qui n'avaient pas une grande valeur à cause du peu de débouchés et après quelques leçons, chacune pouvait faire la même chose chez elle. Cette marchandise, tout près d'être de l'art mais n'en était pas, sans solidité, sans style, ne pouvait pas aller loin. Sa santé toujours chancelante lui enlevait beaucoup d'ardeur. Cependant, elle a trouvé moyen de faire une aquarelle reçue et acceptée aux expositions. Mais ses plus belles choses sont sans contredit, les fleurs au pastel ou à l'aquarelle[1]; (elles) sont bien et c'est ce qui restera en faveur de son nom comme artiste mais elle (est) toujours malade et peut-être jusqu'à la fin de ses jours. Cette femme a tout de même du mérite.

1. Elle a suivi des cours des aquarellistes Carlier-Vignal et H. Charrousset, à l'Académie Biloul.

Marguerite De Montigny-Lafontaine
1890-1982

Née à Montréal, elle étudie l'anatomie de 1914 à 1918 à New York, Chicago, Philadelphie et Washington. Elle fréquente l'École des Beaux-Arts dans les années vingt. Pendant plusieurs années, elle enseigne l'anatomie et donne des cours d'art décoratif. Elle expose à l'Art Association de 1928 à 1936 et au Salon de la Royal Canadian Academy de 1924 à 1935.

J'ai souvent assez de bienveillance pour la femme lorsqu'elle a du courage et au moins un peu de talent et qu'elle a réussi à faire au moins quelque chose de convenable qui dépasse ses prétentions. Mais je ne (sais) comment traiter Mme Lafontaine ou alors (il faut) tenir compte (ou) mettre la faute sur sa fausse éducation reçue de ses parents trop rigides et les tenir coupables aussi de lui avoir donné comme héritage pas tout le talent qu'il faut pour faire une belle artiste.

Il y a quelques bons côtés chez elle, mais je ne suis pas certain s'ils balancent très bien avec les mauvais. Cependant, c'est une grande amoureuse du beau; si elle pouvait le bien comprendre et parmi plusieurs choses médiocres, elle en a fait trois ou quatre convenables.

Elle a suivi les cours de l'École des Beaux-Arts durant plusieurs années[1] sans arriver vraiment à comprendre, rien de surprenant. Les suggestions que l'on lui fait, elle comprend presque toujours le contraire. J'en sais quelque chose, je fus son professeur et tous les professeurs de qui elle a reçu des conseils ( ). Dans une figure, quand on lui dira que

1. Elle a suivi outre les cours de modelage avec Laliberté, les cours de J.B. Lagacé, d'Henri Charpentier, de Maurice Félix et de Dyonnet.

266

la jambe est trop courte, elle allongera la cuisse. Il est entendu qu'elle voudrait avoir quelque chose de bien, mais pour cela, elle ne travaille pas assez.

Elle sait faire un tas de choses en sa faveur qui sont parfois de pures vantardises. Malgré tout ce petit bout de femme, sa vie gâchée, se récompense elle-même en croyant à sa supériorité. Il y a quelque chose (de) presque émouvant à bien à y penser.

Adam Sherriff Scott
1887-1980

Né à Perth, en Écosse, A. Sherriff Scott reçoit sa formation artistique d'abord à l'Edimburgh School of Art (1904-1906) puis à l'Allen Fraser Institute (1907-1909). En 1910, il est à Londres et en 1911, en France. Il arrive au Canada la même année et vit dans l'Ouest canadien avant de s'établir à Montréal. Pendant la guerre, il est peintre au service de l'armée. Scott a fait une longue carrière comme portraitiste, paysagiste, muraliste et dessinateur commercial. (ARCA 1935, RCA 1942)

1. Il a fait un grand portrait d'Alfred Laliberté qui occupait une place de choix dans l'atelier du sculpteur.

2. Il a peint des murales pour le Royal York, à Toronto, le Seignory Club, à Montebello, l'hôtel Mont-Royal, le théâtre Saint-Denis et plusieurs édifices publics et bureaux de Montréal.

3. Sherriff Scott a eu un atelier chez Laliberté de 1931 à 1940. Dans une entrevue, il dit: «*And you know, through the hard times, he was very, very understanding (...) When you could pay something, you paid it.*»

Ce peintre-ci est assez versatile: portraitiste, paysagiste, décorateur, maître d'école, car sous forme d'académie, (il) a déjà formé plusieurs jeunes artistes de talent où il y a plus que des promesses. On le dit bon professeur, avec quelques faiblesses cependant.

Comme portraitiste, il en a déjà fait de bien où il y a une transition avec la vieille école et la nouvelle, je veux dire, celle de la déformation. Cependant, dans ses portraits, il y a presque toujours des faiblesses, parfois dans les proportions ou dans les valeurs[1]. Où il excelle, je crois, c'est dans les panneaux décoratifs ou affiches commerciales[2]. Dans le sens pratique, il n'a sûrement pas le sens des hommes de sa race. C'est peut-être là la preuve qu'il a une mentalité d'artiste. Tirant toujours le diable par la queue et les dettes qu'il a faites ne l'occupent pas outre mesure, peut-être pas assez parfois[3].

Adam Sherriff Scott, *Portrait d'Alfred Laliberté*. (Collection Atara et Murray Marmor)

Hal Ross Perrigard
1891-1960

Bien qu'il ait étudié avec Brymner et Cullen, Hal Ross Perrigard est avant tout autodidacte. Peintre, illustrateur, dessinateur et muraliste, il est réputé pour ses paysages des Rocheuses, dont celui qui décore la salle d'attente de la gare Windsor. Pendant de nombreuses années, il peint l'été à son atelier de Rockport, au Massachusetts où il joue un rôle actif dans l'Art Association de la ville. Perrigard a appartenu à plusieurs groupes dont l'Art Club, le Pen and Pencil Club et le Beaver Hall Group. (ARCA 1924)

Ce peintre dans la quarantaine à peu près, fait partie du groupe d'artistes qui fait la transition entre la vieille école et l'école des jeunes modernes, je dirais plutôt des déformistes. Il sait manier la couleur avec une belle maîtrise dans ses figures de femmes drapées comme dans ses paysages d'été. J'en ai vu un il y a quelque temps vraiment bien peint mais sans personnalité marquée; tout en étant bien, il ressemble à d'autres devanciers dans cet esprit-là, il est peut-être suiveur. Il faut tenir compte qu'il est si difficile de faire et d'avoir une personnalité lorsqu'il faut peindre aussi pour être compris et acheté, car la vente a aussi son importance lorsqu'il faut vivre avec le revenu de son art. Mais celui-ci reste un bon peintre.

Octave Bélanger
1886-1972

Octave Bélanger suit des cours au Monument national avec Dyonnet, Franchère, Saint-Charles et Paradis. Il poursuit sa formation avec Brymner pendant quelques années avant de rejoindre ses compatriotes, comme Rodolphe Duguay, à l'Académie Julian à Paris. Royer, Déchenaud, Pagès, Pierre et Paul-Albert Laurens sont ses maîtres. L'été, il peint en Bretagne. En 1923, il expose au Salon des artistes français. À son retour à Montréal, il expose régulièrement à l'Art Association jusqu'en 1929.

En 1926, pour le compte du Canadien national, il illustre La grande aventure *qui contient quarante gravures. Il est l'auteur d'une des peintures qui ornent l'intérieur du chalet du Mont Royal. La Crise et la guerre ralentissent sa production, mais il continue à peindre jusqu'à sa mort en 1972.*

1. Le père d'Octave Bélanger possédait une importante fonderie; son fils Octave y travaille avant d'aller en France.

2. De 1921 à 1924. Durant son séjour, il passe ses étés en Bretagne. Il a également beaucoup fréquenté Rodolphe Duguay. (Voir les *Carnets intimes*.)

3. Il exposa 80 peintures, aquarelles, pastels et eaux-fortes en février 1929.

4. Effectivement, il a eu un garage rue Amherst.

Ayant des revenus[1], il est allé à Paris avec son épouse[2]. Il y étudia quelques années. Revenu ici, il fit une exposition à la salle Saint-Sulpice qui n'a pas été un grand succès[3]. Mettons que le milieu où il exposa sa peinture est une petite paroisse. Je veux parler des gens qui visitaient les expositions faites à la salle Saint-Sulpice: peu connaisseurs et peu acheteurs. Ils aimaient peut-être ça mais pourvu que ça ne leur coûte rien. Mais il faut ajouter aussi que sa peinture était loin d'être captivante: sale, terne, sans effet, sans caractère.

Bélanger est allé là-bas avec bien peu de talent et on ne lui en a pas donné davantage à Paris. Après quelque temps ici, il a peint quelques toiles un peu mieux. Alors il cessa de peindre pour tenir un garage[4]. Comme il aimait aussi l'argent, le garage payait beaucoup plus. Et voilà un autre raté.

270

Berthe Des Clayes, *L'écluse*. (Photo A. Kilbertus. Collection Galerie Bernard Desroches)

Alice Des Clayes (1890-1968)
Berthe Des Clayes (1877-1968)
Gertrude Des Clayes (1879-1949)

Berthe Des Clayes, native d'Aberdeen, en Écosse, étudie d'abord en Angleterre. Elle arrive avec sa famille au Canada en 1908 et y habitera jusqu'à sa mort. Elle poursuit ses études à Paris à l'Académie Julian à la fin des années vingt, avec J. Lefebvre et Tony Robert-Fleury.

Alice Des Clayes est également née à Aberdeen. Contrairement à ses sœurs, elle n'a pas étudié à Paris mais elle a fait trois ans au Bushey School of Arts. (ARCA 1914)

Gertrude des Clayes arrive au Canada en 1912 et expose la même année à l'Art Association. Elle a fréquenté la Herkonner School de Londres et, comme sa sœur Berthe, l'Académie Julian. Elle a vécu plusieurs années à Londres. (ARCA 1914)

L'une[1] faisait du paysage avec une belle habileté, mais sa grisaille ressemble un peu trop aux paysages de Corot, le grand paysagiste français.

L'autre[2], des marines avec une grève au premier plan, un cheval attelé à un tombereau; tout près, des figures semblent ramasser quelque chose. Ses toiles sont aussi bien peintes mais sans personnalité.

Gertrude, la portraitiste, parfois ravissante avec ses têtes d'enfant. Je me souviens d'un surtout, un pastel, (qui) était une merveille de tons riches et de fraîcheur. Je crois que celle-ci (est) plus beau peintre que ses deux sœurs.

1. Berthe Des Clayes.

2. Alice Des Clayes.

Complément à la liste
des *Artistes de mon temps*

Les noms de quarante-six artistes terminent la liste des *Artistes de mon temps* dressée par Laliberté, mais aucun n'a fait l'objet d'articles. Il s'agit de: Emma Morrier, Herbert Raine, Henri Charpentier, Fitzgibbon, René Richard, Mabel H. May, Paul Andrew, Thomas R. MacDonald, Lorne Bouchard, Agnès Lefort, Roméo Vincelette, Goodridge Roberts.

À la suite de ces noms, Alfred Laliberté écrit: «Ensuite vient l'époque de la fondation de l'École des Beaux-Arts.» Puis il aligne le nom de «quelques-uns des artistes de la jeune génération ayant fait leur éducation à cette école, à Québec également»: Maurice Félix, Alfred Pellan, Francesco Iacurto, Roland Charlebois, Maurice Raymond, René Chicoine, Jean-Charles Faucher, Fleurimont Constantineau, Sylvia Daoust, André Morency, Léo Ayotte, Miriam R. Holland, Paul-Émile Borduas, Pierre Normandeau, Jean Palardy, Jori Smith, Jacques de Tonnancour, Irène Sénécal, Jean Simard, Armand Filion, Louis Parent, Madeleine Sicotte, Jeanne Rhéaume, Stanley Cosgrove, Henri Bélisle, Simone Beaulieu, Delvica Allard, François Déziel, Suzanne Duquet, Rachel Trépanier, Aline Gauthier-Charlebois, Robert LaPalme, Julien Hébert, Louis Archambault.

ANNEXES

Collection particulière d'Alfred Laliberté

La collection privée d'œuvres d'art d'Alfred Laliberté comprenait des peintures à l'huile, pastels, aquarelles, sanguines, monotype, fusains, eaux-fortes, dessins à la plume, dessins de couleurs, gravures sur bois. L'inventaire de la collection, que nous reproduisons ci-dessous selon l'ordre original, se retrouve à la suite d'un document intitulé «Relevé de mes œuvres» préparé par Laliberté en 1950.

Peintures à l'huile

Le sculpteur A. Laliberté (Adam Sherriff Scott)
Le sculpteur A. Laliberté (Joseph-Charles Franchère)
Le sculpteur A. Laliberté (Edgar Contant)
Marine (Henri Fabien)
Tête de femme (Joseph Saint-Charles)
St. Urbain (Robert Pilot)
Ferme de Beaupré (John Young Johnstone)
Petit paysage (William Brymner)
Vieux Montréal (Georges Delfosse)
Marine (Miriam Holland)
Paysage de Percé (Léo Ayotte)
Jeune fille en blanc (Joseph-Charles Franchère)
Étude: Les toits voisins (Thomas R. MacDonald)
Mon village (François Déziel)
Paysage (René Richard)
La cour voisine (Paul Andrew)
Matin nébuleux (Arthur Rozaire)
Maison (Marc-Aurèle Fortin)
Rivière (Charles Simpson)
Baie Saint-Paul (Clarence Gagnon)

Vieille maison (Octave Bélanger)
Paysage (Henri Richard)
Marine (Henri Richard)
Paysage (Edmond Dyonnet)
Paysage d'hiver (Narcisse Poirier)
Paysage (Jobson Paradis)
Paysage (Rita Mount)
Intérieur de studio à Paris (Joseph Saint-Charles)
Jardin (William Henry Clapp)
Villa Maria (Robert Pilot)
Les ormes (Henri Fabien)
Port (Robert Pilot)
Paysage (Rita Mount)
Vieille maison (Georges Delfosse)
Paysage (William Brymner)
Intérieur de café nègre (Thomas R. MacDonald)
Paysage (Marc-Aurèle Suzor-Côté)
Paysage (Old Sea Wall) (Albert H. Robinson)
Paysage (Rita Mount)
Maison sous la neige (Marc-Aurèle Fortin)
Rivière Arthabaska (Marc-Aurèle Suzor-Côté)
Paysage (Jobson Paradis)
Mont-Rouge (France) (Joseph-Charles Franchère)
Paysage (Marc-Aurèle Suzor-Côté)
Marine (William Brymner)
Paysage du Luxembourg (Marc-Aurèle Suzor-Côté)
La rivière de Berthier (Edmond Dyonnet)
La traverse de Longueuil (Maurice Cullen)
Paysage (Ulric Lamarche)
Paysage (Narcisse Poirier)
Sherbrooke (Hal Ross Perrigard)
Portrait de vieillard (Charles Tulley)
Portrait de femme (Maxime Rousseau)

Pastels

Coin de Saint-Eustache (Marc-Aurèle Fortin)
Panorama de Montréal (Marc-Aurèle Fortin)
Mont Tremblant (Maurice Cullen)
Petit nu (Marc-Aurèle Suzor-Côté)
Cabaret de Paris (Edwin Holgate)
De Lévis à Québec (Robert Pilot)

Vieux Montréal (Charles Tulley)
Le «vire-chiens» (Charles Huot)
Figures (Charles de Belle)
Tête du sculpteur Laliberté (Miriam Holland)
Vieux Montréal (Charles Tulley)
Église Bonsecours (Charles Tulley)
Jeune Indienne assise (Marc-Aurèle Suzor-Côté)
Femmes affligées (Charles De Belle)
Enfants blonds (Charles De Belle)
L'ange vient chercher une âme (Charles De Belle)
Femmes et anges agenouillés (Charles De Belle)
Femme tenant son bébé (Charles De Belle)
Anémones, étude de fleurs (Marguerite Lemieux)
Lac Saint-François (Jean-Baptiste Lagacé)
Vieillard assis (Marc-Aurèle Suzor-Côté)

Aquarelles

Paysage (Marc-Aurèle Fortin)
Marine (Jean-Baptiste Lagacé)
Percé (Emma Morrier)
Fleurs (Rachel Trépanier)
Château d'Espagne (William Brymner)
Torse de femme (Jori Smith)
Côte de Québec (André Morency)
Paysage (Jean-Baptiste Lagacé)
Vieille ferme (Charles Tulley)
Tête de militaire français (Pellus)

Sanguines

Femme assise (Joseph Saint-Charles)
Vieille maison (Émile Lemieux)
Chemin de la montagne (Louise de Montigny-Giguère)

Monotype

Marine (Henri Beau)

Fusains

Paysage (Ozias Leduc)
Tête de femme (Joseph Saint-Charles)

Fillette nue (Joseph Saint-Charles)
Tête de vieil habitant (Marc-Aurèle Suzor-Côté)
Portrait de vieux (Marc-Aurèle Suzor-Côté)
Autre tête de vieillard (Marc-Aurèle Suzor-Côté)
Femme debout (Marc-Aurèle Suzor-Côté)
Femme assise (Marc-Aurèle Suzor-Côté)
Étude de dos (Marc-Aurèle Suzor-Côté)
Tête de vieux (Marc-Aurèle Suzor-Côté)
Frontenac (Marc-Aurèle Suzor-Côté)

Eaux-fortes

Trois petites eaux-fortes dans un même cadre (Robert Pilot)
Maison de Chambly (Robert Pilot)
La colonne Nelson (Robert Pilot)
Le port de Montréal (Marc-Aurèle Fortin)
Québec (Robert Pilot)
Lévis (Robert Pilot)
Les bouleaux (Robert Pilot)
Une ferme (Robert Pilot)
Eau-forte (Robert Pilot)
Eau-forte (Robert Pilot)
Eau-forte (Robert Pilot)
Eau-forte (Robert Pilot)

Dessin à la plume

Homme assis (Lorne H. Bouchard)

Dessins de couleurs

Le berlot (Clarence Gagnon)
Tête italienne (Auteur inconnu)

Gravures sur bois

Figures(2) (Edwin Holgate)
Dernier voyage (Rodolphe Duguay)

Photos retouchées(2) (Charles De Belle)

À date, mars 1950 — Ma collection est de 120.

Quelques professeurs
français de l'époque

Bonnat, Léon (1833-1922).
Portraitiste, paysagiste et peintre d'histoire.

Léon Bonnat fut un portraitiste renommé sous la Troisième République. Peintre officiel, il reçut tous les honneurs et toutes les récompenses de l'État. Parmi ses portraits les plus célèbres, ceux de Victor Hugo, de Thiers, de Renan, de Jules Ferry, de Puvis de Chavannes et d'Alexandre Dumas.

Il passa sa jeunesse à Madrid et ses premiers maîtres furent espagnols. Ses visites au Prado lui laissèrent un certain goût pour les scènes tragiques. Il fit par la suite de longues études en Italie, mais un voyage en Orient, en 1870, exerça sur lui une profonde influence qui se retrouve dans des œuvres comme *Une rue de Jérusalem* (1870), *Cheik de l'Akabah* (1872), *Barbier turc* (1873). Au Panthéon, il peignit *Le martyre de saint Denis*, et à l'Hôtel de Ville de Paris, *Le Triomphe de l'Art*, *L'Idéal* et *La Vérité* décorent le Salon des arts.

La critique du XXe siècle, féroce à son égard, parle de ses portraits «peints avec du cirage» et de ses fonds «abominablement saturés de jus de chique». Sa célébrité explique l'attrait qu'il exerça sur les étudiants de l'École des Beaux-Arts de Paris dont il a été le directeur. Mécène et grand amateur d'art, Bonnat légua sa collection au Louvre et au musée de la ville de Bayonne, sa ville natale.

Bouguereau, William-Adolphe (1825-1905). Peintre.

En 1850, un tableau intitulé *Zénobie retrouvée par les bergers sur les bords de l'Araxe* lui valut le Prix de Rome. Il passa quatre ans dans cette ville après quoi sa carrière connut une suite de succès, d'honneurs, de récompenses. D'importantes commandes lui furent confiées: la salle de concert du Grand-Théâtre de Bordeaux, des hôtels particuliers, les églises de Sainte-Clotilde et de Saint-Augustin, à Paris. Pendant des années, sa présence domina le Salon. «Entre 1854 et 1905, madones et satyres de Bouguereau se côtoient au Salon dans une atmosphère éthérée, créatures d'un monde où le bien et le mal se seraient réconciliés.» (Louise d'Argencourt, dans *Un autre XIX* *siècle*) Excellent professeur, dit-on, il partagea son enseignement entre l'École des Beaux-Arts et l'Académie Julian, transmettant à ses élèves ce qui caractérisait sa peinture: «la qualité de l'exécution, le fini de la surface, la correction du dessin, la finesse du modelé, les effets subtils de la lumière.» (Louise d'Argencourt)

Breton, Jules (1827-1906). Peintre de paysages.

La réputation de Jules Breton s'affirma avec son envoi au Salon de 1853, *Le retour des moissonneurs*. «Très sagement, Jules Breton ne se laissa pas griser par ces succès rapides et s'appliqua encore à perfectionner sa technique.» (Bénézit) Il consacra sa carrière à la célébration de la vie des champs, et ses tableaux comme *Bénédiction des blés* et *Le rappel des glaneuses* lui valurent des médailles. «L'interprétation chez lui est toujours empreinte d'une certaine grâce idéaliste. On ne peut pas dire de lui cependant qu'il fausse la nature, mais il en dégage uniquement le côté heureux.» C'est ce qui faisait dire à Millet qu'il peignait dans le village les paysannes qui n'y restent pas. «Sa facture est très classique, très étudiée, d'une correction impeccable et son coloris auquel on pourrait peut-être reprocher, dans certaines toiles, un manque d'éclat, est néanmoins toujours fort soigné et très juste.» (Bénézit)

Cabanel, Alexandre (1823-1889). Peintre.

«Sa carrière a été heureuse et fortunée, il a reçu toutes les distinctions et a laissé un nom aussi estimé pour son enseignement libéral que pour ses travaux.» (Léonce Bénédite) Il fut surtout célèbre pour ses nus voluptueux et suggestifs comme dans *Naissance de Vénus* et *Nymphe enlevée par un faune*, deux toiles achetées par l'Empereur. Ses compositions les plus connues sont celles qu'il réalisa pour l'Hôtel de Ville de Paris et pour les hôtels Pereire et Say. Au Panthéon, il peignit la *Vie de saint Louis*. Cabanel dirigea longtemps avec Bouguereau le Salon annuel. «En 1886, cent douze artistes du Salon se disaient au catalogue élèves de Cabanel. Celui-ci fut dix-sept fois membre du jury entre 1868 et 1888. Cabanel n'était pas seulement un artiste, c'était une institution.» (*L'art en France sous le Second Empire*)

Carolus-Duran (1838-1917). Peintre et sculpteur.

L'étude des maîtres espagnols, ses relations avec Fantin-Latour et Manet ainsi que l'influence de Courbet contribuèrent à façonner le talent vigoureux de Carolus-Duran. *L'homme assassiné* et *L'homme endormi* firent sensation à leur époque. Il obtint toutefois ses plus grands succès avec ses portraits. Léonce Bénédite se faisait sans doute le porte-parole de ses contemporains quand il écrivit: «Nul n'a rendu avec plus d'éclat la somptuosité des étoffes et la splendeur de cette pulpe divine qu'est la chair, et, cependant, sa palette s'assagit et sa brosse se calme pour traduire le recueillement de ses modèles.» Fondateur, avec Meissonnier et Puvis de Chavannes, de la Société nationale des Beaux-Arts, professeur, directeur de l'École française à Rome en 1905, Carolus-Duran fut aussi un décorateur recherché. Un des plafonds du Louvre représentant *La gloire de Marie de Médicis* est signé de lui.

Chapu, Henri (1833-1891). Peintre et sculpteur.

Prix de Rome en 1855 et récipiendaire de plusieurs médailles, Chapu figura au Musée du Luxembourg avec son célèbre marbre, *Mercure inventant le caducée*. À l'Exposition universelle de 1867, il se vit confier les cariatides de la Nef des machines et en 1868, les sculptures de la salle de la Cour d'assises de la Seine. L'église Saint-Étienne-du-Mont conserve deux sculptures de Chapu: saint Louis de Gonzague et saint Jean. Mais son œuvre la plus populaire et la plus largement diffusée est sans contredit *Jeanne d'Arc*, représentée non pas à la tête d'une armée mais en simple bergère de Domrémy. Son buste d'*Alexandre Dumas* est exposé à la Comédie-Française. *Le tombeau de la duchesse d'Orléans* dans la chapelle royale de Dreux, d'inspiration baroque, retient aujourd'hui l'attention comme une œuvre d'une qualité exceptionnelle.

Collin, Raphaël (1850-1916). Peintre.

Ses maîtres furent Bouguereau et Cabanel, et il partagea avec eux la conviction que le nu reste la plus haute expression de l'art et vient au tout premier rang dans la hiérarchie des genres. *Sommeil*, *Idylle*, *Daphnis et Chloé*, *Floréal* correspondaient tout à fait au goût de l'époque et furent grandement appréciés. Collin fut un professeur très en vogue à l'Académie Colarossi.

Constant, Benjamin (1845-1902). Peintre.

Formé à l'École des Beaux-Arts de Paris dans l'atelier de Cabanel, Benjamin Constant, à la faveur d'un séjour au Maroc, se révéla peintre orientaliste par excellence. *Prisonniers marocains*, *Marché à Tanger*, *Femmes marocaines dans un harem*, entre autres, illustrent ce thème tout comme les deux tableaux que possèdc le Musée des beaux-arts de Montréal, *Le lendemain d'une victoire à l'Alhambra* et *Une terrasse au Maroc, le soir*. Malgré la popularité de ces sujets, Constant délaissa cette veine pour le portrait. Parmi les plus connus, celui du duc D'Aumale, du pape Léon XIII, de la reine Victoria, portrait qui lui attira les faveurs de la haute société anglaise. Il exécuta, en outre, des peintures murales à la Sorbonne, à l'Hôtel de Ville et à l'Opéra-Comique. Il fut parmi les professeurs de prestige de l'Académie Julian.

Cormon, Fernand (1854-1924). Peintre d'histoire et portraitiste.

Élève de Cabanel, Fernand Cormon fut à son tour professeur à l'École des Beaux-Arts. Il mena une carrière jalonnée de succès et de récompenses officielles. Dès 1870, ses envois au Salon furent remarqués. Il peignit, dans le goût du jour, de grands tableaux représentant des scènes historiques, comme *Les vainqueurs de Salamine* (1887), ou des scènes orientales telles *Jalousie au sérail*, *Le marchand au sérail*, *L'odalisque*. La peinture *Retour d'une chasse à l'ours à l'âge de pierre* décore le Musée de Saint-Germain-en-Laye. Il réalisa également des décorations pour le Petit-Palais et le Museum d'histoire naturelle. Dans le Salon des lettres de l'Hôtel de Ville, il peignit une frise intitulée *Histoire de l'écriture*.

Delaunay, Jules-Élie (1828-1891). Peintre d'histoire et portraitiste.

Élève d'Hippolyte Flandrin, Delaunay remporta le Prix de Rome en 1856. À la Villa Médicis, il se lia d'amitié avec Gustave Moreau dont il partageait l'idéalisme et une certaine conception de la peinture. Les mythes de l'Antiquité et les grandes figures symboliques furent pour lui une source inépuisable d'inspiration. Delaunay fut, sous le Second Empire, un des jeunes artistes les mieux représentés au Musée du Luxembourg avec *Le portrait de sa mère*, *La peste à Rome*, *Diane* et la *Communion des apôtres*. «Élie Delaunay fut un peintre de grand mérite. Sa technique, peut-être un peu trop classique, manque de liberté d'exécution, sauf dans ses lavis et ses petits portraits.» (Bénézit) Comme tous les peintres officiels, il reçut d'importantes commandes de décoration pour l'Opéra, le Conseil d'État, l'Hôtel de Ville, le Panthéon, où il exécuta *Sainte Geneviève rend le calme aux Parisiens effrayés par l'approche d'Attila*.

Delecluse, Eugène (1882-   ). Peintre et graveur à l'eau-forte.

Ce peintre exposa au Salon des Artistes français à partir de 1903 et au Salon de la société nationale, à compter de 1915. Son nom est lié à l'académie de peinture qu'il dirigea à Montparnasse et que fréquentèrent de nombreux étudiants étrangers.

Denis, Maurice (1870-1943). Peintre, graveur et écrivain d'art.

Le nom de Maurice Denis est associé au mouvement de renouveau de l'art religieux et à l'Atelier d'art sacré qu'il fonda avec Georges Desvallières. Son œuvre, en rupture avec l'académisme, s'apparente d'abord à celle de Gauguin et des Nabis. Ses peintures comme *L'Annonciation* ou *Les pèlerins d'Emmaüs* illustrent une conception de l'art nourrie d'un sentiment religieux qui s'exprime en des compositions aux coloris frais et doux. Il exécuta de nombreuses décorations dont celles du Théâtre des Champs-Élysées (le plafond), du Sénat et du Petit-Palais. Il illustra des œuvres de Verlaine, Barrès, Claudel et Gide. Théoricien de l'art qui eut une influence considérable, il publia *Théories* (1920), *Nouvelles théories* (1921), *Histoire de l'art religieux* (1939).

Falguière, Alexandre (1831-1900). Peintre et sculpteur.

Figure importante dans la sculpture française de tendance réaliste, Falguière se fit remarquer dès ses premières œuvres au Salon de Paris: *Thésée enfant* (1857) et *Maxence blessé, sauvé par Lausus* (1859) qui lui valut le Prix de Rome. Avec *Vainqueur au combat de coqs* (1864) et *Tarcisius martyr* (1867), «on sentait déjà se manifester les qualités de force et de hardiesse qui resteront les caractéristiques du talent de Falguière. Ses œuvres connurent dès lors la vogue du public et l'approbation des critiques.(...) Les récompenses officielles ne lui firent pas défaut non plus que les commandes.» (M. Boucheny de Grandval, dans Bénézit) Le groupe allégorique *Triomphe de la République*, au sommet de l'Arc de triomphe de l'Étoile, fut installé en 1881. Autres monuments connus: le monument de Courbet, la statue de LaFayette, le buste de Gambetta, le monument à Louis Pasteur, et les deux groupes équestres qui encadrent la porte du Grand-Palais, avenue Franklin-Roosevelt.

Gérome, Jean-Léon (1824-1904). Peintre d'histoire, de genre, sculpteur et graveur.

La notoriété de Gérome fut immense et son œuvre, grâce à la gravure, fut largement popularisée. L'État acquit son premier envoi au Salon *Combat de coqs*, en 1847, et ne lui ménagea pas ses récompenses tout au long de sa carrière. Des voyages en Italie, en Turquie et en Égypte inspirèrent plusieurs de ses tableaux. Professeur à l'École des Beaux-Arts en 1863, «il eut une influence considérable et ne refusa jamais son appui à aucun de ses élèves.» (Bénézit) Gérard Morisset écrivit de son côté: «Ce peintre intransigeant, doué d'une virtuosité inouïe et de réelles qualités de pédagogue, n'était pas aussi vieux qu'on l'a dit. Il en imposait peut-être aux timides par l'assurance de ses affirmations et le pittoresque de ses comparaisons, mais il avait au moins le mérite d'enseigner son métier de peintre avec conscience et sans tricherie.» Identifié comme le créateur du style «pompier», Gérome dont la conception de l'art s'opposait à celle des impressionnistes considérait ceux-ci comme «le déshonneur de l'art français.» Vers la fin de sa carrière, Gérome se consacra à la sculpture et exposa des œuvres qui dénotent son goût pour le réalisme et son attrait pour l'orientalisme. Il utilisa des matériaux luxueux comme l'ivoire, l'or, l'onyx, le marbre et diverses pierres précieuses.

Injalbert, Jean-Antoine (1845-1933). Sculpteur.

Celui qu'on a appelé «le fougueux sculpteur», Antoine Injalbert avait déjà attiré l'attention des critiques avant même de remporter le Prix de Rome en 1874 avec *La douleur d'Orphée*. Sa ville natale, Béziers, conserve de beaux monuments dont la *Fontaine du Titan*; à Montpellier, *Les lions du Peyrou* ornent l'entrée de l'immense promenade du même nom, et des sculptures allégoriques décorent la Préfecture; il est l'auteur du *Monument à Mirabeau* à Aix-en-Provence, et, à Pézenas, d'un monument à Molière. À Paris, ses sculptures du fronton du Petit-Palais des Champs-Élysées symbolisent la Ville de Paris entourée des Muses; au jardin du Luxembourg, on peut voir le monument de *Gabriel Vicaire* et aux jardins des Tuileries, un Titan soutenant une vasque. À ses marbres (faunes, bacchantes, capiteuses déesses) Injalbert donnait «le frisson de la vie et la souplesse de la chair». Membre de l'Institut, commandeur de la Légion d'honneur, médaillé à diverses expositions, Injalbert fut nommé professeur à l'École des Beaux-Arts en 1891. On écrit à son sujet: «La passion d'Injalbert pour son art n'était pas égoïste. Chef d'atelier à l'École des Beaux-Arts, il aimait ses élèves, et il était adoré d'eux. Grâce à ses conseils et à son exemple, beaucoup d'entre eux obtinrent le grand Prix de Rome.» À la mort de Gabriel-Jules Thomas, le jeune Alfred Laliberté passa dans l'atelier d'Injalbert.

Julian, Rodolphe (1839-1907).

La carrière de Rodolphe Julian commença comme celle de plusieurs artistes de son époque: formation à l'École des Beaux-Arts, participation aux Salons, mais en 1868, il abandonna ses pinceaux pour fonder une académie qui deviendra célèbre mondialement. Dans la publication mensuelle *L'Académie Julian* (janvier 1903), on lit le témoignage suivant: «On conserve un souvenir inoubliable et reconnaissant pour le fondateur de cette école d'art, pour les services qu'il a rendus ainsi au mouvement artistique de toute une époque et pour son dévouement à toutes les carrières d'artistes auxquelles il a eu le courage de sacrifier la sienne, se consacrant entièrement à cette tâche unique, venant très souvent lui-même les guider de ses conseils.» Dès le départ, Julian sut recruter des professeurs de prestige: Jules Lefebvre, Tony Robert-Fleury, Jean-Paul Laurens, Benjamin Constant, Bouguereau, Francis Flameng... Par la suite, les anciens élèves constituèrent de nouvelles équipes de professeurs. Si l'enseignement qui s'y dispensait restait traditionnel, le grand mérite de l'Académie Julian fut d'avoir largement ouvert ses portes aux étrangers et aux femmes, qui, jusqu'en 1897, ne pouvaient fréquenter l'École des Beaux-Arts.

Laurens, Jean-Paul (1838-1921). Peintre d'histoire.

C'est avec la *Délivrance des emmurés de Carcassonne* que Jean-Paul Laurens connut un succès retentissant. Par la suite, ses envois au Salon lui valurent toutes les récompenses. Parmi ses œuvres les plus connues, mentionnons *Excommunication de Robert le Pieux*, maintes fois reproduite et aujourd'hui au Musée d'art moderne de Paris; *La mort de sainte Geneviève*, au Panthéon, la décoration complète d'une salle à l'Hôtel de Ville de Paris et des compositions murales au Capitole de Toulouse.

«C'est un artiste un peu froid peut-être, mais son savoir, sa conscience artistique le placent au rang des véritables maîtres. Ses compositions sont bien ordonnées, mais le dessin reste dur et le coloris, froid. Il peut être aussi un paysagiste sensible et un sculpteur doué.(...) Jean-Paul Laurens a une place considérable dans l'enseignement de la peinture comme directeur de l'Académie de Toulouse et comme professeur à l'Académie Julian.» (Bénézit)

Laurens, Jean-Pierre (1875-1933). Peintre de genre et de portraits.

Fils de Jean-Paul Laurens, il exposa au Salon à partir de 1899. Le Musée d'art moderne de Paris conserve les portraits de Charles Péguy et de Madame Péguy. Il fut professeur à l'Académie Julian et jouissait d'une réputation de bon pédagogue.

Laurens, Paul-Albert (1870-1934). Portraitiste, peintre d'histoire, de genre et paysagiste.

Fils de Jean-Paul Laurens, il fut l'élève de Cormon et de Benjamin Constant à l'École des Beaux-Arts. Il exposa régulièrement au Salon mais aussi à l'étranger, notamment à Budapest et à Munich. En 1898, il fut nommé professeur de dessin à l'École polytechnique et pendant plusieurs années il enseigna à l'Académie Julian. Ses portraits de Jacques Copeau et d'André Gide sont reconnus pour leur sobriété et leur précision.

Lefebvre, Jules (1836-1911). Portraitiste et peintre de genre.

La Vérité sortant du puits de Jules Lefebvre était, à son époque, une des toiles les plus célèbres du Musée du Luxembourg. Comme portraitiste, il fut très recherché. Selon Bénézit, «son dessin est correct mais froid, sa peinture assez peu personnelle trahit un souci constant de s'en tenir aux formules de l'école.» On lui confia la décoration du plafond du Salon des Lettres, à l'Hôtel de Ville, où il peignit: *Les Muses*, *L'Inspiration* et *La Méditation*. Au Musée des beaux-arts de Montréal, on peut voir *Sapho*, une toile de 1884.

Legros, Alphonse (1837-1911). Peintre, sculpteur et graveur.

Des écrivains comme Champfleury et Baudelaire firent l'éloge des premiers tableaux que Legros envoya au Salon alors que la critique officielle exprimait des réserves. Le tableau *Ex-voto* exposé à Londres en 1864 lui valut l'admiration du public anglais, ce qui le décida à habiter l'Angleterre. Il y enseigna le dessin pendant dix-huit ans, sans négliger pour autant sa participation aux expositions parisiennes. De facture réaliste, sa peinture se distinguait également par le choix des sujets.

Ménard, René (1862-1930). Peintre de paysages et de portraits.

Selon Bénézit, Ménard «se fit remarquer par des paysages d'une facture très personnelle tant par leur dessin que par leur coloration chaude et dorée.» Il résista au courant naturaliste de son époque et opta pour «une Antiquité de rêve» plus évocatrice et poétique. Il enseigna plusieurs années à l'Académie de la Grande-Chaumière.

Merson, Luc-Olivier (1846-1920). Peintre d'histoire.

Deux influences s'exercèrent sur Merson durant son séjour en Italie: celle des Primitifs italiens, Masacio, Botticelli, Fra Angelico, et celle de la légende de saint François. Les sujets religieux tels *Le repos en Égypte* et *Saint François prêchant aux poissons* connurent une grande popularité. Selon Léonce Bénédite, l'art de Merson est «à la fois archaïsant et précieux, imprévu et subtil...» Il fit aussi de grandes compositions décoratives pour la Cour de cassation, l'Hôtel de Ville (l'escalier des Fêtes), l'Opéra-Comique et le château de Chantilly. En outre, il illustra des livres, dessina des cartons de vitraux et des billets de banque.

Moreau, Gustave (1826-1898). Peintre d'histoire et aquarelliste.

Inclassable, l'œuvre de Gustave Moreau suscite encore aujourd'hui beaucoup d'intérêt par son originalité et son étrangeté. *Oedipe et le Sphinx* présenté au Salon de 1864 divisa les critiques. «Dans cet esprit d'une peinture résolument littéraire, délibérément irréelle, recherchant le merveilleux si ce n'est le fantastique, il connut son plus grand succès avec l'aquarelle *L'Apparition*, au Salon de 1876, dans laquelle il traitait le thème de Salomé, qu'il reprit souvent.» (Bénézit) La plus grande partie de son œuvre est réunie aujourd'hui dans son hôtel particulier qu'il légua à l'État à sa mort. Dix-huit mille dessins y sont conservés et des tableaux de grands formats où dominent «la somptuosité d'étoffes rares et l'éclat morbide de la profusion de bijoux recherchés.» (Bénézit) Ce visionnaire n'en fut pas moins professeur à l'École des Beaux-Arts où il succéda à Élie Delaunay, en 1892. «Gustave Moreau forma de nombreux élèves et eut sur la peinture moderne une influence considérable.» (Bénézit) Matisse, Rouault, Marquet, furent ses élèves.

Overbeck, Friederich (1789-1869). Peintre d'histoire et de sujets religieux, graveur.

Ce peintre d'origine allemande s'établit à Rome en 1810 et forma avec d'autres peintres le groupe des «Nazaréens». Ceux-ci habitaient un vieux couvent, travaillaient en commun et se proposaient de donner à leur art une spiritualité semblable à celle qui avait animé les Primitifs. S'inspirant de la technique de la fresque chère aux Primitifs, ils leur empruntèrent également leurs thèmes et leurs styles. Overbeck est l'auteur de peintures murales d'inspiration religieuse comme *L'entrée du Christ à Jérusalem, Le triomphe de la religion.* Son influence se fit sentir sur les peintres étrangers venus étudier à Rome, comme Napoléon Bourassa.

Puvis de Chavannes, Pierre (1824-1898). Peintre.

C'est par la fréquentation des fresquistes vénitiens et des décorateurs de l'École de Fontainebleau et par sa connaissance d'Ingres, de Delacroix et de Chassériau que Puvis de Chavannes acquit sa formation; de fait, il s'est toujours tenu en dehors des écoles.

Ce n'est qu'en 1861 que *La Paix* et *La Guerre* s'imposèrent par leur originalité. Conçues pour le nouveau musée d'Amiens, ces six grandes compositions furent le point de départ de la création de nombreuses murales. Les plus célèbres sont celles du Panthéon, *Geneviève veille sur la ville endormie* et *Geneviève ravitaille Paris*, celles de la Sorbonne, *Les Sciences* et *Les Arts* et aussi celles de la bibliothèque publique de Boston, exécutées en 1894. Les villes de Lyon, Marseille, Poitiers et Rouen possèdent également d'importantes décorations murales. Le mérite de Puvis de Chavannes fut d'apporter un souffle nouveau à la peinture murale et d'atteindre l'émotion avec des moyens simples. Il se dégage de ses œuvres une atmosphère de sérénité et une douce luminosité.

Ranson, Paul (1864-1909). Peintre et cartonnier de tapisseries.

Bien qu'il fût de formation académique, Paul Ranson est lié à l'histoire des Nabis. Ce groupe qui prit naissance à l'Académie Julian vers 1890, reconnaissait l'influence dominante de Gauguin et du symbolisme. L'atelier du peintre Ranson devint le lieu de rencontre du groupe dont Maurice Denis, Pierre Bonnard, Paul Sérusier, Félix Valloton et Vuillard firent partie.

La femme de Paul Ranson exécuta des tapisseries d'après les cartons de son mari et c'est elle, en fait, qui fonda, après la mort du peintre, l'académie Ranson où enseignèrent les Nabis.

Robert-Fleury, Tony (1837-1912). Peintre d'histoire et de genre.

Fils d'un peintre romantique qui fut directeur de l'École des Beaux-Arts et de l'École française de Rome, Tony Robert-Fleury s'inspira des grands événements de l'histoire. *Varsovie, le 8 avril 1861* et *Les derniers jours de Corinthe* sont parmi ses œuvres qui retinrent l'attention. Ce n'est qu'en fin de carrière qu'il modifia un peu sa façon pour donner à ses toiles un caractère plus intimiste. Robert-Fleury fut professeur à l'Académie Julian pendant de nombreuses années. Une de ses peintures décoratives, une allégorie intitulée *L'Architecture*, orne le Salon des Arts de l'Hôtel de Ville de Paris. Il participa également à la décoration du palais du Luxembourg.

Thomas, Gabriel-Jules (1824-1905). Sculpteur.

Le Prix de Rome, remporté en 1848, fut pour Gabriel-Jules Thomas le point de départ d'une carrière qui lui valut les récompenses de l'État, dont sa nomination à l'Institut et la Légion d'honneur. «Travailleur sincère et consciencieux, il entreprit une longue suite d'œuvres inspirées par une vision correcte et savante que jamais ne vinrent troubler les tendances artistiques plus avancées qui, peu à peu, se développaient autour de lui.» (*Dictionnaire des sculpteurs de l'École française*) De 1880 à sa mort, il fut professeur à l'École des Beaux-Arts. C'est dans son atelier que le jeune Laliberté s'inscrivit en arrivant à Paris. Comme plusieurs artistes de son époque, Thomas collabora aux grands travaux de décoration de l'Hôtel de Ville: on lui commanda la cheminée monumentale. Pour la façade du Musée Galliéra, il sculpta *L'Architecture*; pour la Faculté de médecine, *Hippocrate et Hygie*; pour le Palais des Tuileries, *L'industrie* et *La force*; *Le drame* et *La musique* à l'Opéra de Paris ainsi que la porte monumentale qui conduit à l'orchestre. Il décora également la salle des fêtes du Casino de Monte-Carlo. Il laissa plusieurs bustes en marbre dont celui de Bouguereau.

Vriendt, Juliaan de (1842-1925). Peintre d'histoire, de genre, illustrateur et aquafortiste.

Les grands musées de Belgique conservent des œuvres de ce peintre qui eut une fructueuse carrière. Il fut professeur à l'Institut supérieur des arts et directeur, en 1901, de l'Académie royale d'Anvers.

SOURCES

Bénédite, Léonce, *La peinture au XIXᵉ siècle*, Paris, Ernest Flammarion, sans date.

Bénézit, Emmanuel-Charles, *Dictionnaire critique et documentaire des Peintres, Sculpteurs, Dessinateurs et Graveurs de tous les temps et de tous les pays par un groupe d'écrivains spécialistes français et étrangers*. Édition revue, Librairie Gründ, 1976. 10 vol.

Lami, Stanislas, *Dictionnaire des sculpteurs de l'École française au dix-neuvième siècle*, Paris, Librairie ancienne Honoré Champion, 1914-1921. 4 vol.

L'art en France sous le Second Empire, Paris, Éditions de la réunion des musées nationaux, 1979.

Un autre XIXᵉ siècle, Ottawa, Galerie nationale du Canada, 1978.

Bibliographie

Archives et sources manuscrites

Archives de la Chancellerie de l'Archevêché de Montréal

Archives nationales de France (Fonds de l'École des Beaux-Arts de Paris)

Archives nationales du Québec (Fonds du Conseil des arts et manufactures)

Archives publiques du Canada

Archives du Séminaire de Saint-Sulpice de Montréal (Fonds Bibliothèque Saint-Sulpice)

Archives de la Ville de Montréal

Archives de la Ville de Québec

Bibliothèque de l'Art Gallery of Ontario

Bibliothèque centrale de la Ville de Montréal

Bibliothèque nationale du Québec

Bibliothèque du musée des beaux-arts du Canada

Bibliothèque du musée des beaux-arts de Montréal

Bibliothèque du musée McCord

Bibliothèque du musée d'Orsay (Paris)

Biblioghèque du musée du Québec

Bibliothèque de l'université McGill

Bibliothèque de l'université de Montréal

Bibliothèque de l'Université du Québec à Montréal (Fonds de l'École des Beaux-Arts de Montréal)

Centre canadien d'architecture

Centre de recherche en civilisation canadienne-française de l'Université d'Ottawa

Metropolitan Library of Toronto

Ouvrages de référence

Bélisle, Louis-Alexandre, *Références biographiques Canada-Québec*, Éditions de la famille canadienne Ltée, Montréal, 1978. 5 vol.

Bénézit, Emmanuel-Charles, *Dictionnaire critique et documentaire des Peintres, Sculpteurs, Dessinateurs et Graveurs de tous les temps et de tous les pays par un groupe d'écrivains spécialistes français et étrangers*. Édition revue, Librairie Gründ, 1976. 10 vol.

The Canadian Who's Who. Trans-Canada Press, Toronto, 1936 et suiv.

Creative Canada, a Biographical Dictionary of Twentieth Century Creative and Performing Artists. University of Toronto Press, Toronto, 1971-1972, 2 vol.

Dictionnaire Beauchemin canadien. Librairie Beauchemin Ltée, Montréal, 1968.

Dictionnaire biographique du Canada, édité par David M. Hayne et André Vachon, Les Presses de l'Université Laval / University of Toronto Press, Montréal/Toronto, 1966 et suiv.

Harper, J. Russell, *Early Painters and Engravers in Canada*, University of Toronto Press, 1970.

Lami, Stanislas, *Dictionnaire des sculpteurs de l'École française au dix-neuvième siècle*, Librairie ancienne Honoré Champion, Paris, 1914-1921.

Lejeune, Louis, *Dictionnaire général de biographie, histoire, littérature, agriculture, commerce-industrie, sciences, mœurs, coutumes, institutions politiques et religieuses au Canada*. Université d'Ottawa, Ottawa, 1931. 2 vol.

Lovell, John and Son, *Lovell's Montreal Directory*, Montréal.

Ouimet, Raphaël, *Biographies canadiennes-françaises*, Montréal, 1920-1970. 22 vol.

MacDonald, Colin S., *Dictionary of Canadian Artists*, Canadian Paperbacks Publishing Ltd., Ottawa, 1982. 6 vol.

Wallace, W. Stewart, *The Macmillan Dictionary of Canadian Biography*, 3rd edition, Macmillan, Toronto, 1967.

Who's Who in Canada, B.M. Greene, International Press Limited, Toronto, 1928-1929 et suiv.

Ouvrages généraux

Boulizon, Guy, *Le paysage dans la peinture au Québec, vu par les peintres des cent dernières années*, Les éditions Marcel Broquet, Laprairie, 1984.

Chauvin, Jean, *Ateliers. Étude sur ving-deux peintres et sculpteurs canadiens*, Les éditions du Mercure, Montréal, 1928.

Colgate, William, *Canadian Art; its origin and development*, The Ryerson Press, Toronto, 1943.

Falardeau, Émile, *Artistes et artisans du Canada*, Ducharme, Montréal, 1940.

Gour, Romain, *Célébrités de l'art canadien*, Les Éditions Éoliennes, 1949-1953.

Hammond, Melvin, *Painting and Sculpture in Canada*, The Ryerson Press, Toronto, 1930.

Harper, J. Russell, *La peinture au Canada des origines à nos jours*, Les Presses de l'Université Laval, Québec, 1966.

Hill, Charles C., *Peinture canadienne des années trente*, Galerie nationale du Canada, Ottawa, 1975.

Hubbard, Robert H., *National Gallery of Canada Catalogue of Paintings and Sculptures*, Queen's Printer, Ottawa, 1960.

Hubbard, Robert H., *L'évolution de l'art au Canada*, La Galerie nationale du Canada, Ottawa, 1963.

Hubbard, Robert H. et Jean-René Ostiguy, *Three Hundred Years of Canadian Art / Trois cents ans d'art canadien*, La Galerie nationale du Canada, Ottawa, 1967.

Laberge, Albert, *Peintres et écrivains d'hier et d'aujourd'hui*, édition privée, Montréal, 1938.

— *Journalistes, écrivains et artistes*, édition privée, Montréal, 1945.

Maurault, Olivier, *Marges d'histoire*, Librairie d'action canadienne-française, Montréal, 1929.

— *L'art au Canada*, Librairie d'action canadienne-française, Montréal, 1929.

— *Propos et portraits*, Éditions Bernard Valiquette, 1940.

McMann, Evelyn de R., *Royal Canadian Academy of Arts/Académie royale des arts du Canada*, Exhibitions and Members 1880-1979, University of Toronto Press, 1981.

Morisset, Gérard, *La peinture traditionnelle au Canada français*, Le Cercle du livre de France, Montréal, 1960.

— *Peintres et tableaux*, Édition du Chevalet, Québec, 1936.

Le Musée du Québec, 500 œuvres choisies. Publié à l'occasion de l'exposition «Le Musée du Québec 1933-1983. Cinquante ans d'acquisitions». Gouvernement du Québec, 1983.

Ostiguy, Jean-René, *Un siècle de peinture canadienne 1870-1970*, Les Presses de l'Université Laval, Québec, 1971.

— *Les esthétiques modernes au Québec de 1916 à 1946*, Galerie nationale du Canada, Ottawa, 1982.

Reid, Dennis, *A Concise History of Canadian Painting*, Oxford University Press, Toronto, 1973.

— *Notre patrie le Canada*. Mémoires sur les aspirations nationales des principaux paysagistes de Montréal et de Toronto 1860-1890,

Galerie nationale du Canada, Ottawa, 1979.

Robert, Guy, *La peinture au Québec depuis son origine*, Iconia, Sainte-Adèle, 1978.

Roy, Pierre Georges, *Les monuments commémoratifs de la Province de Québec*, publié par la Commission des monuments historiques de la Province de Québec, Québec, 1923. 2 vol.

Sisler, Rebecca, *Passionate Spirits*. A History of the Royal Canadian Academy of Arts 1880-1980. Clarke, Irwin and Company Limited, Toronto/Vancouver, 1980.

Études

Allaire, Sylvain, *Les artistes canadiens aux Salons de Paris, de 1870 à 1914*. Mémoire de maîtrise en histoire de l'art, Université de Montréal, 1985.

Allaire, Sylvain, «Les Canadiens au salon officiel de Paris entre 1870 et 1910: section peinture et dessin», *Annales d'histoire de l'art canadien*, Vol. 4, no 2, 1977-1978, p. 141-154.

(The) Catalogue of the First Annual Loan and Sale Exhibition of the Newspaper Artists' Association. Held at the Art Association Gallery, Philips Square, June 29th, 1903.

Comeau, André, *Institutions artistiques du Québec de l'entre-deux-guerres (1919-1939)*. Thèse de doctorat en histoire de l'art, Université de Paris I, 1983.

Fehrer, Catherine, «New light on the Académie Julian and its founder (Rodolphe Julian)», *Gazette des Beaux-Arts*, mai-juin 1984, p. 207-216.

L'illustration de la chanson folklorique au Québec des origines à La bonne chanson, Catalogue d'exposition, Musée des beaux-arts de Montréal, 1980.

Lacroix, Laurier, «Les artistes canadiens copistes au Louvre (1838-1908)», *Annales d'histoire de l'art canadien*, Vol. 2, no 1, été 1975, p. 54-70.

Landry, Pierre, *L'apport de l'art nouveau aux arts graphiques au Québec, de 1898 à 1910*. Mémoire de maîtrise en histoire de l'art, Université Laval, Québec, 1983.

Larivière, Céline, «Un professeur d'art au Canada au XIXe siècle: l'abbé Chabert», *Revue d'histoire de l'Amérique française*, Vol. 28, no 3, décembre 1974, p. 347-366.

Lassonde, Jean-René, *La bibliothèque Saint-Sulpice, de 1910 à 1931*.

Mémoire de maîtrise, École de bibliothéconomie, Université de Montréal, 1985.

Robertson, Heather, *Tragic Beauty*, James Lorimer & Company, Publishers, Toronto, 1978.

Murray, Joan, *Canadian Artists of the Second World War*, The Robert McLaughlin Gallery, Oshawa, 1981.

Tippett, Maria, *Art at the Service of War*, University of Toronto Press, Toronto, 1984.

Monographies

RAOUL BARRÉ

Martin, André, *Barré l'introuvable*, Cinémathèque québécoise, 1976.

HENRI BEAU

Dumas, Paul, «Redécouverte d'Henri Beau (1863-1949) à la galerie Bernard Desroches», *L'information médicale et paramédicale*, Montréal, 1975.

ANDRÉ BIÉLER

André Biéler: 50 years. A Retrospective Exhibition 1920-1970. Catalogue d'exposition, Agnes Etherington Art Centre, Queen's University, Kingston, 1970.

Smith, Frances K., *André Biéler. An Artist's Life and Times*, Merritt Publishing Company Limited, Toronto/Vancouver, 1980.

NAPOLÉON BOURASSA

Bourassa, Anne, *Un artiste canadien-français, Napoléon Bourassa 1827-1916*, Montréal, 1968.

Le Moine, Roger, *Napoléon Bourassa, l'homme et l'artiste*, Cahiers du Centre de recherche en civilisation canadienne-française, Université d'Ottawa, 1974.

Vézina, Raymond, *Napoléon Bourassa (1827-1916). Introduction à l'étude de son art*, Collection L'art au Canada, Éditions Élysées, Montréal, 1976.

ALBÉRIC BOURGEOIS

Robidoux, Léon-A., *Albéric Bourgeois, caricaturiste*, Les éditions VLB, Montréal-Nord, 1978.

WILLIAM BRYMNER

Braide, Janet, *William Brymner. Aperçu rétrospectif de l'artiste*. Catalogue d'exposition. Agnes Etherington Art Centre, Queen's University, Kingston, 1979.

ALEXANDRE CARLI

Porter, John et Léopold Désy, «Les statuaires et modeleurs Carli et Petrucci», *L'Annonciation dans la sculpture au Québec*, Les Presses de l'Université Laval, Québec, 1979.

ALONZO CINQ-MARS

Doucet, Édouard, *Les médaillons d'Alonzo Cinq-Mars*, Lidec, Montréal, 1968.

FREDERICK SIMPSON COBURN

Kennel, Elizabeth, *F.S. Coburn's Illustrations for Dr. Drummond's Pœtry*, Mémoire de maîtrise, Université Concordia, Montréal, 1985.
Stevens, Gerald F., *Frederick Simpson Coburn*, The Ryerson Press, Toronto, 1958.

MAURICE CULLEN

Gour, Romain, *Maurice Cullen, un maître de l'art au Canada*, Les éditions éoliennes, Montréal, 1952.
Antoniou, Sylvia, *Maurice Cullen*. Catalogue d'exposition, Agnes Etherington Art Centre, Kingston, 1982.

CHARLES DE BELLE

Laberge, Albert, *Charles de Belle, peintre-poète*, édition privée, Montréal, 1949.
Maurault, Olivier, *Charles de Belle et Georges Delfosse*, Les éditions Archonte, Montréal, 1940.

RODOLPHE DUGUAY

Duguay, Rodolphe, *Carnets intimes,* présenté par Hervé Biron, Boréal Express, Montréal, 1978.
Rodolphe Duguay 1891-1973. Catalogue d'exposition, Musée du Québec, Ministère des Affaires culturelles, 1979.

MARC-AURÈLE FORTIN

Jouvancourt, Hugues de, *Marc-Aurèle Fortin*, La Frégate, Montréal, 1980.

Robert, Guy, *Marc-Aurèle Fortin, l'homme à l'œuvre*, Stanké, Montréal, 1976.

Robert, Guy, *Fortin, l'homme et l'œuvre*, France-Amérique, Montréal, 1982.

CLARENCE GAGNON

Dumas, Paul, «Clarence Gagnon, fidèle interprète du paysage canadien», *L'information médicale et paramédicale*, Montréal, 1976.

CHARLES GILL

Hamel, Réginald, *Charles Gill. Correspondance*, Éditions Parti-Pris, Montréal, 1969.

Maurault, Olivier, «Charles Gill, peintre et poète», *La revue canadienne*, 25, 1 et 3, 1919.

ADRIEN HÉBERT

Ostiguy, Jean-René, *Adrien Hébert: Thirty Years of His Art 1923-1953*. Catalogue d'exposition, National Gallery of Canada, Ottawa, 1971.

PHILIPPE HÉBERT

Gubbay, Aline, *Three Montreal Monuments: An expression of Nationalism*, Mémoire de maîtrise, Université Concordia, 1979.

Hébert, Bruno, *Philippe Hébert, sculpteur*, Fides, Montréal, 1973.

EDWIN HOLGATE

Reid, Dennis, *Edwin Holgate*, Collection Artistes canadiens, Galerie nationale du Canada, Ottawa, 1976.

CHARLES HUOT

Derome, Robert, *Charles Huot et la peinture d'histoire au Palais législatif de Québec (1883-1930)*, Bulletin 27, Galerie nationale du Canada, Ottawa, 1976.

Ostiguy, Jean-René, *Charles Huot*, Canadian Artists Series #7, National Gallery of Canada, Ottawa, 1979.

LOUIS JOBIN

Barbeau, Marius, *Louis Jobin statuaire*, Beauchemin, Montréal, 1968.

DORIS M. JUDAH

MacLachlan-Evans, Mary, *The Portrait Sculpture of Doris M. Judah*. Catalogue d'exposition, Mount Saint Vincent University, 1979.

HENRI JULIEN

Guilbault, Nicole, *Henri Julien et la tradition orale*, Boréal Express, Montréal, 1980.

ALFRED LALIBERTÉ

Les bronzes d'Alfred Laliberté. Collection du Musée du Québec. Légendes, coutumes, métiers, Ministère des Affaires culturelles, Québec, 1978.

Derome, Robert, «Physionomies de Laliberté», *Vie des arts*, Vol. 23, no 94, printemps 1979, p. 27-29.

Laliberté, Alfred, *Mes souvenirs*, présenté par Odette Legendre, Boréal Express, Montréal, 1978.

Lamontagne, Laurence, «Laliberté et l'ethnographie», *Vie des arts*, Vol. 23, no 94, printemps 1979, p. 30-32.

Leclerc-Kabis, Suzanne, *La sculpture allégorique chez Alfred Laliberté*. Mémoire de maîtrise en histoire de l'art, Université du Québec à Montréal, 1983.

Montpetit, Raymond, «Alfred Laliberté et la célébration de l'histoire», *Vie des arts*, Vol. 23, no 94, printemps, 1979, p. 22-26.

Nadeau, Michel, *Alfred Laliberté et la commémoration au début du XXᵉ siècle*. Mémoire de maîtrise en histoire de l'art, Université Laval, 1984.

OZIAS LEDUC

«Hommage à Ozias Leduc», *Arts et Pensée*, no 18, juillet-août 1954.

Dessins inédits d'Ozias Leduc/Ozias Leduc the Draughtsman. Les galeries d'art Sir George Williams, Université Concordia, Montréal, 1978.

Ostiguy, Jean-René, *Ozias Leduc. Peinture symboliste et religieuse*. Catalogue d'exposition, Galerie nationale du Canada, Ottawa, 1974.

EDMOND-JOSEPH MASSICOTTE

Genest, Bernard, *Massicotte et son temps*, Boréal Express, Montréal, 1979.

ROBERT TAIT MCKENZIE

McGill, Jean, *The Joy of Effort. A Biography of Robert Tait McKenzie*, Oshawa, 1980.

Hussey, Christopher, *A Sculptor of Youth*, Country Life Ltd., London, 1929.

JAMES WILSON MORRICE

Buchanan, Donald W., *James Wilson Morrice: A Biography*, The Ryerson Press, Toronto, 1936.

Cloutier, Nicole, *James Wilson Morrice 1865-1924*. Catalogue d'exposition, Musée des beaux-arts de Montréal, Montréal, 1985.

Laing, G. Blair, *Morrice. A Great Canadian Rediscovered*, McClelland and Stewart, 1984.

LES PEINTRES DE LA MONTÉE SAINT-MICHEL

Maurault, Olivier, «Les peintres de la Montée Saint-Michel», *Les Cahiers des Dix*, no 6, Montréal, 1941, p. 49-65.

NARCISSE POIRIER

Hardy, René, *Narcisse Poirier*, Collection Signature, Les éditions Marcel Broquet, Montréal, 1982

ADOLPHE RHO

Fréchette, Denis, «Adolphe Rho, l'homme et l'œuvre», *Les cahiers nicolétains*, vol. 6, no 1, La Société d'histoire régionale de Nicolet, mars 1984.

ALBERT H. ROBINSON

Watson, Jennifer, *Albert H. Robinson. The Mature Years/L'épanouissement*. Catalogue d'exposition, Kitchener-Waterloo Art Gallery, 1982.

JOSEPH SAINT-CHARLES

Cousineau, Marie-Josée, *Catalogue raisonné des œuvres de Joseph Saint-Charles (1868-1956)*. Centre de recherche en civilisation canadienne-française, Université d'Ottawa, 1982.

ELZÉAR SOUCY

Cléroux, Huguette, *Liste des œuvres de Monsieur Elzéar Soucy, accompagnée d'une biographie*. Travail fait pour l'École des bibliothécaires, Université de Montréal, 1961.

MARC-AURÈLE SUZOR-CÔTÉ

Gour, Romain, *Suzor-Côté, artiste multiforme*, Les Éditions éoliennes, Montréal, 1950.

Jouvancourt, Hugues de, *Suzor-Côté*, La Frégate, Montréal, 1967, et Stanké, 1978.

Ostiguy, Jean-René, *Marc-Aurèle de Foy Suzor-Côté. Paysage d'hiver*, Galerie nationale du Canada, Ottawa, 1978.

GEORGES E. TREMBLAY

Colin, Marcel, *Georges E. Tremblay, sculpteur*, Éditions Mille Roches, Saint-Jean-sur-Richelieu, 1985.

HORATIO WALKER

Farr, Dorothy, *Horatio Walker 1858-1938*. Catalogue d'exposition, Agnes Etherington Art Centre, Queen's University, Kingston, 1977.

Index des noms

300

Table des illustrations

Table des matières

Achevé d'imprimer
en février 1986 sur les presses
des Ateliers Graphiques Marc Veilleux Inc.
Cap-Saint-Ignace, Qué.